제10판

문제풀이 과정

S+감정평가 실무연습

종합문제

2권 ▸ 예시답안편

합격기준 박문각 감정평가사

PMG 박문각

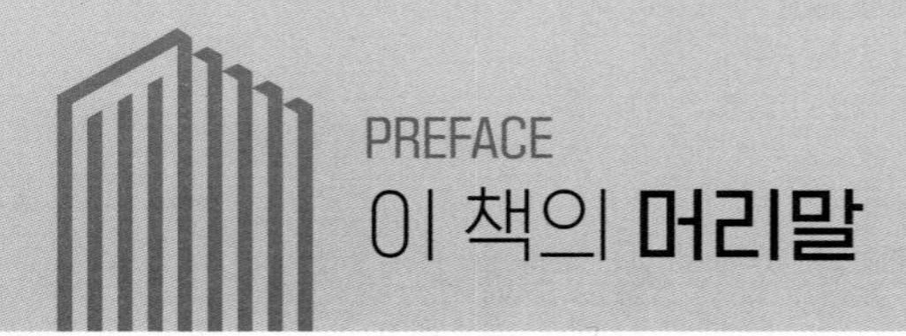

PREFACE

이 책의 머리말

본 교재를 통해 공부하는 모든 수험생들의 감정평가사 시험 최종합격을 진심으로 기원합니다.

감정평가실무연습은 크게 종합문제편과 기출문제편으로 구분됩니다. 감정평가실무 과목은 기본이론의 학습 못지않게 정제된 문제를 통한 꾸준한 훈련이 매우 중요합니다. "실무"라는 과목명에서 알 수 있듯이 수험생들은 실전과 같은 연습을 통해 기본이론의 내용을 비로소 체득하였다고 할 수 있을 것입니다.

종합문제는 2005년 초판이 발행된 이후 많은 변화가 있었습니다. 17년의 시간이 지났지만 그 당시와 지금의 변화는 가히 상전벽해라고 말할 수 있을 것입니다. 감정평가와 관련된 큰 변화에 맞춰 그동안 종합문제집은 진화를 거듭하였고 수만 명의 수험생들로부터 선택받아 왔습니다. 그동안의 역사와 수험생들의 선택에서도 알 수 있지만 저자는 본 종합문제집은 감정평가실무연습에 있어 최고의 문제집이라 자부하며 그런 교재를 만들기 위해 최대한의 노력을 기울여 왔습니다.

제10판에서의 변화를 요약하면 다음과 같습니다.

우선 개정시점인 2022년 5월까지의 법령 및 지침에 따라 문제를 구성하고 해설을 하였습니다. 2022년 「감정평가에 관한 규칙」이 전면 개정되고, 이후 「감정평가실무기준」, 「토지보상평가지침」, 「영업손실보상평가지침」 등 각종 지침이 개정되었습니다. 종합문제는 이런 법령 및 지침의 개정에 발맞추어 문제 및 예시답안을 정비하고 있습니다.

종합문제는 수험생들의 편의를 위하여 문제편과 예시답안편을 분리하여 배치하였습니다. 이러한 편제는 실전과 같은 연습을 통하여 수험생들의 실전 감각을 높일 수 있다고 생각합니다. 한편, 문제의 배열은 진도에 따라 배치하였습니다. 종합문제 내의 문제는 그동안 선택과 정제를 거듭해온 문제들입니다. 감정평가사 수험생 대부분이 본 교재를 선택하고 있으며 종합문제를 2회 이상 풀어봅니다. 진도별 배열은 수험생들이 대표적인 문제를 정리하고 단권화하는 데 도움이 될 것이라 생각합니다.

이번 제10판에서는 일부 문제를 교체하였고, 답안 작성의 방향은 최대한 실무에서의 감정평가서 작성방법을 준용하였으며, 감정평가실무 과목에서 득점에 용이한 방향으로 수정하였습니다.

감정평가실무 문제집은 몇 가지 소임을 해야 한다고 저자는 생각합니다.

첫째, 기본서에서 학습한 이론에 대한 적용입니다. 본 교재는 S+감정평가실무 기본서를 잘 학습하였다면 모두 풀 수 있는 문제들로 구성하였습니다.

둘째, 문제집을 통하여 실전적인 연습을 할 수 있어야 합니다. 수험생들은 문제들의 난이도와 배점을 고려하여 최대한 정해진 시간 내에 풀이할 수 있도록 연습해야 할 것입니다. 난이도가 높은 문제의 경우 배점의 150%까지 시간을 소요해도 될 것이지만 난이도가 낮은 문제의 경우 주어진 시간보다 짧게 풀이해야 할 것입니다. 이 연습이 처음에는 힘든 일이겠지만 반복학습을 통해 숙달해야 할 것입니다.

셋째, 문제집은 수험생들로 하여금 실무과목의 흥미를 느낄 수 있게 해주어야 합니다. 저자는 본 문제집의 각종 자료는 최대한 현실 자료를 그대로 이용하는 것을 원칙으로 교재를 구성하였습니다. 마치 독자가 실제 현장에서 평가를 하는 것 같은 느낌을 받기를 원하고 앞으로 저자들이 해야 할 감정평가실무를 미리 해보면서 공부의 흥미를 느낄 수 있기를 바랍니다.

감정평가실무는 살아있는 실용 학문으로서 관계 법령이나 지침에 따라 문제나 풀이 방법이 달라져야 합니다. 앞으로의 개정사항이 있을 때마다 이에 발맞출 것이며, "감정평가사 합격카페"를 통하여 제공하겠습니다.

저자는 본 S+감정평가실무연습 종합문제 교재를 통하여 독자들과 같이 호흡하고자 합니다. 교재에 대한 의견, 궁금한 사항은 언제든지 질문하기를 바라며, 그 과정에서 독자와 저자가 함께 학습하고 성장할 수 있기를 바랍니다.

마지막으로 본 교재를 독자들이 가장 보기 편하게 작업하고 수정해준 박문각 출판사 임직원 여러분들게 고마운 마음을 전하며, 독자의 댁내에도 항상 행복이 가득하기를 바랍니다. 또한 저자를 항상 이해해주고 도와주는 사랑스러운 가족에게도 고마움을 전합니다.

관악구 봉천동 연구실에서

공저자 씀

GUIDE

감정평가사 문제별 주요 **논점** 및 **난이도**

진도	9판교재번호	배점	내용	난이도
제1장 감정평가의 기초				
TVM	1	10	TVM(유리한 대출상품 선택)	하
	2	20	TVM(매매금액의 Cash Equivalence)	중
	3	10	TVM(대출의 대환)	하
제2장 감정평가 3방식				
비교방식	4	20	공시지가기준법	중
	5	30	공시지가기준법 및 거래사례비교법	중
	6	10	합필가치 산정	하
	7	10	합필가치 산정 및 노선가식 평가	하
	8	10	합필가치 보정 및 거래사례비교법	하
	9	10	노선가식 평가	하
	10	20	노선가식 평가	중
	11	10	단순회귀분석	하
	12	10	다중회귀분석	중
	13	10	거래사례비교법	하
	14	30	토지평가(건물일부, 일단지조건 판단)	중
	15	35	복합부동산의 감정평가	상
	16	20	복합부동산의 일괄감정평가	하
원가방식	17	25	건물의 감정평가(재조달원가)	중
	18	20	건물의 감정평가(분해법)	중
	19	10	건물의 감정평가(거래사례비교법에 의한 감가수정)	하
	20	35	건물의 감정평가(재조달원가 - 감가수정)	상
	21	20	토지조성원가법에 의한 감정평가(골프장)	중
수익방식	22	15	직접환원법	하
	23	10	각종 지수 산정	하
	24	25	창고의 감정평가(NOI기준, ATCF기준)	하
	25	30	복합부동산의 감정평가(3방식 병용)	중
3방식병용	26	30	토지의 감정평가(3방식 병용)	중
	27	25	토지의 감정평가(3방식 병용)	중
	28	40	개발법에 의한 토지평가(일체평가 후 토지가격 배분)	상
	29	35	직접환원법(환원이율 산정)	중
	30	25	복합부동산의 감정평가(3방식 병용)	중
제3장 임대료 및 임대차 감정평가				
임대료	31	10	임대사례비교법	하
	32	25	구분소유권 임대료평가(임대사례비교법, 적산법)	중
	33	30	소송평가(부당이득금의 감정평가)	상
	34	20	수익분석법	하
임대차	35	10	임대차평가	하

제4장 구분소유권 및 구분지상권 감정평가				
구분소유권	36	30	구분소유권 감정평가(거래사례비교법)	중
	37	30	구분소유권 감정평가(소형주택, 3방식 병용)	중
	38	25	구분소유권 감정평가 및 타당성 분석	중
구분지상권	39	25	구분지상권 감정평가(지하부분 보상평가)	중
	40	15	구분지상권이 설정된 토지의 감정평가	중
	41	15	공중선로 있는 토지의 감정평가	중
	42	25	구분지상권이 설정된 토지의 감정평가	상
제5장 유형별 감정평가				
토지/건물	43	35	일단지 판단 및 복합부동산 감정평가	중
	44	20	지상권이 설정된 토지의 감정평가	하
	45	40	골프장 감정평가(3방식)	중
	46	25	광천지 감정평가	중
	47	20	맹지의 감정평가	하
	48	10	맹지의 감정평가	하
	49	10	환지예정지 감정평가	하
기계기구 등	50	10	기계기구류 감정평가	하
	51	15	선박의 감정평가	하
공장	52	35	공장의 감정평가	중
무형자산	53	15	무형자산(영업권)의 감정평가	중
	54	20	지식재산권(상표권)의 감정평가	상
	55	30	지식재산권(특허권)의 감정평가	상
기업가치	56	25	기업가치, 유가증권의 감정평가(교환타당성)	상
	57	25	기업가치 감정평가	중
	58	25	기업가치 감정평가(수익, 비교방식)	상
	59	40	기업가치 감정평가(계속기업가치, 청산가치)	상
유가증권	60	35	비상장주식 감정평가	상
	61	35	비상장주식 감정평가	상
	62	25	비상장주식 감정평가	중
오염부동산	63	25	오염부동산 감정평가	중
기타물건	64	15	입목의 감정평가(시장가역산법)	중
	65	15	동산 감정평가(원자재)	하
제6장 부동산투자 타당성 및 최고최선 이용의 분석				
타당성분석	66	15	상호독립적 투자안, 상호종속적 투자안 판단	하
	67	20	NPV, IRR, MIRR 산정	하
	68	25	ARR, NPV 분석	중
	69	30	부동산의 매입 및 NPV 분석	상
	70	15	Duration, MIRR 결정	하

	71	10	WAPI 분석	하
	72	25	Mean-Variance 분석	하
	73	10	허프(Huff)의 상권분석모형	중
	74	25	평가 및 매도제안가격과 비교	중
	75	35	부동산 매입에 따른 현금등가(Cash Equivalence) 결정	중
	76	15	Re(자기자본환원이율) 산정	하
	77	20	매후환대차(Sales and Leaseback) 타당성 분석	상
	78	35	개발단계별 현금흐름 분석	상
	79	20	상권분석(예상인구 결정) 및 리테일 부동산 신축타당성 결정	중
	80	10	통계량 분석	하
	81	20	실물옵션(Real Option)	상
최유효분석	82	20	대지의 투자타당성 분석	중
	83	20	나대지의 최유효이용 분석(분리환원이율 산정)	중
	84	40	최유효분석, 부동산가치 평가	중
	85	30	복합부동산의 최유효이용 분석	상
	86	20	최유효이용 분석, 현상태 비교검토	중
제7장 목적별 감정평가				
담보/경매평가	87	35	담보평가 및 경매평가	중
	88	20	경매/담보평가 및 경락자금 대출가능성 판단	하
	89	25	경매/담보평가 및 가격차이의 원인 설명	상
	90	25	담보감정서 심사	중
도시정비평가	91	25	종전자산의 감정평가	중
	92	25	종후자산의 감정평가	중
	93	15	현금청산목적의 감정평가	중
	94	25	소송평가(소유권이전 청구소송) - 매도청구평가	중
	95	25	도시개발사업의 정리전/정리후 토지평가 등	중
	96	15	개발제한구역(매수청구평가)토지의 감정평가	하
	97	20	재개발, 비례율 변동, 권리가액	중
	98	15	정비사업 내 매각방안 결정	하
	99	10	권리가액 및 관리처분	하
	100	15	다세대/단독주택 가격격차 약술	중
제8장 표준지공시지가 및 표준주택				
표준지	101	40	유형별 표준지 평가	중
	102	20	골프장 표준지 평가	하
표준주택	103	10	전형적인 표준주택 평가	하

제9장 보상감정평가				
토지보상	104	20	토지 보상평가(기본)	하
	105	20	토지 보상평가(기본)	하
	106	15	토지 보상평가(채권보상 유불리)	하
	107	20	토지 보상평가(둘 이상 용도지역)	하
	108	35	토지 보상평가	중
	109	30	토지 보상평가	하
	110	25	토지 보상평가	중
	111	35	토지 및 지장물 보상평가	상
	112	10	잔여지 가치하락보상	하
	113	15	도시철도 지하부분 사용 보상	하
	114	35	GB해제토지 보상평가	상
	115	10	환매권	하
	116	20	환매권	하
	117	25	환매권(다른 공익사업의 편입)	상
	118	30	토지 보상평가(유사지역 표준지, 도시계획 공원)	상
건축물 등 보상	119	25	건축물 보상평가, 일부편입 보상평가	중
	120	10	일부 편입되는 건축물의 보상평가(보수비 산정)	하
	121	10	과수 보상평가	하
	122	20	농작물(시설취나물, 방울토마토) 보상평가	중
	123	5	과수 보상평가	하
	124	35	영업권 보상평가	중
	125	35	영업권 보상평가(폐업대상)	중
	126	20	영업권 보상평가(임시영업소 설치)	중
영업권 보상	127	20	어업권 보상평가(면허 및 허가어업)	하
	128	15	어업권 보상평가(어획실적 미달어업)	하
	129	15	어업권 보상평가(정지대상어업)	하
	130	15	광업권 보상평가	하
	131	20	농업손실보상	중
생활보상	132	20	생활보상, 농업손실보상	중
	133	5	생활보상(주거이전비)	하
토지/지장물/영업권	134	40	토지, 지장물, 농업손실보상 보상평가	상
	135	50	토지, 지장물, 영업권 보상평가	상
	136	40	토지, 지장물 보상평가	상
	137	15	토지, 지장물 보상평가	중
	138	25	개별적 제한과 일반적 제한 및 일부편입 보상평가	상

S+감정평가실무연습 종합문제

PART 02 예시답안편

S+감정평가실무연습
종합문제

PART
02

예시답안편

CHAPTER 01

감정평가의 기초

Answer 01

10점

Ⅰ 처리방침

각 대출상품의 이자율 및 보증료를 고려하여 유리한 상품을 선택한다.

Ⅱ 대출금액

담보평가액 대비 LTV를 고려한다.

1,450,000,000 × 0.6 = 870,000,000원

Ⅲ 각 대출상품별 이자 등 지급액

1. S보증대출

(1) 보증수수료

870,000,000 × 0.003 = 2,610,000원

(2) 납입이자액의 현가

$$870{,}000{,}000 \times (0.02 + 0.012)/12 \times \frac{1.004^{24} - 1}{0.004 \times 1.004^{24}} \fallingdotseq 52{,}990{,}000\text{원}$$

(3) 소계

55,600,000원

2. 일반대출

$$870{,}000{,}000 \times (0.02 + 0.015)/12 \times \frac{1.004^{24} - 1}{0.004 \times 1.004^{24}} \fallingdotseq 57{,}958{,}000\text{원}$$

Ⅳ 결정

보증수수료를 지급하는 것이 2,358,000원 유리하다(57,958,000 − 55,600,000). 절감되는 이자분이 지급되는 수수료보다 크기 때문이다.

20점

Ⅰ 평가개요

본건은 부동산 매수시 특약사항에 대한 검토 건으로서, 각 특약사항별 현금등가액을 산정 후 가장 유리한 특약사항을 판단한다.

Ⅱ 각 특약사항별 현금등가액

1. 특약사항 A

(1) 현금지급액

3,500,000,000원

(2) 잔금지급액

$$1,500,000,000 \times 1/3 \times \left(\frac{1}{1.06} + \frac{1}{1.06^2} + \frac{1}{1.06^3}\right) ≒ 1,336,506,000원$$

(3) 현금등가액

3,500,000,000 + 1,336,506,000 + 2,000,000 = 4,838,506,000원

2. 특약사항 B

(1) 현금지급액

3,700,000,000원

(2) 승계하는 대출금에 대한 현금등가

1) 이자(거치기간) 현가

$$1,300,000,000 \times 0.12 \times \frac{1.06^2 - 1}{0.06 \times 1.06^2} ≒ 286,009,000원$$

2) 원리금 균등상환분의 현가

$$1,300,000,000 \times \frac{0.12 \times 1.12^3}{1.12^3 - 1} \times \frac{1.06^3 - 1}{0.06 \times 1.06^3} \times \frac{1}{1.06^2} ≒ 1,287,627,000원$$

3) 대출금의 현금등가

286,009,000 + 1,287,627,000 = 1,573,636,000원

(3) 현금등가액

3,700,000,000 + 1,573,636,000 = 5,273,636,000원

3. 특약사항 C

(1) 현금지급액

3,000,000,000원

(2) 비상장채권의 가치

1) 주당가치(잔여만기 8년)

$$5,000 \times 0.08 \times \frac{1.05^8 - 1}{0.05 \times 1.05^8} + 5,000 \times \frac{1}{1.05^8} ≒ 5,969원/좌$$

2) 전체가치

5,969 × 350,000 = 2,089,150,000원

(3) 현금등가

3,000,000,000 + 2,089,150,000 = 5,089,150,000원

III 가장 유리한 특약사항 판단

매수금의 현금등가액이 가장 저가인 특약사항 A가 가장 유리한 특약이다.

10점

Ⅰ 공통점

기존 대출과 대환 상품의 만기가 동일하다.

Ⅱ 차이점

1. A와의 차이점

금리조정기간(Reset period)이 다르므로 금리 상승시 이자 상승지연이 길다.

2. B와의 차이점

금리인상위험을 B는 100% 헷지할 수 있다. 다만 금리 인하시 차입자 입장에서의 손실이 있다.

3. 만기까지의 지급이자의 총액

(1) 총 납입액

1) 매입 납입액

$$600,000,000 \times \frac{0.0265/12 \times (1+0.0265/12)^{180}}{(1+0.0265/12)^{180}-1} \fallingdotseq 4,043,240원$$

2) 총납입액 : 4,043,240원 × 180 = 727,783,200원

(2) 이자지급 총액

727,783,200원 − 600,000,000원 = 127,783,200원

CHAPTER 02

감정평가 3방식

Answer 04

20점

Ⅰ 평가개요

본건은 나대지에 대한 시가참조목적의 감정평가로서 기준시점은 가격조사완료일(감정평가에 관한 규칙 제9조)인 2023년 9월 2일이다.

Ⅱ 공시지가기준법

1. 비교표준지 선정

일반상업지역, 상업용으로 개별적인 유사성이 있는 표준지 3을 선정한다.
(#1 : 유사지역, #2 : 개별적 유사성, #4 : 용도지역)

2. 시점수정치(2023.1.1～2023.9.2, 상업지역)

1.06466 × (1 + 0.00300 × 33/31) ≒ 1.06806

3. 지역요인비교치 : 인근지역으로서 대등함(1.000).

4. 개별요인비교치

조건별 상승식, 항목별 총화식을 기준한다(이하 동일).

1.00(가로) × 0.86(접근*) × 1.08(환경**) × 1.00(행정) × 0.95(획지***) × 1.00(기타) ≒ 0.882

* 접근 : $\frac{100}{105} + \frac{100}{110} - 1$

** 환경 : $\frac{100}{95} + \frac{100}{97} - 1$

*** 획지 : 각지로서 $\frac{100}{105}$

5. 공시지가기준가액

3,800,000 × 1.06806 × 1.000 × 0.882 × 1.00 ≒ 3,580,000원/㎡

Ⅲ 거래사례비교법

1. 사례의 선택

일반상업지역, 상업용으로서 인근지역에 위치한 거래사례 1을 선정한다.
(#2 : 영업권 가격 포함 거래, #3 : 유사지역)

2. 사정보정치 결정

(1) 증분가치

$[2,200,000 \times (580 + 430)] - (1,300,000 \times 580 + 2,000,000 \times 430) = 608,000,000$

(2) 면적비에 따라 배분되는 증분가치

$608,000,000 \times \frac{580}{580+430} \fallingdotseq 349,149,000$

(3) 사정보정치 결정

$\frac{1,300,000 \times 580}{1,300,000 \times 580 + 349,149,000} \fallingdotseq 0.684$

3. 사정보정 후 거래가격

3,000,000,000 × 0.684 + (50,000,000 − 20,000,000) = 2,082,000,000원(3,590,000원/m²)

4. 시점수정치(2023.4.1∼2023.9.2, 상업지역)

$1.00600 \times 1.00500 \times 1.00900 \times 1.00300 \times (1 + 0.00300 \times 33/31) \fallingdotseq 1.02646$

5. 개별요인비교치

1.00(가로) × 0.91(접근*) × 1.08(환경**) × 1.00(행정) × 1.00(획지) × 1.00(기타) ≒ 0.983

* 접근 : $\frac{100}{110} + \frac{100}{100} - 1$

** 환경 : $\frac{100}{94} + \frac{100}{98} - 1$

6. 비준가액

3,590,000 × 1.000(사정보정) × 1.02646 × 1.000(지역) × 0.983 ≒ 3,620,000원/m²

Ⅳ 감정평가액 결정

「감정평가에 관한 규칙」 제14조에 의하여 공시지가기준법에 의하며, 거래사례비교법에 의하여 합리성이 인정된다. 3,580,000원/m²(× 600 = 2,148,000,000원)

Answer 05

30점

Ⅰ 평가개요

1. 본건은 서울특별시 S구 S동에 소재하는 근린생활시설에 대한 일반거래목적의 감정평가이다.

2. 기준시점은 현장조사 완료일인 2023년 9월 7일로 하며, 시장가치를 평가한다.

Ⅱ 토지의 감정평가액

1. 처리방침

남측도로로 사용되는 부분은 감가하여 평가하며, 건축선 지정부분은 대지면적에 산입되는 바, 정상평가한다. 도로조건은 이면각지로서 광대세각이다.

2. 공시지가기준법

(1) 비교표준지 선정

1) 선정기준

인근지역에 위치한 표준지로서 용도지역 등 공법상 제한, 실제이용상황, 주변환경이 같거나 유사한 표준지를 선정한다.

2) 비교표준지 선정

제3종 일반주거지역, 상업용으로서 노선상가지대에 위치하며 본건과 유사한 표준지 3을 선정한다.

(2) 시점수정치(2023년 1월 1일~2023년 9월 7일, S구 주거)

$1.01244 \times (1 + 0.00059 \times 38/31) \fallingdotseq 1.01317$

(3) 지역요인비교치

인근지역으로서 대등하다(1.000).

(4) 개별요인비교치

$1.02 \times 100/95 \fallingdotseq 1.074$

(5) 공시지가기준가액

$14,900,000 \times 1.01317 \times 1.000 \times 1.074 \times 1.20 \fallingdotseq 19,500,000$원/㎡

3. 거래사례비교법

(1) 사례선택

제3종 일반주거지역, 상업용 나대지로서 인근지역에 소재하는 거래사례 4를 선정한다(거래사례 1은 본건과 용도지역이 상이, 거래사례 2는 시간적 격차, 거래사례 3은 본건과 실제이용상황이 상이, 거래사례 5는 배분법 적용이 불가하여 제외한다).

(2) 정상거래가격

$$7,250,000,000 \times [0.6 + 0.4 \times 0.08/12 \times \frac{1.005^{60}-1}{0.005 \times 1.005^{60}} + \frac{0.4}{1.005^{60}}] ≒ 7,500,000,000원$$

(3) 사례토지거래가격(배분법)

1) 사례 거래시점 건물가격

625,000 × 1.20(부대) × 1.05(개별) × 1.01781* × 42/50 ≒ 673,000원/㎡

(×936 = 629,928,000원)

* 2022년 12월 1일/2022년 4월 1일, 생산자물가지수
: 2022년 11월/2022년 3월 = 108.6/106.7

2) 사례토지가격

7,500,000,000 − 629,928,000 ≒ 6,870,072,000원(@19,000,000)

(4) 시점수정치(2022년 12월 1일~2023년 9월 7일, S구 주거지역)

1 × 1.01244 × (1 + 0.00059 × 38/31) ≒ 1.01317

(5) 개별요인비교치

1.02 × 100/102 = 1.000

(6) 거래사례 4 기준가액

19,000,000 × 1.000 × 1.01317 × 1.000 × 1.000 ≒ 19,300,000원/㎡

4. 토지의 감정평가액 결정

「감정평가에 관한 규칙」상 토지의 감정평가의 주방법인 공시지가기준법을 기준으로 19,500,000원/㎡으로 결정한다(도로부분 : 19,500,000 × 0.7 = 13,650,000원/㎡).

∴ 19,500,000 × (589 − 35) + 13,650,000 × 35 = 11,280,750,000원

Ⅲ 건물의 감정평가액

1. 재조달원가

576,000 × 1.20(부대부분) × 1.05530(*) ≒ 729,000원/㎡

* 2023년 9월 7일 ÷ 2022년 4월 1일, 생산자물가지수
2023년 7월지수 ÷ 2022년 3월지수 = 112.6 ÷ 106.7

2. 감정평가액

729,000 × 20 / 50 = 291,000원/㎡(× 1,254.79 = 365,143,890원)

Ⅳ 감정평가액 결정

11,280,750,000 + 365,143,890 = 11,645,893,890원

10점

Ⅰ 평가개요

본건은 병합토지에 대한 증분가치 배분방법별 예상 거래가격을 산정하는 건으로서 현시점을 기준으로 판단한다.

Ⅱ 각 방법별 예상 거래가격

1. 증분가치

$10{,}000{,}000 \times 600 - (5{,}000{,}000 \times 400 + 11{,}000{,}000 \times 200) \fallingdotseq 1{,}800{,}000{,}000$원

2. 총액비 기준

$2{,}200{,}000{,}000 + \frac{2{,}200{,}000{,}000}{2{,}000{,}000{,}000 + 2{,}200{,}000{,}000} \times 1{,}800{,}000{,}000 \fallingdotseq 3{,}143{,}000{,}000$원

3. 단가비 기준

$2{,}200{,}000{,}000 + 1{,}800{,}000{,}000 \times \frac{11{,}000{,}000}{11{,}000{,}000 + 5{,}000{,}000} \fallingdotseq 3{,}438{,}000{,}000$원

4. 면적비 기준

$2{,}200{,}000{,}000 + 1{,}800{,}000{,}000 \times \frac{200}{400 + 200} \fallingdotseq 2{,}800{,}000{,}000$원

5. 구입비 한도액비 기준

$2{,}200{,}000{,}000 + 1{,}800{,}000{,}000 \times \frac{(60 - 20)}{(60 - 20) + (60 - 22)} \fallingdotseq 3{,}123{,}000{,}000$원

Ⅲ 분석결과

단가비를 기준으로 매매계약을 체결할 경우 매도인 입장에서 가장 높은 가격을 받을 수 있다.

Answer 07

10점

Ⅰ 〈물음 1〉

1. 의의

여러 개의 획지를 하나의 획지로 합필하는 경우, 합필된 토지의 시장가치는 개별획지의 가치를 전부 합산한 것보다 큰 것이 일반적인데, 이렇게 합필로 인하여 가치가 증가되었을 때의 그 증분을 합필가치(Plottage Value)라고 한다.

2. 합필가치 산정

(1) 병합 후(A+B) 가치

400,000 × 0.95 × 200 ≒ 76,000,000(380,000원/㎡)

깊 면

(2) A토지 가치

400,000 × 0.95 × 0.95 × 0.8 × 100 ≒ 28,880,000원

깊 삼* 접 면

* 삼각지보정률(역삼각지는 항상 대각으로 봄), 면적보정률(0.85) < 각도보정률(0.95)이므로 각도보정률을 적용한다.

(3) B토지 가치

400,000 × 0.95 × 0.95 × 100 ≒ 36,100,000원

깊 삼* 면

* 삼각지보정률(저각) : 면적보정률(0.85) < 각도보정률(0.95)이므로 각도보정률을 적용한다.

(4) 합필가치

76,000,000 − (28,880,000 + 36,100,000) ≒ 11,020,000원

Ⅱ 〈물음 2〉

1. 총액비

(1) A지 배분액

$$11,020,000 \times \frac{28,880,000}{28,880,000+36,100,000} \fallingdotseq 4,898,000원$$

(2) 사정보정률

$$\frac{4,898,000}{28,880,000} \fallingdotseq 0.170(\therefore\ 17.0\%\ \text{고가})$$

2. 구입한도액비

(1) A지 배분액

$$11,020,000 \times \frac{(76,000,000-36,100,000)}{(76,000,000-28,880,000)+(76,000,000-36,100,000)} \fallingdotseq 5,053,000\text{원}$$

(2) 사정보정률

$$\frac{5,053,000}{28,880,000} \fallingdotseq 0.175\ (\therefore\ 17.5\%\ \text{고가})$$

Answer 08

10점

Ⅰ 평가개요

본건은 병합토지에 대한 평가로서 구입비 한도액비에 따라 사정보정률을 결정하고 거래사례비교법에 따른 토지가치를 결정한다(기준시점 : 2023년 2월 7일).

Ⅱ 사정보정률

1. 증분가치(합필가치)

$380 \times 100 - (180 \times 95 + 200 \times 80) \fallingdotseq 4{,}900$

2. 증분가치의 배분(구입비 한도액비)

$$\frac{380 \times 100 - 180 \times 95}{380 \times 100 \times 2 - (180 \times 95 + 200 \times 80)} \times 4{,}900 \fallingdotseq 2{,}387$$

3. 사정보정률

$$\frac{200 \times 80 + 2{,}387}{200 \times 80} \fallingdotseq 1.1492(14.92\%\ \text{고가 매입})$$

Ⅲ 비준가액

1. 거래금액(2022년 11월 10일)

철거비는 매도인 부담으로서 미고려

$5{,}000{,}000 \times 1 + 20{,}000{,}000 \times 1/1.01^{2} + 20{,}000{,}000 \times 1/1.01^{5} \fallingdotseq 43{,}635{,}000$원(@218,000)

2. 대상토지 평가액

$218{,}175 \times 1/1.1492 \times \underset{\text{시}^*}{1.01754} \times 1.00 \times 100/103 \fallingdotseq 187{,}000$원/㎡

* 2022년 11월 10일~2023년 2월 7일 지가변동률
$(1 + 0.01043 \times 21/30) \times 1.00052 \times 1.00785 \times (1 + 0.00785 \times 7/31)$

3. 총액

$187{,}000 \times 200 \fallingdotseq 37{,}400{,}000$원

10점

Ⅰ 주노선가 산정(B토지의 가격으로부터 환산)

$x \times 0.98 + 1,000,000 \times 0.97 \times 0.1 = 1,567,000$원/㎡

주노선가　측면노선가

$\therefore\ x \fallingdotseq 1,500,000$원/㎡

Ⅱ 대상토지(A토지)의 가격산정

1. 기본단가

$1,500,000 \times 0.97 \times 0.93 \fallingdotseq 1,353,000$원/㎡

주노선가　깊　삼*

* 삼각지보정률은 각도보정률(최소각 33° 가 대각 : 0.93)과 면적보정률(15 × 23 ÷ 2 = 172.5㎡ : 0.90) 중 큰 것으로 한다.

2. 가산단가

$800,000 \times 0.98 \times 0.95 \times 0.1 \fallingdotseq 74,000$원/㎡

3. 획지단가

$1,353,000 + 74,000 \fallingdotseq 1,430,000$원/㎡

4. 대상토지의 가격

$1,430,000 \times 172.5 \fallingdotseq 246,675,000$원

Answer 10

20점

Ⅰ 평가개요

본건은 토지평가로 대로의 노선가는 분양사례(기호 B)를 이용하여 산정하고, 중로의 노선가는 공시지가(C)를 이용하여 산정한 후 대상토지가격을 평가한다(기준시점 2023년 8월 30일).

Ⅱ 대로의 노선가

1. B토지가격 산정(개발법)

(1) 층별 효용비

B1	1	2	3층 이상
60	100	72	64

(2) 각 층별 전유면적

지하 420㎡ × 0.8 = 336㎡, 지상 25 × 24 × 0.5 × 0.8 = 240㎡

(3) 분양수입 현가

1) 분양수입 총액

1,800,000 × (0.6 × 336 + 240 + 0.72 × 240 + 0.64 × 240 × 6개층) = 2,764,800,000원

2) 분양수입 현가

$2,764,800,000 \times (\frac{0.3}{1.01^{15}} + \frac{0.2}{1.01^{18}} + \frac{0.5}{1.01^{20}}) \fallingdotseq 2,309,660,000$원

(4) 제비용의 현가

1) 건축공사비 등

$1,500,000 \times 2,820^{*} \times \frac{121}{400} \times \underset{\text{부대}}{1.1} \times (0.3 + \frac{0.7}{1.01^{12}}) \fallingdotseq 1,296,639,000$원

* 건축연면적 : 600 × 4 + 420

2) 판관비 및 기업이윤

$2,764,800,000 \times (0.03 + 0.07) \times \frac{1}{1.01^{12}} \fallingdotseq 245,362,000$원

(5) B토지 가격

2,309,660,000 − (1,296,639,000 + 245,362,000) ≒ 767,659,000원(1,280,000원/㎡)

2. 대로의 노선가 산정

(1) 소로의 노선가(y)

$1{,}050{,}000 \times 0.96289 = y \times 0.98$

공2 시* 깊·가

* 시점(2023.1.1~8.30) : (1 − 0.03013) × (1 − 0.00354 × 61/30)

∴ y ≒ 1,030,000원/㎡

대로의 노선가가 소로보다 크므로 대로가 주노선가이다.

(2) 대로의 노선가 산정(x)

$x \times 0.98 + 1{,}030{,}000 \times 0.96 \times 0.08 = 1{,}280{,}000$원/㎡

깊·가 소로 깊·가 측·가

∴ x ≒ 1,230,000

Ⅲ 중로의 노선가

공시지가 1을 이용하여 중로의 노선가(z)를 산정한다.

$1{,}150{,}000 \times 0.96289 = z \times 0.96$

시 깊·가

∴ z ≒ 1,150,000원/㎡

Ⅳ 대상토지 (A)의 가격 산정

$1{,}230{,}000 \times 0.98 + 1{,}150{,}000 \times 0.96 \times 0.12$ ≒ 1,340,000원/㎡

깊·가 깊·가 측·가

∴ 1,340,000 × 20 × 30 ≒ 804,000,000원

Answer 11

10점

I 처리방침

토지의 가격(원/㎡)를 종속변수로 하고, 토지면적, 지하철역과의 거리, 도로접면의 너비를 독립변수로 각각 분석하여 선형회귀분석을 실시한다.

II 각 가치형성요인별 회귀분석

1. 토지면적 기준

$y = -80.268x + 860,729$

$R^2 = 96.78\%$로서 독립변수와 종속변수의 선형관계의 유의성이 인정됨.

2. 지하철역과의 거리

$y = 61.928x + 685,947$

$R^2 = 3.65\%$로서 독립변수와 종속변수의 선형관계의 유의성이 거의 없음.

3. 도로접면의 기준

$y = 11,752x + 495,404$

$R^2 = 90.82\%$로서 독립변수와 종속변수의 선형관계의 유의성이 인정됨.

III 본건 시산가액

1. 토지면적 기준

$-80.268 \times 1,650 + 860,729 ≒ 728,000$원/㎡

2. 도로접면 기준

$11,752 \times 15 + 495,404 ≒ 672,000$원/㎡

Answer 12

10점

I 평가개요

본건은 서울시 Y구 E동 소재 APT 가격에 대한 다중회귀분석(Multiple Regression)으로서 현시점을 기준으로 평가한다.

II 아파트 가격(112동 701호)의 추정치

1. 회귀식 도출

$y = 5{,}829.21 + 435.11x_1 + 329{,}51x_2 + 89.25x_3 - 12.51x_4$

2. 추정치

$x_1 = 1,\ x_2 = 1,\ x_3 = 6,\ x_4 = 45$로 추정한다.

$y = 5{,}829.21 + 435.11 \times 1 + 329.51 \times 1 + 89.25 \times 6 - 12.51 \times 45 \fallingdotseq 6{,}566$천원/㎡

$\therefore$ 6,566,000 × 85㎡ ≒ 558,110,000원

III 다중회귀분석의 유의성

1. 각 계수(Coefficient)의 유의성

각 계수의 T값 및 유의확률이 매우 유의한 것으로 나타나는 바, APT 가격과 설명변수의 관계가 매우 우수한 것으로 판단된다.

2. 분산분석 결과

F-Value 및 유의확률이 매우 유의한 것으로 판단되는 바, 독립변수 중 적어도 하나 이상은 APT 가격을 유의하게 설명하고 있다.

Answer 13

10점

I 평가개요

본건은 공동주택(아파트)에 대한 시가참조목적의 감정평가로서 2023년 6월 1일을 기준시점으로 평가한다.

II 거래사례비교법 적용

1. **사례의 적부** : 단지 내 최근의 거래사례로서 적정한 것으로 판단된다.

2. **시점수정치(아파트매매가격지수)**

$\frac{2023.04}{2022.11}$ = 115.6 / 114.9 ≒ 1.00609

3. **가치형성요인 비교치**

동일 단지 내 건물로서 단지외부 및 단지내부요인은 대등하다.

(1) **층별효용격차에 대한 보정** : 104 / 98 ≒ 1.06

(2) **향에 대한 보정**

거래사례 A, B의 격차율 기준하며, 동향이 남동향에 비하여 2% 열세하다.

(3) **관리상태에 대한 보정**

거래사례 C, D의 격차율 기준하며, 관리상태 상이 보통에 비하여 3% 우세하다.

(4) **확장여부에 대한 보정**

거래사례 E, F의 격차율 기준하며, 확장된 상태가 그렇지 않은 상태 대비 2% 우세하다.

III 비준가액

1,920,000,000 × 1.000(사정) × 1.00609 × (1.06 × 0.98 × 1.03 × 1.02) ≒ 2,108,000,000원

30점

Ⅰ 평가개요

1. 복합부동산에 대한 담보목적 감정평가로서 토지, 건물을 개별평가한 후 합산하여 결정한다(기준시점 : 2023년 8월 31일).

2. 100-1번지는 건축물 준공 후 매입한 후면토지로서 부족한 주차장 용지로 활용하고 있고 가치형성측면에서도 구분되는 바, 용도상 불가분관계로 보기 어려워 일단지로 보지 않고 개별평가한다.

Ⅱ 100번지 평가액

1. 토지의 평가

(1) 공시지가기준법

1) 비교표준지 선정

일반상업, 상업용으로서 도로조건 등 유사한 표준지 2를 선정한다.

2) 시점수정치(2023년 1월 1일~8월 31일 상업) : 1.00118

3) 공시지가기준가액

$1,450,000 \times 1.00118 \times 1.000 \times 1.000 \times 1.00 \fallingdotseq 1,450,000$원/㎡

(2) 거래사례비교법

1) 사례선택

일반상업, 상업용으로서 도로, 형상, 면적이 유사하고 배분 가능한 사례 2를 선택한다.

2) 사례정상가격

$$2,000,000,000 + 1,500,000,000 \times \frac{0.12 \times 1.12^{20}}{1.12^{20} - 1} \times \frac{1.1^{18} - 1}{0.1 \times 1.1^{18}} \fallingdotseq 3,646,993,000\text{원}$$

3) 사례토지가격

① 사례거래시점 당시 건물가격

$600,000 \times \frac{94}{95} \times (0.7 \times \frac{45}{50} + 0.3 \times \frac{10}{15}) \fallingdotseq 493,000$원/㎡$(\times 3,200 = 1,577,600,000)$

② 사례토지가격

$3,646,993,000 - 1,577,600,000 = 2,069,393,000(1,480,000$원/㎡$)$

4) 시점수정치

$1.00012 \times 1.00013 \times 1.00019 \times 1.00010 \times 1.00011 \times 1.00118 = 1.00183$

5) 지역요인비교치

표준적 표준지단가로 산정하되, 대상 및 사례 모두 '기준시점'을 기준한다.

$\frac{1,420,000}{1,400,000} ≒ 1.014$

6) 개별요인비교치

1.00 × 1.00 = 1.000

7) 비준가액

1,480,000 × 1.000 × 1.00183 × 1.014 × 1.000 ≒ 1,500,000원/㎡

(3) 평가액 결정

「감정평가에 관한 규칙」 제14조에 의거 공시지가기준법을 기준으로 결정하되, 거래사례비교법에 의한 시산가액으로 그 합리성을 검토한다(1,450,000원/㎡으로 결정한다).

∴ 1,450,000 × 1,200 = 1,740,000,000원

2. 건물의 평가

(1) 재조달원가(직접법)

600,000원/㎡

(2) 적산가액

600,000 × (0.7 × 46/50 + 0.3 × 11/15) ≒ 518,000원/㎡(×3,500 = 1,813,000,000원)

3. 100번지 평가액

∴ 1,740,000,000 + 1,813,000,000 ≒ 3,553,000,000원

III 100-1번지 평가액

1. 방침

일시적 이용인 바, 인근의 표준적 이용을 기준하여 상업용(후면상가지대)으로 평가한다.

2. 공시지가기준법

(1) 비교표준지 선정

일반상업, 상업용으로서 도로조건 등 유사한 표준지 1을 선정한다.

(2) 시점수정치(2023년 1월 1일~8월 31일 상업) : 1.00118

(3) 개별요인비교치

1/1.1 × 100/110 ≒ 0.826

(4) 공시지가기준가액

1,100,000 × 1.00118 × 1.000 × 0.826 × 1.00 ≒ 910,000원/㎡

3. 거래사례비교법

(1) 사례선택

일반상업, 상업용으로서 도로조건이 유사하고 배분 가능한 사례 1을 선택한다.

(2) 사례토지정상가격

1) 사례건물가격

$600,000 \times 97/95 \times (0.7 \times 45/50 + 0.3 \times 10/15)$

≒ 508,000원/㎡($\times 3,400 = 1,727,200,000$원)

2) 사례토지정상가격

$3,400,000,000 \times 0.90 - 1,727,200,000 = 1,332,800,000$(1,070,000원/㎡)

(3) 시점수정치(2023년 3월 31일~8월 31일 상업)

$(1 + 0.00016 \times 1/31) \times 1.00014 \times 1.00013 \times 1.00018 \times 1.00019 \times 1.00015$

$= 1.00080$

(4) 비준가액

$1,070,000 \times 1.000 \times 1.00080 \times 1.000 \times 0.909$ ≒ 973,000원/㎡

4. 100-1번지 평가액

「감정평가에 관한 규칙」 제14조에 의거 공시지가기준법을 기준으로 결정하되, 거래사례비교법에 의한 시산가액으로 그 합리성을 검토한다(910,000원/㎡으로 결정한다).

∴ $910,000 \times 400 = 364,000,000$원

Ⅳ 감정평가액 결정

∴ $3,553,000,000 + 364,000,000 = 3,917,000,000$원

Answer 15

35점

Ⅰ 평가개요

본건은 S시 K구 B동에 소재하는 교육연구시설에 대한 일반거래목적의 감정평가로서 의뢰인이 제시한 날짜인 2023년 1월 15일을 기준시점으로 하여 평가한다.

Ⅱ 〈물음 1〉 토지평가액 결정

1. 기본적 사항 확정

본건은 광대세각으로서 완경사지이며, 지적상 사다리꼴로 판단하여 평가하도록 한다.

2. 공시지가기준가격

(1) 표준지 선정기준

① 용도지역 등 공법상 제한, ② 실제 이용상황, ③ 주변환경이 같거나 유사하며, ④ 인근지역에 위치하여 지리적으로 가까운 표준지를 선정한다.

(2) 비교표준지 선정

본건과 같은 제3종 일반주거지역으로서, 인근의 표준적인 이용상황인 상업용이며, 노선상가지대로서 지리적으로 가까운 표준지 일련번호 2를 선정한다.

(3) 시점수정치(2022년 1월 1일~2023년 1월 15일(K구 주거지역))

토지가격변동을 잘 반영하는 지가변동률을 활용하도록 한다(이하 동일).

$1.00917 \times (1 + 0.00069 \times 46/30) \fallingdotseq 1.01024$

(4) 개별요인비교치

$1.00 \times 0.95 \times 1.00 \fallingdotseq 0.950$

(5) 그 밖의 요인비교치

제3종 일반주거지역, 상업용으로서 평가목적을 고려하여 평가선례 B를 선정한다.

$$\frac{7,200,000 \times 1.01024 \times 1.000 \times (1.05 \times 1.02 \times 1.00)}{5,260,000 \times 1.01024} \fallingdotseq 1.466$$

인근의 지가수준을 고려하여 1.46으로 결정한다.

(6) 공시지가기준가격

5,260,000 × 1.01024 × 1.000 × 0.950 × 1.46 ≒ 7,370,000원/㎡

시

3. 비준가액(거래사례비교법)

(1) 사례선택

제3종 일반주거지역, 상업용으로서 본건과 대체, 경쟁관계에 있는 것으로 판단되는 사례 1을 선택한다(사례 2는 K로 서측에 위치하여 본건과 가격수준 차이, 사례 3은 이용상황, 사례 4는 구체적인 위치확인의 어려움 등으로 사정개입이 가능하므로 배제한다).

(2) 거래사례 1 기준가격

1) 사례거래시점 당시 건물가격

900,000 × 0.91780 × (631.5 + 129.1 × 0.75) × 42/50 ≒ 505,353,000원

시*

* 생산자물가지수, 2021년 5월 ÷ 2022년 12월
121.7 ÷ 132.6

2) 사례토지가격(배분법)

2,600,000,000 − 505,353,000 ≒ 2,094,647,000원(@7,350,000)

3) 시점수정치(2021년 6월 3일~2023년 1월 15일, K구 주거지역)

(1 − 0.00115 × 28/30) × 1.00912 × 1.00917 × (1 + 0.00069 × 46/30) ≒ 1.01836

4) 개별요인비교치

1.05 × 0.98 × 1.00 ≒ 1.029

5) 비준가액

7,350,000 × 1.000 × 1.01836 × 1.000 × 1.029 ≒ 7,700,000원/㎡

4. 토지평가액 결정

「감정평가에 관한 규칙」 제14조에 의하여 공시지가기준법에 의하여 평가하되, 거래사례비교법에 의한 시산가액에 의하여 그 합리성이 인정되는 것으로 판단된다(7,370,000원/㎡)(× 503.7 = 3,712,269,000원).

Ⅲ 〈물음 2〉 건물의 평가 및 감정평가액 결정

1. 건물의 평가액

(1) 지하부분

800,000 × 0.75 × (1 − 21/50 − 0.1) ≒ 288,000원/㎡(×333.06 = 95,921,280원)

(2) 지상부분(기존)

800,000 × (1 − 21/50 − 0.1) ≒ 384,000원/㎡(×1,251.1 = 480,422,400원)

(3) 지상부분(증축)

800,000 × (1 − 10/(29 + 10) − 0.1) ≒ 515,000원/㎡(×250.77 = 129,146,550원)

(4) 건물평가액

705,490,230원

2. 복합부동산 감정평가액 결정

3,712,269,000 + 705,490,230 = 4,417,759,230원

20점

I 평가개요

본건은 복합부동산에 대한 시가참조용 감정평가(토지, 건물)로서 2023년 7월 1일을 기준시점으로 일괄평가한다.

II 평가물건 1

1. 처리방침

토지 및 건물의 가격수준이 각각 존재하는 바, 가격구성비를 이용하여 배분 후 일체 비준한다.

2. 거래사례의 토지, 건물가격구성비

(1) 거래시점사례의 건물가격

$715{,}000 \times 1.02707^{*} \times 104/101 \times (0.7 \times 48/50 + 0.3 \times 13/15) \fallingdotseq 705{,}000$원/㎡

($\times 492.1 = 346{,}931{,}000$원)

* 2022년 12월 1일 / 2022년 6월 1일, 건축비지수(월할)
$(105 + 3 \times 5/6) \div (103 + 2 \times 5/6)$

(2) 토지, 건물가격구성비

1) 건물가격구성비

$346{,}931{,}000 \div 1{,}550{,}000{,}000 \fallingdotseq 22\%$

2) 토지가격구성비

$1 - 0.22 \fallingdotseq 78\%$

3. 가치형성요인 비교치

(1) 토지

$1.01349^{*} \times 1.000 \times 95/100 \times 205.4/247.4 \fallingdotseq 0.799$

* 2022년 12월 1일~2023년 7월 1일, 성남 중원구 주거
$(1 - 0.00126) \times 1.01161 \times (1 + 0.00312 \times 31/31)$

(2) 건물

$$1.03256^{*} \times 100/104 \times \frac{0.7 \times 49/50 + 0.3 \times 14/15}{0.7 \times 48/50 + 0.3 \times 13/15} \times 419.78/492.1 \fallingdotseq 0.878$$

* 2023년 7월 1일 / 2022년 12월 1일, 건축비지수
$111 \div (105 + 3 \times 5/6)$

4. 일체비준가액

1,550,000,000 × (0.78 × 0.799 + 0.22 × 0.878) ≒ 1,265,389,000원

Ⅲ 평가물건 2

1. 처리방침

본건과 같은 복합부동산 건물의 단위면적당 가격수준이 존재하는 바, 이를 기준으로 비준한다.

2. 거래사례 거래단가

189,170,500,000 ÷ 43,451.4(건물연면적) ≒ 4,350,000원/㎡

3. 개별요인비교치

비교요인별 가중평균치로 산정한다.

0.4 × 1.1 + 0.3 × 1.2 + 0.15 × 1.05 + 0.15 × 1.10 ≒ 1.123

4. 일체비준가액

4,350,000 × 1.000 × 1.04422* × 1.000 × 1.123 ≒ 5,100,000원/㎡

* 2021년 10월 1일~2023년 7월 1일, 오피스매매가 변동률
1.025 × (1 + 0.025 × 9/12)

∴ 본건의 일체 비준가액

5,100,000원/㎡ × 34,172.72 ㎡ ≒ 174,281,000,000원

25점

I 평가개요

본건은 Y시 Y군에 소재하는 국 · 공유지상의 공장 건물에 대한 일반거래목적의 감정평가로서 「감정평가에 관한 규칙」 등 관련 규정에 의거 원가법으로 평가한다(기준시점 : 2023년 8월 31일).

II 재조달원가

1. 직접법에 의한 재조달원가

(1) 처리방침

본건 공사비 현황에 따라 산정하되, 건축물 공사비(도급계약서), 설계비 및 간접비(배분된 간접비)를 반영한다.

(2) 도급시 건물의 가액

부가가치세는 제외하며, 간접비 중 건물분만 반영한다.

3,700,000,000 + 99,000,000/1.1(VAT 제외) + 1,100,000,000 × 37/(268 − 11)

≒ 3,948,366,000원

(3) 기준시점 현재의 재조달원가

3,948,366,000 × 1.03083 ≒ 4,070,101,000원(÷ 3,719.61 ≒ 1,094,000원/㎡)

시*

* 2023년 8월 / 2019년 2월, 생산자물가지수

$\frac{114.01}{110.6}$

2. 간접법에 의한 재조달원가

(1) 처리방침

기본형 건축비에 부대설비를 보정하되, 중층부분의 단가에 유의한다.

(2) 기본형 건축비(2022년 4월 1일 기준)

817,000 × (1,205.25 + 0.6 × 557.25 + 1,006.11 + 951) ≒ 2,856,812,000원

(÷3,719.61 ≒ 768,000원/㎡)

(3) 부대설비

9,000 × (1,205.25 + 1,006.11 + 951) + 25,000 × 3,719.61 + 150,000 × (557.25 + 1,006.11 + 951) ≒ 498,605,000원(÷3,719.61 ≒ 134,000원/㎡)

(4) 재조달원가의 결정

(768,000 + 134,000) × 1.02601 × 1.1(개별요인) ≒ 1,020,000원/㎡

시*

* 2023년 8월 / 2022년 3월, 생산자물가지수

$\frac{114.01}{111.12}$

3. 재조달원가 결정

본건의 실제 투하 건축비는 시적격차가 크고 사정이 개입되었을 우려가 있으므로 표준적인 신축단가표를 기준한 간접법으로 결정한다(1,020,000원/㎡).

∴ 1,020,000 × 3,719.61 = 3,794,002,200

Ⅲ 감가수정

1. 물리적 감가

3,794,002,200 × 2/40(경제적 내용연수) = 189,700,000

2. 기능적 감가(Layout)

(1) 치유 타당성

[(30단위 × 1.5시간 × 300일) × 50,000 × (1 − 0.4)] ÷ 0.15 − 2,000,000,000 > 0

∴ 치유가능

(2) 기능적 감가수정액

2,000,000,000 − 1,200,000,000 = 800,000,000원

3. 감가수정액

189,700,000 + 800,000,000 = 989,700,000원

Ⅳ 건물의 감정평가액 결정

3,794,002,200 − 989,700,000 = 2,804,302,200원

Answer 18

20점

Ⅰ 평가개요

본건은 건물에 대한 적산가액의 평가로서 감가수정방법은 분해법에 의한다(기준시점 : 2023년 9월 5일).

Ⅱ 재조달원가

1. 소모성 항목

(5,050,000 + 3,590,000 + 5,500,000 + 1,520,000 + 2,860,000 + 5,600,000 + 3,150,000 + 13,850,000) × 1.27(간접비) × 1.05^4(시점수정) ≒ 63,477,000원

2. 내구성 항목

건물만의 효용이라 볼 수 없는 "울타리 및 조경공사"는 제외함.

(187,730,000 − 41,120,000 − 3,500,000) × 1.27 × 1.05^4 ≒ 220,918,000원

3. 재조달원가

63,477,000 + 220,918,000 = 284,395,000원

Ⅲ 감가수정(분해법)

1. 물리적 감가

(1) 치유가능

400,000원

(2) 치유불능

1) 소모성 항목

이중감가를 배제하기 위하여 치유가능부분을 배제함.

(63,477,000 − 350,000) × 4/15 ≒ 16,834,000원

2) 내구성 항목

220,918,000 × 4/50 ≒ 17,673,000원

3) 소계

16,834,000 + 17,630,000 ≒ 34,507,000원

(3) 물리적 감가

400,000 + 34,507,000 = 34,907,000원

2. 기능적 감가

(1) 화장실(결핍)

1) 치유가능 여부

$500,000 \times 7 - 1,500,000 > 0$ (치유가능)

2) 감가수정액

$1,500,000 - 1,300,000 = 200,000$

(2) 전기설비(대체)

1) 치유가능성

$600,000 \times \frac{1.06^{11} - 1}{0.06 \times 1.06^{11}} - 2,200,000 > 0$ (치유가능)

2) 감가수정액

$2,000,000 \times 11/15 + 2,200,000 - 2,100,000 \fallingdotseq 1,567,000$

(3) 복도흡연실(대체)

1) 치유가능성

$150,000 \times 7 - 1,000,000 > 0$ (치유가능)

2) 감가수정액

$2,200,000 \times 46/50 \times 6/12 + 1,000,000 - 800,000 \fallingdotseq 1,212,000$

(4) 승강기(구조적 치유불능)

$2,000,000 \times 7 - 5,000,000 \fallingdotseq 9,000,000$

(5) 층고(구조적 치유불능)

$15,000,000 \times 46/50 + 100,000 \div 0.125 \fallingdotseq 14,600,000$

(6) 기능적 감가액 계

$200,000 + 1,567,000 + 1,212,000 + 9,000,000 + 14,600,000 \fallingdotseq 26,579,000$원

3. 경제적 감가

(1) 종합환원이율(물리적 투자결합법)

$0.6 \times 0.06 + 0.4 \times 0.125 \fallingdotseq 0.086$

(2) 감가액

$121,000 \div 0.086 - 1,000,000 \fallingdotseq 407,000$원

4. 감가수정액

$34,907,000 + 26,579,000 + 407,000 = 61,893,000$원

Ⅳ 건물의 적산가액

$284,395,000 - 61,893,000 \fallingdotseq 222,502,000$원

Answer 19

10점

Ⅰ 평가개요

거래사례비교법에 따른 발생감가상각(Accrued depreciation)을 파악한 후에 토지・건물을 평가한다.

Ⅱ 토지평가

1,200,000 × 600 = 720,000,000원

Ⅲ 건물평가

1. 연 감가상각률 산정

(1) 사례 1기준

$$\frac{[230-(215-15)]\div 8}{230} \fallingdotseq 0.0163$$

(2) 사례 2기준

$$\frac{[627-(605-100)]\div 14}{627} \fallingdotseq 0.0139$$

(3) 사례 3기준

$$\frac{[934-(791-125)]\div 19}{934} \fallingdotseq 0.0151$$

(4) 연 감가상각률 산정

$$\frac{0.0163+0.0139+0.0151}{3} \fallingdotseq 0.0151$$

2. 건물가격

120,000 × 1,000 × (1 − 0.0151 × 15) ≒ 92,820,000원

Ⅳ 대상 부동산의 평가액

720,000,000 + 92,820,000 ≒ 812,820,000원

Answer 20

35점

I 평가개요

본건은 복합부동산에 대한 일반거래목적의 감정평가로서 2023년 9월 4일을 기준시점으로 시장가치를 평가한다.

II 〈물음 1〉 건물의 재조달원가 결정

1. 처리방침

대상건물 신축시의 도급계약서에 따른 직접법과 신축단가표에 따른 간접법을 병용하여 결정한다.

2. 직접법에 따른 재조달원가

(1) 기존부분 재조달원가

1) 제외항목

건물의 건축과 직접 관계 없는 하천타설비용, 진입도로 개설비, 토지 지지벽(옹벽) 설치, 울타리, 담장비용 및 이에 해당하는 간접공사비 및 노무비를 제외한다.

2) 계약시점의 적정 재조달원가

$$4,200,000,000 - (150,000,000 + 100,000,000 + 300,000,000 + 10,000,000) - (800,000,000 + 350,000,000) \times \frac{560,000,000}{4,200,000,000 - 1,150,000,000^*} \fallingdotseq 3,428,852,000\text{원}$$

* 건물과 관계없는 부분

3) 기준시점의 재조달원가

2016년 7월 1일(계약시점)~기준시점 건축비지수

3,428,852,000 × 1.21347 ≒ 4,160,809,000원
시*

* 건축비지수, 117.1 ÷ 96.5

(2) 증축부분의 재조달원가

200,000,000 × 1.09953 ≒ 219,906,000원
시*

* 2023년 9월 4일/2021년 10월 1일 = 117.1/106.5

(3) 직접법에 따른 재조달원가

4,160,809,000 + 219,906,000 = 4,380,715,000원

3. 간접법에 따른 재조달원가

(1) 기존부분의 재조달원가

1) 기본형 건축비

650,000 × 800 × 2 × 0.8 + 650,000 × 600 × 6 ≒ 3,172,000,000

2) 부대설비 보정

(169,000 − 17,000) × (600 × 6 + 800 × 2) + 17,000 × 800 × 2 ≒ 817,600,000

3) 기존부분의 재조달원가

3,172,000,000 + 817,600,000 ≒ 3,989,600,000

(2) 증축부분의 재조달원가

450,000 × 500 ≒ 225,000,000

(3) 간접법에 따른 재조달원가

3,989,600,000 + 225,000,000 ≒ 4,214,600,000원

4. 대상건물의 재조달원가 결정

본건 건물의 신축이 5년 이상 경과하였고, 하천부지를 대지로 조성하는 공사비 등이 포함되어 도급계약금액의 사정이 개입될 수 있는 바, 간접법에 따른 가격으로 결정한다(4,214,600,000원).
(기존부분 : 3,989,600,000원, 증축부분 : 225,000,000원)

Ⅲ 〈물음 2〉 감가수정액 결정

1. 내용연수법

정액법을 적용하고 증축부분의 내용연수를 보정한다.
3,989,600,000 × 5/50 + 225,000,000 × 1/(45 + 1) ≒ 403,851,000

2. 거래사례비교법

(1) 사례선택

대상건물의 주 구조 및 용도가 유사하고 규모 등 개별요인이 유사한 사례 1, 3, 5를 선택한다.

(2) 사례건물의 연 감가율

1) 산식

$$\frac{\text{거래 당시 사례의 재조달원가} - (\text{사례거래가격} - \text{사례토지가격})}{\text{거래 당시 사례의 재조달원가}} \div \text{거래시점 당시 경과연수}$$

2) 각 사례별 연 감가상각률

사례 1	사례 3	사례 5
0.03012	0.03368	0.03127

* 계산예시(사례 1)

$$\frac{752,000 \times 6,100 - (6,500,000,000 - 1,600,000 \times 1,800)}{752,000 \times 6,100} \div 7$$

(3) 대상건물의 연 감가상각률

대상의 건물과 유사하며, 최근의 거래사례로서 신빙성이 있는 것으로 판단되는 사례 1을 중심으로 조정하여 연 3%로 결정한다.

(4) 감가수정액

4,214,600,000 × 0.03 × 5년 ≒ 632,190,000원

3. 감가수정액 결정

「감정평가에 관한 규칙」에 의거하여 내용연수법을 기준하되, 기타 방법을 병용하여 결정한다. 본건의 경우 내용연수 이외의 감가요인이 더 있는 것으로 판단되는 바, 거래사례비교법에 의한 감가수정액을 기준으로 결정하도록 한다(632,190,000원).

IV 〈물음 3〉 복합부동산 가격

1. 건물의 가격

4,214,600,000 − 632,190,000 ≒ 3,582,410,000원

2. 토지의 가격(공시지가기준가액)

제3종 일반주거, 상업용으로서 유사한 표준지 2를 선정한다(나지상정으로서 지상권은 고려치 아니한다).

1,850,000 × 1.04040 × 1.00 × 100/95 × 1.00 ≒ 2,030,000원/㎡(× 1,500 = 3,045,000,000원)
시*

* 2023년 1월 1일~9월 4일 주거지역 1.03195 × (1 + 0.00725 × 35/31)

3. 복합부동산 평가액

3,045,000,000 + 3,582,410,000 ≒ 6,627,410,000원

Answer 21

20점

Ⅰ 평가개요

본건은 충청북도 A시에 소재하는 ○○○○ CC 골프장부지에 대한 시가참조용 감정평가로서 조성원가법에 의하여 제시된 기준시점인 2023년 7월 1일을 기준으로 평가한다.

Ⅱ 소지의 시장가치 산정

1. 처리방침

전, 임야의 소지상태의 시장가치를 공시지가기준법에 의하여 각각 산정하되, 매입가는 인근 지가와 괴리가 있으며 이는 한정가치가 형성된 등의 사정이 개입된 바, 고려하지 않는다.

2. 계획관리, 전의 시장가치

(1) 비교표준지 선정

계획관리지역, 전으로서 유사한 표준지 2를 선정한다.

(2) 시점수정치(2023년 1월 1일~2023년 7월 1일, 지가변동률)

계획관리의 용도지역 미고시로서 관련 규정에 의하여 유사한 용도지역인 A시 관리지역의 지가변동률을 활용한다.

$1.00483 \times (1 + 0.00062 \times 31/31) \fallingdotseq 1.00545$

(3) 개별요인비교치

$100/90 \fallingdotseq 1.111$

(4) 감정평가액

$18,000 \times 1.00545 \times 1.000 \times 1.111 \times 1.40 \fallingdotseq 28,000$원/㎡

3. 계획관리, 임야의 시장가치

(1) 비교표준지 선정

계획관리지역, 임야로서 본건과 유사한 표준지 3을 선정한다.

(2) 시점수정치

1.00545(상동)

(3) 개별요인비교치

100/105 ≒ 0.952

(4) 평가액

4,600 × 1.00545 × 1.000 × 0.952 × 1.60 ≒ 7,000원/㎡

4. 전체 소지의 시장가치

28,000 × 400,000㎡ + 7,000 × 800,000㎡ = 16,800,000,000원

III 개발비용 산정

1. 처리방침

제시된 골프장 공사비 내역과 인근 골프장 조성비를 비교하되, 토지가치에 화체되지 않은 비용은 제외하고 산정한다.

2. 제시된 공사비 기준 조성비

(1) 공사비

건물비용을 제외하며, 전체 설계비와 일반 관리비는 투하된 비율에 따라 안분하여 반영한다.

69,000,000,000 + (3,000,000,000 + 4,000,000,000) × 690/795* ≒ 75,075,000,000원

* 조성원가 + 건물비용

(2) 적정이윤

75,075,000,0000 × 0.05 × 1.5년 = 5,631,000,000원

(3) 제시된 공사비 기준 조성비

75,075,000,000 + 5,631,000,000 = 80,706,000,000원(홀당(÷ 27) ≒ 2,989,000,000원)

3. 조성사례 기준 공사비

(1) 사례의 선택

본건과 유사한 대중제 골프장으로서 조성사례 B, D, E를 선정하여 검토한다.

(2) 각 사례별 공사비의 분석(홀당)

(총공사비 ÷ 홀수) × 시점수정(생산자물가지수)

B	D	E
3,157,000,000	3,231,000,000	2,927,000,000

(3) 결정

본건과 유사한 홀수로서 유사성이 있다고 판단되며 최근의 조성사례인 조성사례 B에 중점을 두어 조정하여 3,157,000,000원으로 결정한다.

4. 제시된 공사비의 적정성 검토

유사 골프장의 조성비와 비교한 결과 홀당 조성비 차이가 10% 이내로서 본건의 공사비 수준이 적정한 것으로 판단된다.

Ⅳ 조성원가법에 의한 토지가치 산정

16,800,000,000 + 2,989,000,000 × 27홀 = 97,503,000,000원(81,000원/㎡)

Answer 22

15점

I 평가개요

직접환원법에 의하여 대상 상업용 복합부동산의 수익가액을 현시점 기준으로 평가한다(기준시점 : 2023년 9월 1일).

II 순수익(NOI) 산정

1. 총수익

$177{,}000 \times (320 \times 0.8 \times 2 + 300 \times 0.8 \times 0.7) \fallingdotseq 120{,}360{,}000$

2. 필요제경비

$5{,}000{,}000 + 6{,}000{,}000 + (4{,}500{,}000 - 1{,}000{,}000) + 5{,}000{,}000 \times (1 - \frac{1.05^3 - 1}{0.05} \times 0.5 \times \frac{0.12}{1.12^3 - 1}) \fallingdotseq 17{,}164{,}000$

3. 순수익

$120{,}360{,}000 - 17{,}164{,}000 \fallingdotseq 103{,}196{,}000$

III 종합환원이율

1. 각 사례의 환원이율

(1) 사례 1(부채감당법)

$R = DCR \times LTV \times MC$

$R = 150/100 \times 0.7 \times \frac{0.1 \times (1 + 0.1/12)^{300}}{(1 + 0.1/12)^{300} - 1} \fallingdotseq 0.1145$

(2) 사례 2(EGIM법)

$R = (1 - OER) \div EGIM$

$R = (1 - 0.15) \div \frac{900{,}000}{120{,}000 - 3{,}000} \fallingdotseq 0.1105$

(3) 사례 3(Ellwood법)

1) 산식

$R = y - L/V(y + p \times SFF - MC) \pm \triangle SFF$

2) 엘우드계수(= y + p × SFF − MC)

① 1번 저당

$0.13 + \frac{1.1^{10} - 1}{1.1^{20} - 1} \times \frac{0.13}{1.13^{10} - 1} - \frac{0.1 \times 1.1^{20}}{1.1^{20} - 1} \fallingdotseq 0.02765$

② 2번 저당

$$0.13+\frac{1.11^{10}-1}{1.11^{15}-1}\times\frac{0.13}{1.13^{10}-1}-\frac{0.11\times1.11^{15}}{1.11^{15}-1}\fallingdotseq0.01732$$

3) 환원이율

$$0.13-0.4\times0.02765-0.2\times0.01732-0.15\times\frac{0.13}{1.13^{10}-1}\fallingdotseq0.1073$$

2. 대상의 환원이율 결정(투자시장 질적평점비교법)

환원이율간 비교로서 역수로 비교함

(1) 각 사례의 평점(가중치 × 평점)

구분	대상	사례 1	사례 2	사례 3
평점	97.5	96	94.5	92.5

(2) 대상의 환원이율

$(0.1145 \times 96/97.5 + 0.1105 \times 94.5/97.5 + 0.1073 \times 92.5/97.5) \times 1/3 \fallingdotseq 0.1072$

Ⅳ 수익가액

103,196,000 ÷ 0.1072 ≒ 962,649,000원

Answer 23

10점

Ⅰ 부동산의 가치

1. 지분가치

(1) 매기 지분수익 현가

$$(190{,}000{,}000 - 161{,}298{,}000) \times (\frac{1}{1.15} + \frac{1}{1.15^2} + \frac{1}{1.15^3} + \frac{1}{1.15^4} + \frac{1}{1.15^5}) \fallingdotseq 96{,}214{,}000\text{원}$$

(2) 기간말 복귀가치 현가

1) 지분복귀액

$$\underbrace{\frac{230{,}000{,}000}{0.10}}_{\text{재매도가치}} - (\underbrace{115{,}000{,}000}_{\text{판매비용}} + \underbrace{1{,}450{,}967{,}000}_{\text{저당잔금}}) \fallingdotseq 734{,}033{,}000\text{원}$$

2) 지분복귀액 현가

$$734{,}033{,}000 \times \frac{1}{1.15^5} \fallingdotseq 364{,}944{,}000\text{원}$$

(3) 지분가치

461,158,000원

2. 저당가치

1,500,000,000원

3. 부동산가치

1,961,158,000원

Ⅱ 지분환원율

$$\frac{28{,}702{,}000}{461{,}158{,}000} \fallingdotseq 0.0622(6.22\%)$$

Ⅲ 종합환원율

$$\frac{190{,}000{,}000}{1{,}961{,}158{,}000} \fallingdotseq 0.0969(9.69\%)$$

Ⅳ 가치성장률

$$\frac{2{,}300{,}000{,}000}{1{,}961{,}158{,}000} \fallingdotseq 1.1728(17.28\%)$$

Answer 24

25점

Ⅰ 평가개요

본건은 충청남도 A시 B읍에 소재하는 창고시설에 대한 일반거래목적의 감정평가로서 할인현금수지분석법(DCF)에 따라 2023년 6월 30일을 기준시점으로 하여 평가한다.

Ⅱ 〈물음 1〉 보유기간 중 현금흐름분석

1. 처리방침

창고 1, 2동의 임대차계약서를 통해 보유기간 중 임대료 및 경비비율, 공실률을 추계한다.

2. 1기 순수익 추계

(1) 총수익의 결정

(20,000 × 13,000 ×0.04 + 10,000 × 13,000 × 12월) × 1.03 + (18,000 × 13,000 × 0.04 + 9,000 × 13,000 × 12월) × 1.03^2 ≒ 3,116,900,000원

(2) 1기 순수익 추계

3,116,900,000 × (1 − 0.05) × (1 − 0.2) = 2,368,844,000원

3. 보유기간 중 순수익 분석(단위 : 천원)

"총수익 × (1 − 공실률) × (1 − 영업경비비율)"을 기준한다.

구분	1	2	3	4	5
PGI*	3,116,900	3,210,407	3,306,719	3,405,921	3,508,098
공실률	5%	10%	15%	15%	15%
OER	20%	22%	24%	26%	28%
NOI	2,368,844	2,253,706	2,136,140	2,142,324	2,146,957

* 매기 3%씩 증가한다.

4. 보유기간 중 세후 현금흐름(ATCF)분석

(1) 현금흐름 분석

1) DS

26,000,000,000 × 0.5 × 0.05 = 650,000,000원

2) 감가상각비

16,000,000,000 × 1/50 = 320,000,000원

3) 원금상환분

이자만 지급하므로 원금상환분이 없다.

(2) 매기 세후 현금흐름(ATCF)

(단위 : 천원)

구분	1	2	3	4	5
NOI	2,368,844	2,253,706	2,136,140	2,142,324	2,146,957
DS	650,000	(좌동)			
BTCF	1,718,844	1,603,706	1,486,140	1,492,324	1,496,957
TAX*	419,653	385,112	349,842	351,697	353,087
ATCF	1,299,191	1,218,594	1,136,298	1,140,627	1,143,870

* Tax = (BTCF − DEP) × 30%

Ⅲ 〈물음 2〉 DCF를 통한 수익가액의 산정 등

1. 순수익 기준 DCF에 의한 수익가액

(1) 할인율

타인자본 현금흐름 + 자기자본 현금흐름인 순수익의 성격에 따라 WACC를 활용한다.

$0.5 \times 0.09 + 0.5 \times 0.05 = 0.07$

(2) 기말복귀가치

1) 기출환원이율

$0.07 + 0.01 = 0.08$

2) 6기의 순영업소득(환원대상소득)

2,146,957,000(5기의 순수익) × 1.03 ≒ 2,211,366,000원(매기 3%씩 상승한다)

3) 기말복귀가치

2,211,366,000 ÷ 0.08 × (1 − 0.02) ≒ 27,089,234,000원

(3) 순수익기준 DCF에 의한 수익가액

1) 보유기간 중 순수익 현가

$\Sigma \frac{NOI}{1.07^t}$ ≒ 9,091,193,000원

2) 기말복귀가치 현가

27,089,234,000 ÷ 1.07^5 ≒ 19,314,249,000원

3) 수익가액

9,091,193,000 + 19,314,249,000 ≒ 28,405,442,000원

2. 세후 현금흐름(ATCF)기준 DCF에 의한 수익가액

(1) 할인율

세후 자기자본비용을 활용한다.

$\therefore$ 9% × (1 − 30%) = 6.30%

(2) 기말 지분복귀가치(자본이득세 미고려)

27,089,234,000 − (26,000,000,000 × 0.5) ≒ 14,089,234,000원

(3) ATCF 기준 DCF에 의한 수익가액

1) 매기 ATCF의 현가합

$\Sigma \frac{ATCF}{1.063^t}$ ≒ 4,982,727,000원

2) 기말 지분복귀가치 현가

14,089,234,000 ÷ 1.063^5 ≒ 10,380,567,000원

3) 저당가치

13,000,000,000원

4) 수익가액

4,982,727,000 + 10,380,567,000 + 13,000,000,000 ≒ 28,363,294,000원

3. 양 수익가액의 차이 분석

(1) Leverage Effect 등으로 인한 차이

ATCF 기준시 대출조건 및 세금 고려로 NOI기준 수익가액과 차이가 날 수 있으나, 적정한 율로 세후 할인율을 조정할 경우 유사하게 나올 수도 있다.

(2) 할인율 차이에 따른 차이

NOI는 세전 종합할인율을, ATCF는 세후 지분할인율을 사용해야 한다.

Answer 25

30점

I 평가개요

1. 본건은 복합부동산에 대한 시가참조목적의 감정평가로서 2023년 8월 26일을 기준시점으로 평가한다.
2. 「감정평가에 관한 규칙」 제7조에 의한 개별평가 및 「감정평가에 관한 규칙」 제16조에 의한 일괄평가(거래사례비교법 및 수익환원법)를 병용한다.

II 공시지가기준법 및 원가법에 의한 개별평가

1. **토지의 평가액**(공시지가기준법)

(1) **비교표준지 선정**

제3종 일반주거지역, 상업(업무)용으로서 도로조건 등 주변환경에서 유사한 표준지 A를 선정한다.

(2) **시점수정치**(2023년 1월 1일~2023년 8월 26일, K구 주거)

$1.02399 \times (1 + 0.00450 \times 26/31) \fallingdotseq 1.02785$

(3) **개별요인비교치**(본건 : 광대소각, 부정형, 평지)

$1.00 \times 100/98 \times 100/97 \times 90/105 \times 1.00 \fallingdotseq 0.902$

(4) **그 밖의 요인비교치**

1) **거래사례 등 선택**

평가선례 중 평가목적, 주변환경 등 고려시 적절한 선례가 없으며, 거래사례 중 제3종 일반주거지역, 업무용으로서 비교적 최근에 거래된 거래사례 2를 선정한다.

2) **격차율 분석(비교표준지 기준)**

$$\frac{26,400,000 \times 1.000 \times 1.08090^{*} \times 1.000 \times 0.941^{**}}{19,300,000 \times 1.02785} \fallingdotseq 1.353$$

* 시 : 2022년 1월 1일~2023년 8월 26일, 주거

$1.05161 \times 1.02399 \times (1 + 0.00450 \times 26/31)$

** 개별(비교표준지/거래사례)

$1.05 \times 98/104 \times 97/102 \times 1.00 \times 1.00$

3) **그 밖의 요인비교치 결정**

상기의 격차율을 고려하여 1.35로 결정한다.

(5) 토지의 평가액

19,300,000 × 1.02785 × 1.000(지역) × 0.902 × 1.35 ≒ 24,200,000원/㎡(×1,493.5(일단지)= 36,142,700,000원)

2. 건물의 평가액(원가법)

(1,100,000 + 200,000) × 35/55 ≒ 827,000원/㎡(× 11,826.74㎡ = 9,780,713,980원)

3. 개별평가액 합계

36,142,700,000(79%) + 9,780,713,980(21%) ≒ 45,923,000,000원(100%)

Ⅲ 일괄평가(거래사례비교법)

1. 사례선택

업무시설로서 건물의 사용승인일, 면적 등이 유사하며, 연면적/대지면적의 비율이 유사한 거래사례 '가'를 선택한다.

2. 시점수정치(2022년 9월 1일~2023년 8월 26일)

업무용 자본수익률이 적정한 시점수정자료이다.

(1 + 0.0019 × 30/92) × 1.0056 × 1.0032 × 1.0040 × (1 + 0.0040 × 57/91) ≒ 1.01602

3. 개별요인비교치

(1) 토지요인비교치

1.00 × 100/95 × 100/98 × 1.00 × 1.00 ≒ 1.074

(2) 건물요인비교치

1.05(구조) × 1.00 × 1.00 ≒ 1.050

(3) 요인비교치

0.79 × 1.074 + 0.21 × 1.05 ≒ 1.069

4. 거래사례비교법에 의한 시산가액

5,270,000 × 1.000 × 1.01602 × 1.000 × 1.069 ≒ 5,720,000원/㎡

(×11,826.74㎡ = 67,649,000,000원)

Ⅳ 일괄평가(수익환원법)

1. 처리방침

현 공실률은 일시적인 바, 표준적인 임대료(GBD, 중형)를 기준하며, 직접환원법에 의한다.

2. 순수익 결정

[205,000 × 0.02 + (20,500 + 9,000) × 12월] × 11,826.74 × (1 − 0.1) × (1 − 0.15)

≒ 3,239,894,000원

3. 환원이율 결정

(1) 소득수익률(GBD) 기준(과거 1년치 기준)

1.0120 × 1.0115 × 1.0111 × 1.0112 −1 ≒ 4.66%

(2) Cap Rate(GBD)기준

4.2~4.5% 수준

(3) 결정

양 수준 유사한 바, 4.50%로 결정한다.

4. 수익가액

3,239,894,000 ÷ 0.045 ≒ 71,998,000,000원

V 평가액 결정

1. 시산가액

개별평가(원가법)	거래사례비교법	수익환원법
45,923,000,000	67,649,000,000	71,998,000,000

2. 시산가액의 조정

(1) 개별평가가액의 검토

본건과 같은 부동산에 있어서 토지, 건물이 일괄로 거래되는 시장관행에 부합하지 못한 가격이나 개별물건의 가격을 각각 잘 반영하며, 안정적인 기초가격의 성격이다.

(2) 일괄평가방법

업무용 부동산(수익성)으로서 현금흐름이 가격결정시 중요한 요소가 되며, 장래이익의 현재가치가 부동산의 가치라는 이론적인 측면을 잘 반영한다. 거래사례비교법은 시장의 수요 및 공급을 잘 반영하며 실제 거래관행과 부합하는 방법이다.

(3) 가중치의 결정

개별평가(원가법)에 20%, 거래사례비교법 및 수익환원법에 각각 40%의 가중치를 부여하여 시산조정한다.

3. 평가액 결정

45,923,000,000 × 0.2 + 67,649,000,000 × 0.4 + 71,998,000,000 × 0.4

≒ 65,043,000,000원

30점

Ⅰ 평가개요

1. 본건은 토지에 대한 적정가격평가로 공시지가기준평가와 3방법에 의거 시산가액을 산출하여 결정하기로 한다(기준시점 : 2023년 3월 1일).

2. 현재 공장건물 신축 중으로서 공업용 토지로서 평가한다.

Ⅱ 〈물음 1〉

1. 비교표준지 선정
용도지역(계획관리지역) 및 이용상황(공장용지)이 동일・유사하여 비교가능성이 높은 기호 1 공시지가를 선정한다.

2. 시점수정치(2023년 1월 1일~2023년 3월 1일, 관리지역)
1.00547 × (1 + 0.00547 × 29/31) ≒ 1.01062

3. 개별요인비교치
85/90(형상) ≒ 0.944

4. 평가액 산정
490,000 × 1.01062 × 1.000 × 0.944 × 1.00 ≒ 467,000원/㎡

Ⅲ 〈물음 2〉

1. 사례의 선택
대상토지와 동일한 이용상황의 사례 B를 선택한다(사례 A는 이용상황이 상이하여 제외).

2. 사례토지가격
346,000,000 − 102,000,000 ≒ 244,000,000원(@469,000)
   * 사례건물가격(22.5.10) 400,000 × 300 × $\frac{34}{40}$

3. 시점수정치(2022년 5월 10일~2023년 3월 1일)
(1 + 0.01751 × 236/365) × 1.00547 × (1 + 0.00547 × 29/31) ≒ 1.02206

4. 대상토지가격

$469,000 \times \underset{\text{사}}{1.000} \times 1.02206 \times \underset{\text{지}}{1.000} \times \underset{\text{개}}{1.000} ≒ 479,000$원/㎡

Ⅳ 〈물음 3〉

1. 사례부동산 순수익(2022년 1월 1일 기준)

(1) 총수익

$$\underset{\text{보증금 운용수익}}{50,000,000 \times 0.085} + \underset{\text{연지불임대료}}{80,000,000} \times \frac{0.085 \times 1.085^3}{1.085^3 - 1} ≒ 35,573,000\text{원}$$

(2) 필요제경비(감가상각비 제외)

$$1,300,000 \times \frac{0.085 \times 1.085^3}{1.085^3 - 1} + 200,000 + 500,000 + 1,200,000 ≒ 2,409,000\text{원}$$

(3) 상각전 순수익

$35,573,000 - 2,409,000 ≒ 33,164,000$원

2. 사례토지 귀속소득

$33,164,000 - \underset{\text{건물가격*}}{89,900,000} \times \underset{\text{건물환원이율}}{0.1229} ≒ 22,115,000$원(@46,000)

* 사례건물가격 : 300,000 × 310 × 29/30

3. 대상토지 기대순수익

$46,000 \times 1.000 \times 1.02831^{*} \times 1.000 \times 1.000 ≒ 47,000$원/㎡

* 시점수정(2022년 1월 1일~2023년 3월 1일), 1.01751 × 1.00547 × (1 + 0.00547 × 29/31)
  임대료지수가 적정하나 제시되지 않아 지가변동률을 활용한다.

4. 대상토지 수익가액

$\frac{47,000}{0.106} ≒ 443,000$원/㎡

Ⅴ 〈물음 4〉

1. 완공시점(토지조성 완료시점인 2022년 4월 20일) 토지가격

(1) 투하된 자본의 현재가치

1) 토지

$250,000 \times 470 \times (1 + 0.085/12)^{18} ≒ 133,418,000$원

2) 조성비

$100,000 \times 470 \times [0.2 \times (1+0.085/12)^6 + 0.4 \times (1+0.085/12)^3 + 0.4]$

$\fallingdotseq 47,809,000$원

3) 개발 관련 대금

$(4,700,000+1,200,000) \times (1+0.085/12)^6 \fallingdotseq 6,155,000$원

4) 도급인의 정상이윤

100,000 × 470 × 0.15 = 7,050,000원

(2) 완공시점 토지가격

133,418,000 + 47,809,000 + 6,155,000 + 7,050,000 = 194,432,000원(@463,000*)

* 면적 : 기부채납면적 제외(420㎡)

2. 적산가액

463,000 × 1.02303 ≒ 474,000원/㎡

시*

* 성숙도 수정(2022년 4월 20일~2023년 3월 1일, 지가변동률)

(1 + 0.01751 × 256/365) × 1.00547 × (1 + 0.00547 × 29/31)

VI 〈물음 5〉

1. 공시지가기준가액

468,000원/㎡

2. 비준가액

480,000원/㎡

3. 수익가액

443,000원/㎡

4. 적산가액

474,000원/㎡

5. 결정

상기와 같이 각 시산가액이 산출되었으며, 「감정평가에 관한 규칙」 제14조에 의거하여 공시지가기준법을 기준하되, 다른 방법에 의한 시산가액에 의하여 그 합리성이 인정되는 것으로 판단된다. 468,000원/㎡으로 결정한다.

(∴ 468,000 × 420 ≒ 196,560,000원)

Answer 27

25점

Ⅰ 평가개요

1. 본건은 공업단지 내 소재하고 있는 공장용지에 대한 담보평가로서 현장조사 완료일인 2023년 9월 4일을 기준시점으로 평가한다.
2. 본건은 일단지로서 평가하며, 지상 위의 건물은 의뢰인의 요청에 따라 평가한다.
3. 본건은 최유효이용 미달로서 수익환원법의 적용은 배제한다.

Ⅱ 〈물음 1〉 공시지가기준법

1. 비교표준지 선정

일반공업지역, 공업용으로서 대상토지와 가로조건, 면적요인 등 유사한 기호 2를 선정한다.

2. 공시지가기준가격

(1) 대상토지의 도로조건

감정평가상 도로는 차도와 인도를 포함하는 바, 중로한면임.

(2) 시점수정치(2023년 1월 1일~9월 4일, 공업지역)

1.01117 × (1 + 0.00629 × 35/31) ≒ 1.01835

(3) 개별요인비교치

100/105 × 100/95 ≒ 1.003

(4) 공시지가기준가격

605,000 × 1.01835 × 1.000 × 1.003 × 1.45 ≒ 896,000원/㎡

Ⅲ 〈물음 2〉 거래사례비교법

1. 사례의 선택

일반공업지역, 공장용으로서 대상과 비교가능성이 있는 사례 1을 선택한다(사례 2 : 시적 격차, 사례 3 : 개별적 유사성 결여, 사례 4 : 사정개입으로 제외).

2. 거래사례 #1 기준가격

(1) 사례토지가격

1) 사례건물가격(거래시점)

400,000(9M, 철골조) × 0.94163 × 25,000 × 35/40 + 500,000(사무실) × 0.94163 × 500 × 48/50 ≒ 8,465,254,000원

* 시점 2022년 12월 ÷ 2023년 7월, 건축비지수
109.7 ÷ 116.5 ≒ 0.94163

2) 사례토지가격
32,000,000,000 − 8,465,254,000 ≒ 23,534,746,000원(@872,000)

(2) 시점수정치(2022년 12월 1일~2023년 9월 4일, 공업지역)
$1.00372 \times 1.01117 \times (1 + 0.00629 \times 35/31) \fallingdotseq 1.02214$

(3) 개별요인비교치
$1.07 \times 100/110 \times 1/(0.8 + 0.2 \times 0.7) \fallingdotseq 1.035$

(4) 대상토지 비준가액
872,000 × 1.000 × 1.02214 × 1.000 × 1.035 ≒ 923,000원/㎡

Ⅳ 〈물음 3〉 조성원가법

1. 완공시점 토지가격(2022년 12월 31일)

(1) 부지매입비 현가
$400{,}000 \times (12{,}620 + 15{,}726) \times (0.1 \times 1.01^{45} + 0.3 \times 1.01^{39} + 0.4 \times 1.01^{34} + 0.2 \times 1.01^{32})$
≒ 16,267,619,000

(2) 조성비용 등 현가
$50{,}000 \times (12{,}620 + 15{,}726) \times 0.3 \times (0.3 \times 1.01^{20} + 0.7 \times 1.01^{12}) + 2{,}000{,}000{,}000 \times (0.1 \times 1.01^{12} + 0.9) \fallingdotseq 2{,}516{,}389{,}000$

(3) 완공 당시 토지가치
16,267,619,000 + 2,516,389,000 ≒ 18,784,008,000원

2. 성숙도 수정
(18,784,008,000 × 1.01835) ÷ 28,346 ≒ 675,000원/㎡

Ⅴ 〈물음 4〉 시산조정 및 결정

「감정평가에 관한 규칙」 제14조에 의거하여 공시지가기준법에 의한 시산가액으로 결정하되 거래사례비교법에 의한 합리성이 인정된다. 조성원가법은 시적격차 및 제한된 시장의 거래(국공유지의 불하 관계)로 인해 시장가치와 괴리될 수 있다. 한편, 적산가액은 공급자 중심의 가격으로 판단될 수 있다. 따라서 896,000원/㎡으로 결정한다(× 28,346 = 25,398,016,000원).

Answer 28

40점

I 평가개요

본건은 서울시 강남구 역삼동에 소재하는 나대지에 대한 일반거래목적의 감정평가로서 감정평가 기준시점은 2023년 7월 29일이다.

II 〈물음 1〉 건물준공시 부동산가격

1. 처리방침

제시된 조건에 따라 토지, 건물을 일괄로 평가하며, 거래사례비교법 및 수익환원법에 의한다.

2. 거래사례비교법

(1) 사례 선정

본건 예정 부동산과 유사한 거래로서 사정개입, 지역요인이 유사한 B, C를 선정한다(매수자가 개인, 법인 여부인지는 중요하지 않으며, A는 사정개입, D는 지역요인비교 불가로 제외한다).

(2) 거래사례 B기준

$4,615,000 \times 1.000 \times \underset{시^{*}}{1.05082} \times 1.000 \times \underset{개^{**}}{1.047} \fallingdotseq 5,080,000$원/㎡

* 2023년 7월 29일 / 2022년 6월 30일, 오피스가격지수

$\frac{151.6 + (151.6 - 150.9) \times 2}{145.6}$

** 개별 : $1.05 \times 1.05 \times 0.95 \times 1.00$

(3) 거래사례 C기준

1) 사례정상거래가격

$5,115,000 \times (0.1 + 0.3/1.08 + 0.3/1.08^2 + 0.3/1.08^3) \fallingdotseq 4,470,000$원/㎡

2) 비준가액

$4,470,000 \times 1.000 \times \underset{시^{*}}{1.02616} \times 1.000 \times \underset{개^{**}}{1.042} \fallingdotseq 4,780,000$원/㎡

* 2023년 7월 29일 / 2023년 3월 1일, 오피스가격지수

$\frac{151.6 + (151.6 - 150.9) \times 2}{149.1}$

** 개별 : $0.95 \times 1.05 \times 0.95 \times 1.10$

(4) 비준가액 결정

본건과 규모, 입지 등에서 유사한 사례 B를 기준한 시산가액에 중점을 두어 5,080,000원/m² 로 결정한다(사례, 대상의 업무시설, 근린상가의 비중이 유사한 바, 상기 단가에 연면적을 반영하여 총금액을 결정한다).

∴ 5,080,000 × 18,525.85 ≒ 94,111,000,000원

3. 수익환원법

(1) 총수익(1차 연도)

1) 업무시설 부분

(35,000 × 10 × 0.05) + (35,000 + 8,000) × 12월 ≒ 533,500원/m², 년

2) 기타부분

업무시설 총수익 × 효용비(단위 : 원/m², 년)

지상 1층	지상 2층	지하 1층	지하 2층
960,300	693,550	640,200	480,150

3) 총수익

533,500 × 1,000 × 15개층(기준층) + 693,550 × 850.85(2층) + 960,300 × 300(1층) + 640,200 × 1,187.5(지하 1층) + 480,150 × 1,187.5(지하 2층) ≒ 10,211,113,000

(2) 순영업소득(1차 연도)

10,211,113,000 × (1 − 0.2) × (1 − 0.1) ≒ 7,352,001,000

(3) 매년 순영업소득

1) 2차 연도

10,211,113,000 × (1 − 0.1) × (1 − 0.1) ≒ 8,271,002,000

2) 3차 연도

10,211,113,000 × (1 − 0.05) × (1 − 0.1) ≒ 8,730,502,000

(4) 기말복귀가치

8,730,502,000 ÷ 0.08 × (1 − 0.02) ≒ 106,948,650,000

(5) 수익가액 결정(단위 : 천원)

$$\frac{7,352,001}{1.08} + \frac{8,271,002}{1.08^2} + \frac{8,730,502}{1.08^3} + \frac{106,948,650}{1.08^3} \fallingdotseq 105,728,000,000\text{원}$$

4. 건물준공시 부동산가격

제시된 조건에 따라 산술평균한다.

94,111,000,000 × 0.5 + 105,728,000,000 × 0.5 ≒ 99,920,000,000원(÷ 18,525.85 ≒ 5,390,000원/m²)

III 토지의 평가액 결정

1. 공시지가기준가격

(1) 비교표준지 선정

일반상업지역, 상업 및 업무용으로서 전면에 위치한 표준지로서 본건과 지리적으로 가까운 표준지 2를 선정한다.

(2) 시점수정치(2023년 1월 1일~7월 29일, 강남구 상업지역)

1.00863 × (1 + 0.00062 × 29/30) ≒ 1.00923

(3) 개별요인비교치

본건은 지적상 광대소각이며, 주노선을 기준으로 세장형이다.

1.05 × 1.00 ≒ 1.050

(4) 평가액

31,000,000 × 1.00923 × 1.000 × 1.050 × 1.30 ≒ 42,700,000원/㎡

2. 개발법에 의한 평가액

(1) 건물공사비

1) 건설사례기준

(1,450,000 × 15,450 + 1,100,000 × 3,075.85) × 100/95 ≒ 27,143,089,000

2) 결정

본건 실제 건설도급금액의 적정성이 인정된다고 판단하여 본건의 비용을 기준으로 결정한다. (27,000,000,000원)

(2) 개발법에 의한 토지의 평가액

99,920,000,000 − 27,000,000,000 ≒ 72,920,000,000원(÷ 1,453.7 ≒ 50,200,000원/㎡)

IV 시산가액의 괴리이유 및 평가액 결정

1. 시산가액 괴리의 이유 – 개발법에 의한 토지가치

개발법은 향후의 부동산 개발에 대한 성숙도나 기대이익이 반영된 토지가치로서 부동산 개발에 따른 위험을 잘 반영하지 못할 수 있다는 문제점이 있다(가설적 평가).

2. 평가액 결정

「감정평가에 관한 규칙」 제14조에 의하여 공시지가기준법에 의한 금액인 42,700,000원/㎡으로 결정한다(×1,453.7 = 62,072,990,000원).

※ 최근의 실거래가(650억)는 토지만의 거래로서 미실현 개발이익은 거래금액이 거의 포함되지 않은 것으로 판단된다.

Answer 29

35점

Ⅰ 평가개요

본건은 토지·건물의 복합부동산의 감정평가로 기준시점은 2023년 9월 1일이다.

Ⅱ 물건별 평가

1. 토지평가

(1) 공시지가기준평가

1) 표준지 선정

용도지역, 이용상황이 동일하고 공법상 제한이 없는 표준지 2를 선택한다.

2) 시점수정치(2023년 1월 1일~2023년 9월 1일)

$1.02245 \times (1 + 0.00345 \times 32/31) \fallingdotseq 1.02609$

3) 개별요인비교치

$\frac{90}{95}(\text{도로}) \times \frac{100}{95}(\text{형상}) \times \frac{100}{100}(\text{지세}) \times \frac{100}{103}(\text{기타개별}) \fallingdotseq 0.968$

4) 평가액

$1,350,000 \times 1.02609 \times \underset{\text{지}}{1.000} \times 0.968 \times \underset{\text{그}}{1.000} \fallingdotseq 1,340,000\text{원/m}^2$

(2) 거래사례비교법

1) 사례선택

위치적·물적유사성이 있으며 사정보정, 시점수정이 가능한 사례 6을 선정한다(사례 1~5는 환원이율 산정자료로 활용한다).

2) 사례시장가치

$640,000,000 + (30,000 \times 300 - 600,000) = 648,400,000$원(@1,178,909)

3) 시점수정치(2023.1.31~2023.9.1)

$(1 + 0.02245 \times \frac{182}{212}) \times (1 + 0.00345 \times 32/31) \fallingdotseq 1.02290$

4) 개별요인비교치

$\frac{90}{80} \times \frac{100}{100} \times \frac{100}{100} \times \frac{100}{101} \fallingdotseq 1.114$

5) 평가액

1,178,909 × 1.000 × 1.02290 × 1.000 × 1.114 ≒ 1,340,000원/㎡

사 지(인근)

(3) 토지가격 결정

「감정평가에 관한 규칙」 제14조에 의하여 공시지가기준법에 의하되, 거래사례비교법에 의한 시산가액에 의하여 그 합리성이 지지된다(1,340,000원/㎡).

2. 건물평가

(1) 지하부분

$300,000 \times 0.7 \times 1.15467^{*} \times \frac{27}{30}$ ≒ 218,000원/㎡(×300 = 65,400,000원)

* $\frac{2023.09.01}{2020.08.01}$, 건축비지수, $\frac{143+2\times2/3}{125}$

(2) 지상부분

$300,000 \times 1.15467^{*} \times \frac{27}{30}$ ≒ 312,000원/㎡(×640 = 199,680,000원)

* $\frac{2023.09.01}{2020.08.01}$, 건축비지수, $\frac{143+2\times2/3}{125}$

(3) 건물평가액

265,080,000원

3. 부동산가격

1,340,000 × 500 + 265,080,000 ≒ 935,080,000원

III 수익환원법(일괄순수익기준)

1. 순수익 산정

(1) 총수익

(163,000 × 640 + 163,000 × 0.75 × 300) × 0.8 ≒ 112,796,000원

(2) 총지출

5,000,000 + (6,500,000 − 1,200,000) + (4,000,000 − 1,500,000) + 2,000,000 = 14,800,000원

* 자본적 지출, 소득세는 제외

(3) 순수익

112,796,000 − 14,800,000 ≒ 97,996,000원

2. 환원이율 산정

(1) 사례의 환원이율

1) 사례 1기준(물리적 투자결합법)

$0.09 \times 0.7 + (0.11 + \frac{1}{30}) \times 0.3 ≒ 0.1060$

* 대상과 신축 동일, 상태 동일하여 직선법 적용

2) 사례 2기준(부채감당법)

$\frac{87,000,000}{58,000,000} \times 0.65 \times \frac{0.1 \times (1+0.1/12)^{300}}{(1+0.1/12)^{300}-1} ≒ 0.1063$

3) 사례 3기준(조소득승수법)

$\frac{1-0.15}{7.589^{*}} ≒ 0.1120$

* GIM 850,000,000/(118,000,000 − 6,000,000)

4) 사례 4기준(Ellwood법)

① 저당계수

i) 1 저당 : $0.13 + \frac{1.09^{10}-1}{1.09^{20}-1} \times \frac{0.13}{1.13^{10}-1} - \frac{0.09 \times 1.09^{20}}{1.09^{20}-1} ≒ 0.0366$

ii) 2 저당 : $0.13 + \frac{1.11^{10}-1}{1.11^{15}-1} \times \frac{0.13}{1.13^{10}-1} - \frac{0.11 \times 1.11^{15}}{1.11^{15}-1} ≒ 0.0173$

② 환원이율

$0.13 - (0.4 \times 0.0366 + 0.2 \times 0.0173) - 0.1 \times \frac{0.13}{1.13^{10}-1} ≒ 0.1065$

5) 사례 5기준(금융적 투자결합법)

$0.2 \times 0.12 + 0.8 \times \frac{0.1 \times (1+0.1/12)^{360}}{(1+0.1/12)^{360}-1} ≒ 0.1082$

(2) 대상의 환원이율(투자시장 질적비교법)

1) 비교평점

구분	사례 1	사례 2	사례 3	사례 4	사례 5	대상
예상수익성	15	13.5	12	13.5	14.25	13.5
환가성	15	15	15	13.5	12	15
안정성	18	19	18	20	17	19
시장성	22.5	21.25	22.5	22.5	25	25
증가성	12	13.5	12	13.5	13.5	12
기타	9	10	8.5	9	9	9.5
계	91.5	92.25	88	92	90.75	94

2) 환원이율 산정(평점은 역수로 비교, 사례/대상)

① 사례 1기준 : $0.1060 \times \frac{91.5}{94} ≒ 0.1032$

② 사례 2기준 : $0.1063 \times \frac{92.25}{94} ≒ 0.1043$

③ 사례 3기준 : $0.1120 \times \frac{88}{94} \fallingdotseq 0.1049$

④ 사례 4기준 : $0.1065 \times \frac{92}{94} \fallingdotseq 0.1042$

⑤ 사례 5기준 : $0.1082 \times \frac{90.75}{94} \fallingdotseq 0.1045$

⑥ 결정 : 상기의 산출된 환원이율을 고려하여 0.1045로 결정한다.

(3) 수익가액

$\frac{97,996,000}{0.1045} \fallingdotseq 937,761,000$원

Ⅳ 복합부동산 감정평가액 결정

1. 물건별 평가

935,080,000원

2. 수익환원법

937,761,000원

3. 결정

「감정평가에 관한 규칙」 제7조에 의거하여 개별평가방법에 의한 시산가액을 기준으로 결정하되, 일체평가에 의한 시산가액에 의하여 그 합리성이 인정되는 것으로 판단된다(935,080,000원으로 결정한다).

Answer 30

25점

I 평가개요

본건은 복합부동산에 대한 일반거래목적의 감정평가로서 기준시점은 2023년 9월 1일이다.

II 원가법에 의한 평가액

1. 토지의 평가액

(1) 나지상태 평가액(거래사례비교법)

1) 사례선택

토지가격의 배분이 가능한 상업지역의 사무실로서 사례 '나'를 선택한다.

2) 사례토지가격

24,000,000,000 − 18,270,000,000 = 5,730,000,000원(@3,920,000)

3) 시점수정치(2022년 9월 1일~2023년 9월 1일, 지가변동률)

12개월로서 $1.0005^{12} \fallingdotseq 1.00602$

4) 나지상태 평가액

3,920,000 × 1.00 × 1.00602 × 100/95 × 100/98 ≒ 4,240,000원/㎡

(2) 건부감가를 반영한 토지가격

4,240,000 × (1 − 0.05) ≒ 4,030,000원/㎡(× 1,520 = 6,125,600,000원)

2. 건물의 평가액

(1) 재조달원가

본건의 건축비는 시적인 격차가 큰 바, 인근의 건축사례를 통하여 평가한다.

1,200,000 × 100/110 ≒ 1,090,000원/㎡(× 8,350 = 9,101,500,000원)

(2) 감가수정액

1) 주체(본체)부분

9,101,500,000 × 0.7 × 5/50 ≒ 637,105,000원

2) 기계설비부분

9,101,500,000 × 0.3 × 5/20 ≒ 682,613,000원

3) 감가수정액 : 1,319,718,000원

(3) 건물의 평가액

9,101,500,000 − 1,319,718,000 = 7,781,782,000원

3. 원가법에 의한 평가액

6,125,600,000 + 7,781,782,000 = 13,907,382,000원

Ⅲ 거래사례비교법에 의한 평가액

1. 사례선택

본건과 토지, 건물에 대한 유사성이 있는 사례 '가'를 선정한다.

2. 비준가액

(1) 시점수정치(2022년 3월~2023년 9월 1일, 복합부동산 변동률)

18개월 차이로서 1.004^{18} ≒ 1.07450

(2) 비준가액

16,000,000,000 × 1.000 × 1.07450 × 1.000 × 100/120 ≒ 14,327,000,000원

Ⅳ 수익환원법에 의한 평가액

1. 직접환원법

(1) 순영업소득

인근의 통상적인 공실률을 활용한다.

(150,000,000 × 12월 + 1,500,000,000 × 0.05) × (1 − 0.05) × (1 − 0.2)

≒ 1,425,000,000원

(2) 평가액 결정

1,425,000,000 ÷ 0.10 ≒ 14,250,000,000원

2. DCF에 의한 평가액

(1) 매년 순영업소득(단위 : 천)

매기 3%로 증가한다.

1기	2기	3기	4기	5기	6기
1,425,000	1,467,750	1,511,783	1,557,136	1,603,850	1,651,966
현가합(8.0%)	6,014,000				−

(2) 기말복귀가치

1,651,966,000 ÷ 0.13 × (1 − 0.02) ≒ 12,453,282,000원

(3) DCF에 의한 평가액

$$6,014,000,000 + \frac{12,453,282,000}{1.08^5} \fallingdotseq 14,489,495,000\text{원}$$

3. 수익환원법에 의한 평가액

양 방법의 합리성이 인정되는바 직접환원법 기준 14,250,000,000원이다.

V 최종 감정평가액 결정

시산가액

개별평가(원가법)	거래사례비교법	수익환원법
13,907,382,000	14,327,000,000	14,250,000,000

거래사례비교법 및 수익환원법에 의한 시산사액에 의하여 개별평가금액의 합리성이 인정된다. 따라서 「감정평가에 관한 규칙」 제7조에 의하여 개별평가액으로 결정한다(13,907,382,000원).

CHAPTER 03

임대료 및 임대차 감정평가

Answer 31

10점

I 평가개요

1. 본건은 I광역시 B구 B동에 소재하는 부동산 일부에 대한 임대료의 감정평가로서 2023년 8월 15일을 기준시점으로 하여 시장임대료를 평가한다.
2. 「감정평가에 관한 규칙」 제22조에 의하여 임대사례비교법으로 감정평가한다.

II 본건 2층의 시장임대료

1. 임대사례의 선정

   본건과 임대차 등 계약내용 및 위치적 유사성, 물적 유사성이 있는 임대사례인 사례 A를 선정한다.

2. 사례의 실질임대료

   900,000,000 × 0.06 = 54,000,000원(÷ 330㎡ = 164,000원/전유㎡)

3. 시점수정치(2023년 6월/2022년 1월)

   116.25/114.26 ≒ 1.01742

4. 가치형성요인 비교

   90/100 × 90/100 × 69/55 ≒ 1.016

5. 비준임대료

   164,000 × 1.000 × 1.01742 × 1.016 = 170,000원/전유㎡(× 646.14 ≒ 110,000,000원)

III 본건 7층의 시장임대료

1. 임대사례의 선정

   본건과 임대차 등 계약내용 및 위치적 유사성, 물적 유사성이 있는 임대사례인 사례 B를 선정한다.

2. 사례의 실질임대료

575,000 × 0.06 = 35,000원/전유㎡

3. 시점수정치(2023년 6월/2021년 6월)

116.25/112.68 ≒ 1.03168

4. 가치형성요인 비교

90/95 × 90/95 × 1 ≒ 0.898

5. 비준임대료

35,000 × 1.000 × 1.03168 × 0.898 = 32,000원/전유㎡(× 293.48 ≒ 9,400,000원)

Answer 32

25점

Ⅰ 평가개요

1. 본건은 비준임대료와 적산임대료 산정으로 기준시점은 2023년 3월 1일이다.

2. 「감정평가에 관한 규칙」 제22조상 임대사례비교법으로 평가하는 것이 원칙으로서 임대사례비교법에 의하여 평가하되, 적산법으로 그 합리성을 검토한다.

Ⅱ 비준임대료

1. 층별 효용비 산정

구분	층별 분양가총액(A)	전유면적(㎡)(B)	층별 분양단가(원/전유㎡)(C)	층별 효용비(㎡)(D)
4	260,000,000	200	1,300,000	65
3	280,000,000	200	1,400,000	70
2	320,000,000	200	1,600,000	80
1	340,000,000	170	2,000,000	100
지하 1	204,000,000	120	1,700,000	85
계	1,404,000,000	890		

* $C = \frac{A}{B}$, $D = \left(\frac{C}{2,000,000}\right) \times 100$, 1층 기준

2. 비준임대료

(1) 사례 실질임대료

(20,000,000 × 0.1) + (17,000 × 250 × 12) ≒ 53,000,000원(@212,000)

(2) 시점수정치

105/100 = 1.05000

(3) 지역요인비교치

100/95 ≒ 1.053

(4) 가치형성요인비교치

$\frac{90}{100}$(토지) × $\frac{100}{106}$(건물) × $\frac{80}{70}$*(층별효용비) ≒ 0.970

* 2층/3층

(5) 비준임대료

212,000 × 1.000 × 1.05000 × 1.053 × 0.970 ≒ 227,000원/㎡(×220 = 49,940,000원)

Ⅲ 적산임대료

1. 전체 복합부동산의 가격

(1) 토지가격

용도지역과 이용상황 등에서 동일성이 있는 기호 3을 비교표준지로 선정한다.

$1,800,000 \times 1.02610 \times 1.000 \times 0.900 \times 1.00 ≒ 1,660,000$원/㎡($\times 400 = 664,000,000$원)

(2) 건물가격

$450,000 \times 1.27177^{*} \times (1-0.9\times 2/50) ≒ 552,000$원/㎡($\times 1,750 = 966,000,000$원)

* 2020.09.01~2023.03.01 : $1.1^2 \times (1+0.1/12)^6$

(3) 계

1,630,000,000원

2. 기초가액

(1) 2층의 층별 효용비율

구분	층별 효용비(A)	전유면적(㎡)(B)	층별 효용적수(㎡)(C)	층별 효용배분율(㎡)(D)
4	65	220	14,300	
3	70	220	15,400	
2	80	220	17,600	22.22
1	100	200	20,000	
지하 1	85	140	11,900	
계		1,000	79,200	

* $C = A \times B$, $D = \left(\frac{C}{79,200}\right) \times 100$

(2) 기초가액

$1,630,000,000 \times 0.2222 ≒ 362,000,000$원

3. 적산임대료

(1) 순임대료

$362,000,000 \times 0.12 ≒ 43,440,000$원

(2) 감가상각비

$(450,000 \times 1.27177 \times 350) \times 0.9 \times \frac{1}{50} ≒ 3,605,000$원

(3) 기타 필요제경비

3,500,000원

(4) 적산임대료

50,545,000원

Ⅳ 대상 부동산의 임대료결정

「감정평가에 관한 규칙」 제22조에 의거 임대사례비교법에 따라 감정평가하되, 적산법에 따라 그 합리성이 지지되는 것으로 판단된다. 따라서 임대사례비교법에 따른 시산임대료인 49,940,000원으로 결정한다.

30점

Ⅰ 평가개요

본건은 구분건물(오피스텔) 및 아파트부지에 대한 부당이득금(임대료)의 소송목적 감정평가로서 각 기준시점을 기준으로 평가한다.

Ⅱ 〈물음 1〉 구분건물(오피스텔)의 임대료(기준시점 : 2022년 5월 15일)

1. 거래가능가액(거래사례비교법) - 거래 당시
   같은 단지의 거래사례로서 외부요인 및 건물요인은 대등하다.
   4,759,000 × 0.75 = 3,570,000원/㎡(×95.26 ≒ 340,000,000원)

2. 기준시점(2022년 5월 15일)의 전세금액
   340,000,000 × 0.8(전세비율) × 1.00139 ≒ 272,000,000원

3. 실질임대료(1개월)의 결정
   (1) 보증금 운용수익
      1) 적정보증금 가액
         272,000,000 × 27% = 73,440,000원
      2) 보증금 운용이율
         (2.71 + 3.69)/2 ≒ 3.2%
      3) 보증금 운용수익
         73,440,000 × 3.2%/12 ≒ 196,000원

   (2) 월세가능액
      272,000,000 × (1−0.27) × 0.063/12월 ≒ 1,042,000원

   (3) 월 실질임대료 결정
      196,000 + 1,042,000 = 1,238,000원

4. 기간임대료 결정
   (1) 제시기간(2022년 5월 15일~2023년 1월 8일)
      7개월 25일이므로 7 + 25/365 × 12 ≒ 7.82개월이다.

   (2) 기간임대료
      1,238,000 × 7.82월 ≒ 9,681,160원

Ⅲ 〈물음 2〉 아파트부지에 대한 부당이득금 평가

1. 처리방침

주변 임대사례가 없는 바, 적산법을 이용하며, 2020년 4월 5일 기준, 2021년 4월 5일 기준의 기초가액을 각각 평가한다. 기대이율은 제시된 절차에 따라 아파트 수익률을 기준한다.

2. 각 임대시점별 기초가액(소급평가)

(1) 2021년 4월 5일 기준 아파트부지의 가격

1) 비교표준지 선정

2021년 공시된 공시지가 중 본건과 같은 제3종 일반주거지역, 아파트부지로서 표준지 '가'를 선정한다.

2) 시점수정치(2021년 1월 1일~2021년 4월 5일)

$(1 - 0.00017) \times (1 + 0.00209 \times 5/30) \fallingdotseq 1.00018$

3) 개별요인

100/105(가로) × 1.00 × 1.00 × (1 + 0.1 × 0.4) × 96/100 ≒ 0.951

4) 평가액 결정

아파트부지 특성상 부지만의 거래사례가 포착되기 어려운 바, 공시지가기준법에 의하여 결정한다(이하 동).

$4,770,000 \times 1.00018 \times 1.000 \times 0.951 \times 1.55$

≒ 7,030,000원/㎡(×308.6=2,169,458,000원)

(2) 2020년 4월 5일 기준 아파트부지의 가격

1) 비교표준지 선정

2020년 공시된 공시지가 중 제3종 일반주거지역, 아파트부지로서 유사한 표준지 '마'를 선정한다.

2) 시점수정치(2020년 1월 1일~2020년 4월 5일)

$1.00144 \times (1 + 0.00050 \times 5/30) \fallingdotseq 1.00152$

3) 개별요인

100/95(가로) × 1.00 × 1.00 × (1 + 0.25 × 0.4) × 96/102 ≒ 1.090

4) 평가액 결정

$4,100,000 \times 1.00152 \times 1.000 \times 1.090 \times 1.55$

≒ 6,940,000원/㎡(×308.6 = 2,141,684,000원)

3. 기대이율의 결정

(1) 처리방침

주택의 경우로서 전세의 비중에 전월세 전환율을 곱한 이율을 기준한다.

(2) 기대이율

1) 2021년 4월 기준 : 5.320%

2) 2020년 4월 기준 : 5.265%

4. 기간임대료의 결정

(1) 2020년 4월 5일~2021년 4월 4일

2,141,684,000 × 0.05265 ≒ 112,760,000원

(2) 2021년 4월 5일~2021년 6월 30일

2,169,458,000 × 0.05320 × 2.86*/12월 ≒ 27,507,000원

* 2021년 4월 5일~2021년 6월 30일, 월환산단위 : 87 ÷ 365/12 ≒ 2.86

Answer 34

20점

Ⅰ 평가개요

본건은 기업용 부동산의 정상실질임대료에 대한 평가로서 임대사례비교법, 수익분석법에 따라 2023년 9월 4일을 기준시점으로 평가한다.

Ⅱ 임대사례비교법

1. 사례의 선택

사례는 본건과 위치적 · 물적 유사성이 있으며 본건과 같은 층에 소재하여 층별격차가 유사한 4층의 임대사례를 비교한다.

2. 사례의 실질임대료

(50,000 × 1,200) × 0.1 + 10,000 × 1,200 × 12월 = 150,000,000원(@125,000)

3. 시점수정치(2023년 9월 4일/2023년 4월 1일, 생산자물가지수)

2023년 7월/2023년 3월 = 122.4 ÷ 121.6 ≒ 1.00658

4. 비준임대료

@125,000 × 1.000 × 1.00658 × 1.000 × 1.04 = @131,000(× 1,100 = 144,100,000원)

Ⅲ 수익분석법

1. 기업전체의 영업이익 분석

(1) 영업이익 증가율

(당기 영업이익 ÷ 전기 영업이익) − 1

19~20	20~21	21~22
11.11%	10.00%	9.09%

상기 증가율을 산술평균하여 연평균 10.0% 상승하는 것으로 판단한다.

(2) 기준시점의 영업이익

1,200,000,000 × (1 + 0.1 × 8/12) = 1,280,000,000원

2. 대상 부동산의 귀속순임대료(순수익)

(1) 배분율

0.34(유형 고정자산) × 0.4(대상 부동산) = 0.136

(2) 순임대료

1,280,000,000 × 0.136 = 174,080,000원

3. 필요제경비

(1) 감가상각비(건물분)

1) 재조달원가

480,000 × 1,100㎡ = 528,000,000원

2) 감가상각비

528,000,000 × (0.7/50 + 0.3 × 0.9 × 1/25) = 13,094,000원

(2) 기타 필요제경비

5,000 × 1,100 × 12월 = 66,000,000원

(3) 필요제경비

13,094,000 + 66,000,000 = 79,094,000원

4. 수익임대료의 결정

174,080,000 + 79,094,000 = 253,174,000원

Ⅳ 임대료의 결정

「감정평가에 관한 규칙」에 의거하여 임대료의 평가는 임대사례비교법으로 평가하며, 수익분석법의 경우 기업의 영업이익 추정, 기여도의 추정 등 주관이 개입될 수 있는 단점이 있다.
본건의 경우 인근지역에 본건과 유사한 임대사례가 존재하므로 주방식인 임대사례비교법에 의한 임대료로 결정한다(144,100,000원).

Answer 35

10점

Ⅰ 〈물음 1〉 시장가치(소유권 가치)

$$118{,}000{,}000 \times \frac{1.08^{35}-1}{0.08 \times 1.08^{35}} + 600{,}000{,}000 \times 1.03^{35} \times 1/1.08^{35} \fallingdotseq 1{,}489{,}400{,}000\text{원}$$

Ⅱ 〈물음 2〉 임대권 가치

$$18{,}000{,}000 \times \frac{1.08^{35}-1}{0.08 \times 1.08^{35}} + 600{,}000{,}000 \times 1.03^{35} \times 1/1.08^{35} \fallingdotseq 324{,}000{,}000\text{원}$$

Ⅲ 〈물음 3〉 임차권(전대권) 가치

$$(100{,}000{,}000 - 18{,}000{,}000) \times \frac{1.08^{35}-1}{0.08 \times 1.08^{35}} \fallingdotseq 955{,}675{,}000\text{원}$$

Ⅳ 〈물음 4〉 전차권 적용할인율

1. 전차권 가치

$1{,}489{,}400{,}000 - 324{,}000{,}000 - 955{,}675{,}000 \fallingdotseq 209{,}725{,}000$원

2. 할인율

(1) 산식

$$209{,}725{,}000 \fallingdotseq (118{,}000{,}000 - 100{,}000{,}000) \times \frac{(1+r)^{35}-1}{r \times (1+r)^{35}}$$

(2) 결정

r = 8.00%

> **Tip** CASIO 계산기 계산방법(key stroke)
>
> Menu – TVM – F2(Compound Interest)로 들어간 다음, 다음과 같이 설정한다.
> n = 35(기간)
> PV = –209,725,000(현재가치, –를 넣어야 함에 유의한다)
> PMT = 18,000,000(매기 불입금액)
> FV = 0(미래가치, 본 사안에서는 없다)
> P/Y = 1(1년에 불입하는 횟수)
> C/Y = 1(연간 복리횟수)
> 상기와 같이 입력한 후 F2(I%)를 누르면 산출된다.

CHAPTER 04

구분소유권 및 구분지상권 감정평가

Answer 36

30점

I 평가개요

1. 본건은 서울특별시 S구 K동에 소재하는 구분소유상가에 대한 일반거래목적의 감정평가로서 가격조사 완료일인 2023년 3월 24일을 기준시점으로 감정평가한다.

2. 본건은 구분소유건물로서 「감정평가에 관한 규칙」 제16조에 따라 대지권을 포함한 일괄 거래사례비교법으로 평가하되, 타 감정평가방법으로 그 합리성을 검토한다.

II 거래사례비교법에 의한 평가액

1. 거래사례 선정
   본건과 가치형성요인이 유사한 사례인 4, 5를 선정한다.
   (거래사례 #1 : 시점격차, 거래사례 #2, 3 : 이용상황)
   (거래사례 4 : 650,000,000 ÷ 121.2 ≒ 5,360,000원/㎡)
   (거래사례 5 : 2,870,000,000 ÷ 563.5 ≒ 5,090,000원/㎡)

2. 층별 효용격차
   분양사례의 단위면적(전유면적)당 분양가를 기준으로 산정한다.

   (1) 분양사례의 층별격차

층	B1	1	2	3
단가(원/㎡)	3,490,000*	8,170,000	3,800,000	3,040,000
층별효용비	43	100	47	37

* 100㎡ 이상으로서 5% 보정하여 결정하며, 이는 순수한 층별격차를 산정하기 위함이다.
(600,000,000 ÷ 181.18 × 100/95)

(2) 본건의 층별 효용비

지하 1층	1층	2층
53*	100	47

* 분양사례와 본건의 층별격차 차이를 반영한다.

3. 거래사례 4 기준가액

(1) 시점수정치(2021년 11월 1일~2023년 3월 24일, 자본수익률, 매장용(집합))

(1 + 0.0005 × 61/92) × 1.0015 × 1.0020 × 1.0010 × 1.0005 × (1 + 0.0015 × 83/90) ≒ 1.00673

(2) 개별요인비교치

53/47 × 1.00 ≒ 1.128

(3) 비준가액

5,360,000 × 1.000 × 1.00673 × 1.128 ≒ 6,090,000원/㎡

4. 거래사례 5 기준가격

(1) 시점수정치(2022년 3월 1일~2023년 3월 24일, 자본수익률, 매장용(집합))

(1+0.0015×31/90) × 1.0020 × 1.0010 × 1.0005 × (1+0.0015×83/90)
≒ 1.00541

(2) 개별요인비교치

1.05(외부) × 1.03(내부) × 1.10(호별)* ≒ 1.190

* 내부계단의 접근성

(3) 비준가액

5,090,000 × 1.000 × 1.00541 × 1.190 ≒ 6,090,000원/㎡

5. 비준가액 결정

산출된 시산가액을 기준으로 6,090,000원/㎡으로 결정한다(×835.04 ≒ 5,085,000,000원).

III 수익환원법에 의한 가액

1. 처리방침

현재 임차인과의 잔여임차기간(5년) 동안 보유한다고 가정하며, 임대차계약서 상의 임대료 상승분을 적용한다.

2. 1차 연도 NOI

계약 6차 연도의 수익을 기준한다.

$(200,000,000 \times 0.04 + 30,000,000 \times 12월) \times 1.03^5 - 30,000,000 \times 12월 \times 1.03^5 \times 0.1$
$= 384,879,000$원(매기 3%씩 증가)

3. 매기 NOI 추정(단위 : 천원)

1	2	3	4	5
384,879	396,425	408,318	420,568	433,185

4. 기말 매각가격

$433,185,000 \div 0.1 \times (1 - 0.02) \fallingdotseq 4,245,213,000$원

5. 수익가액(천원)

$$\frac{384,879}{1.06} + \frac{396,425}{1.06^2} + \frac{408,318}{1.06^3} + \frac{420,568}{1.06^4} + \frac{433,185 + 4,245,213}{1.06^5} \fallingdotseq 4,887,842,000원$$

Ⅳ 감정평가액 결정

상기와 같이 시산된 바, 「감정평가에 관한 규칙」에 따라 거래사례비교법에 의하여 결정하며, 수익가액에 의하여 합리성을 검토한다(합리성이 있는 것으로 판단된다).

∴ 감정평가액 : 5,085,000,000원

Answer 37

30점

I 평가개요

본건은 구분소유권평가로 기준시점은 2023년 9월 1일이다.

II 토지평가

1. 공시지가기준법

(1) 비교표준지 선정
용도지역 및 이용상황이 동일한 표준지 2번을 선정한다.

(2) 시점수정치(2023년 1월 1일~9월 1일, 주거지역)
$1.02581 \times (1 + 0.00038 \times 32/31) \fallingdotseq 1.02621$

(3) 지역요인비교치 : 1.000(대등함)

(4) 개별요인비교치(대상의 도로조건은 소로한면임)
$\frac{100}{102} \times \frac{115}{115 \times 1.1} \times \frac{1}{200/250 + 50/250 \times 0.7} \fallingdotseq 0.948$

(5) 평가액
$1,520,000 \times 1.02621 \times 1.000 \times 0.948 \times 1.00 \fallingdotseq 1,480,000$원/㎡

2. 거래사례비교법

(1) 사례의 선택
두 사례 모두 최근 사례로서 요인비교가 가능하고 정상적인 거래로 인정되는 바, 모두 선택한다.

(2) 거래사례 A기준

1) 현금등가분석
$344,000,000 + 150,000,000 \times \frac{0.12/4 \times (1+0.12/4)^{40}}{(1+0.12/4)^{40} - 1} \times \frac{(1+0.16/4)^{10} - 1}{0.16/4 \times (1+0.16/4)^{10}}$
$\fallingdotseq 396,634,000$원(@1,280,000)

2) 시점수정치(2023년 7월 1일~9월 1일)
$1.00038 \times (1 + 0.00038 \times 32/31) \fallingdotseq 1.00077$

3) 지역요인비교치

103/100 × 98/100 ≒ 1.009

4) 개별요인비교치

100/95 × 115/115 ≒ 1.053

5) 비준가액

1,280,000 × 1.000 × 1.00077 × 1.009 × 1.053 ≒ 1,360,000원/㎡

(3) 거래사례 B기준

1) 거래금액

철거비는 매도인 부담이므로 고려치 아니한다(@1,240,000).

2) 시점수정치(2023년 8월 1일~9월 1일)

(1+0.00038×32/31) ≒ 1.00039

3) 지역요인비교치

1.030

4) 개별요인비교치

$$\frac{1}{(18\times16\times95+5\times8\times80)/32{,}800}\times\frac{115}{105}\fallingdotseq 1.176$$

5) 비준가액

1,240,000 × 1.000 × 1.00039 × 1.030 × 1.176 ≒ 1,500,000원/㎡

3. 대상토지 가격결정

「감정평가에 관한 규칙」 제14조에 의거 공시지가기준법을 기준하되, 거래사례비교법에 의한 가액으로 그 합리성이 지지되는 것으로 판단된다. 따라서 1,480,000원/㎡으로 결정한다.

∴ 1,480,000 × 305.9㎡(일단의 토지면적) ≒ 452,732,000원

Ⅲ 건물평가

1. 재조달원가 산정

직접법에 의해서도 산정이 가능하나 소유자의 친척에 의해 다소 낮게 건축되었고 사정보정을 할 수 없는바, 간접법만 적용한다(450,000원/㎡).

$$\underset{\text{사}}{450{,}000\times1.000}\times\underset{\text{시*}}{1.02083}\times\underset{\text{개}}{\frac{98}{100}}\fallingdotseq 450{,}000\text{원/㎡}(\times1{,}300 = 585{,}000{,}000\text{원})$$

* 시점(2023년 7월 1일~9월 1일, 건축비지수, 월기준) : $\frac{128+8\times2/6}{128}$

2. 감가상각액

(1) 물리적 감가

$585,000,000 \times (\underbrace{0.7 \times 0.9 \times 4/50}_{\text{주체}} + \underbrace{0.3 \times 4/15}_{\text{부대}}) \fallingdotseq 76,284,000$원

(2) 기능적 감가

1) 교체타당성 검토

$(\underbrace{200 \times 4 + 300 \times 0.8}_{\text{전유면적}}) \times 70 \times (1 - 0.3) \times 12 \times \frac{1.16^{11} - 1}{0.16 \times 1.16^{11}}$

$\fallingdotseq 3,075,000 > 2,800,000$

∴ 교체타당성이 인정된다.

2) 감가액

$2,500,000 \times 11/15 + (3,000,000 - 200,000) - 2,500,000 \fallingdotseq 2,133,000$원

(3) 감가상각액

$76,284,000 + 2,133,000 \fallingdotseq 78,417,000$원

3. 건물가격

$585,000,000 - 78,417,000 \fallingdotseq 506,583,000$원

Ⅳ 3층의 층별 효용배분율

층	사례분양단가	층별 효용비	대상전유면적	효용적수	효용배분율
4	728,000	91	200	18,200	
3	800,000	100**	200	20,000	0.1588***
2	1,017,000*	127	200	25,400	
1	1,450,000	181	200	36,200	
지하 1	871,000	109	240	26,160	
계				125,960	

* 2층 분양단가(사례 2층 전유면적기준) : $\frac{183,000,000 \times 100/90}{200}$

** 3층 기준

*** 3층 효용배분율 : $\frac{20,000}{125,960}$

Ⅴ 대상 3층의 감정평가액

$(452,732,000 + 506,583,000) \times 0.1588 \fallingdotseq 152,339,000$원

Answer 38

25점

I 평가개요

본건은 서울특별시 K구 D동에 소재하는 구분건물 시가참조용 감정평가로서 2023년 4월 15일을 기준시점으로 시장가치 평가 후 설비투자에 대한 타당성을 검토한다.

II 평가대상물건의 시장가치

1. 처리방침

구분소유건물로서 대지권 및 건물을 일체로 평가하며, 거래사례비교법에 의한다.

2. 거래사례 선택(실거래가)

본건과 가치형성요인이 비슷한 사례로서 사정보정, 시점수정이 가능하며, 구분소유권에 대한 사례인 거래사례 D를 선정한다(E는 사정이 개입된 거래사례로서 배제한다)(@5,600,000).

3. 시점수정치(2023년 4월 15일 / 2022년 8월 1일, 생산자물가지수(부동산))

2023년 2월 / 2022년 7월 = 127.01/121.42 ≒ 1.04604

4. 가치형성요인 비교

(1) 처리방침

본건과 사례는 같은 건물로서 외부요인, 건물요인은 대등한 것으로 판단되며, 위치별 효용비교를 하도록 한다(같은 층으로서 층별격차가 유사하다).

(2) 전면/후면 가치차이

1) 평가선례의 가격기준

① 전면의 평가 단가(평가선례 A)

345,000,000 ÷ 60.42 ≒ 5,710,030원/m²

② 후면의 평가선례(평가선례 B)

(140,000,000 ÷ 41.00) × 1.04211* ≒ 3,558,424원/m²

* 2022년 12월 31일 / 2022년 6월 30일, 생산자물가지수(부동산)
2022년 12월 / 2022년 6월 = 126.21/121.11

2) 임대료 격차기준

① 전면의 임대료 단가(평가선례 A기준)

(200,000,000 × 0.05 + 1,500,000 × 12월) ÷ 60.42 ≒ 463,423원/㎡

② 후면의 임대료 단가(평가선례 B기준)

(100,000,000 × 0.05 + 300,000 × 12월) ÷ 41.00 ≒ 209,756원/㎡

3) 가치격차

가격기준	임대료기준
3,558,424 ÷ 5,710,030 ≒ 0.62	209,756 ÷ 463,423 ≒ 0.45

본건 평가가 시장가치평가라는 점을 고려하여 가치의 격차를 기준하여 0.62로 결정한다.

5. 비준가액(시장가치)

5,600,000 × 1.000 × 1.04604 × 1.000 × 0.62

≒ 3,630,000원/㎡(전유면적)(× 132.96 = 483,000,000원)

6. 평가금액의 적정성 검토

평가선례 B가 본건과 유사하며, 전유면적당 3,630,000원/㎡로서 본건의 평가액 수준과 균형이 유지된다.

III 매입 및 시설투자의 타당성 검토

1. 처리방침

본 부동산에 제시된 설비(내장공사) 투자시 타당성 여부를 검토한다.

2. 투자금액

현 부동산 가액과 보증금 차감 후 설비투자액 소요된다.

483,000,000 + (800,000 × 132.96 − 50,000,000) ≒ 539,368,000원

3. 향후 5년간 현금유입

(1) 임대료 현가

$$(5{,}000{,}000 \times 12월) \times \frac{1.06^5 - 1}{0.06 \times 1.06^5} ≒ 252{,}742{,}000원$$

(2) 기간복귀가치 현가

1) 재매도시 가액(철거비 차감)

① 재매도시 실질임대료

(50,000,000 × 0.05 + 5,000,000 × 12월) × 0.8 = 50,000,000원

② 기말복귀가치

(50,000,000 ÷ 0.08) − (50,000 × 132.96) − 50,000,000(보증금) ≒ 568,352,000원

2) 기말복귀가치 현가

$568,352,000 \times \frac{1}{1.06^5} \fallingdotseq 424,706,000$원

(3) 5년간 현금유입

252,742,000 + 424,706,000 = 677,448,000원

4. 투자 타당성 판단

투자금액대비 현금유입이 우세한 바, 시설개량에 대한 타당성이 있는 것으로 판단된다.

Answer 39

25점

I 평가개요

구분지상권 설정에 따른 지하토지 영구사용 관련 일반거래목적의 감정평가로서 관계법령 기준 "나지상정 토지가격 × 입체이용저해율"로서 평가한다(기준시점 : 2023년 9월 5일).

II 나지상정 토지가격

관계법령상 공시지가를 기준한 가격으로 평가하되, 타 방식에 의한 평가금액으로 적정성을 검토한다.

1. 공시지가기준가격

(1) 공시지가 선정

기준시점 이전 최근 공시된 2023년 기준하며, 일반상업, 상업용으로서 유사한 표준지 2를 선정한다(표준지 나지상정 가격).

(2) 시점수정치(2023년 1월 1일~2023년 9월 5일, 지가(생산자물가상승률 미고려))

1.03128 × (1 + 0.00093 × 67/30) ≒ 1.03342

(3) 평가액

3,500,000 × 1.03342 × 1.000 × 100/110 × 1.00 ≒ 3,290,000원/㎡

2. 비준가액

(1) 사례의 적부

유사성 및 비교가능성 고려시 사례로서 적합하다(@2,810,000).

(2) 시점수정치(2023년 5월 1일~2023년 9월 5일)

1.00105 × 1.00093 × (1 + 0.00093 × 67/30) ≒ 1.00406

(3) 평가액

2,810,000 × 100/90 × 1.00406 × 100/94 × 100/97 ≒ 3,440,000원/㎡

3. 수익가액(토지잔여법)

(1) 사례 복합부동산 순수익

1) 총수익

① 1층의 실질임대료

14,000 × (12 + 12 × 0.12) × 280 ≒ 52,685,000원

② 1층의 층별 효용비율(층별 효용격차 고려 A유형 적용)

(100 × 280) ÷ [(44 + 35) × 200 + (100 + 58) × 280 + (46 + 40 + 35 × 16) × 196] ≒ 0.15

③ 전체 실질임대료

52,685,000 ÷ 0.15 ≒ 351,233,000원

2) 순수익

351,233,000 × (1 − 0.45) ≒ 193,178,000원

(2) 사례건물 귀속 순수익

1) 사례건물가격

344,000 × 1.000 × 1.000 × 1.000 × 56/60 × 5,060 ≒ 1,624,597,000원

2) 사례건물 귀속 순수익

1,624,597,000 × 0.07 ≒ 113,722,000원

(3) 사례토지 귀속 순수익

193,167,000 − 113,722,000 ≒ 79,445,000원(153,000원/㎡)

(4) 대상토지 기대순수익

153,000 × 1.000 × 1.00000 × 100/94 × 100/98 ≒ 166,000원/㎡

(5) 대상토지 수익가액

166,000 ÷ 0.05 ≒ 3,320,000원/㎡

4. 나지상정 토지가격

「감정평가에 관한 규칙」 제14조에 근거 공시지가기준가격을 기준으로 하되, 다른 방식에 의한 평가액과의 적정성이 인정된다. 따라서 공시지가기준가격을 기준으로 3,290,000원/㎡으로 결정(× 400 ≒ 1,316,000,000)한다.

Ⅲ 입체이용저해율(고층시가지 기준)

1. 노후율 고려 여부

현재 건부지 상태이며, 건물이 최유효이용과 유사하고 철거 타당성이 없는 바, 노후율을 고려한다.

2. 건물 등 이용저해율

(1) 저해층수 판정

토피 10m 기준 건축가능층수(지하 1층~지상 12층) 고려시 현재 지하 2층, 지상 13~20층이 저해층수이다.

(2) 건물 등 이용저해율

$$0.8 \times \frac{35+35\times 8}{(35+44+100+58+46+40+35\times 16)} \fallingdotseq 0.2854$$

3. 지하이용저해율

$0.15 \times 0.75 \fallingdotseq 0.1125$

4. 기타이용저해율

$0.05 \times 1/2 \fallingdotseq 0.0250$

5. 입체이용저해율(노후율 고려)

$(0.2854 + 0.1125) \times 18/60 + 0.0250 \fallingdotseq 0.1444$

Ⅳ 구분지상권 가액

1,316,000,000 × 0.1444 ≒ 190,030,000원

Answer 40

15점

Ⅰ 평가개요

본건은 지하보관 탱크 설치에 따른 구분지상권 및 설정 후 토지가치에 대한 평가로서 2023년 8월 31일을 기준시점으로 평가한다.

Ⅱ 구분지상권의 평가액

1. 입체이용저해율 기준

(1) 층별 효용비

'보증금 운용수익 + 지불임대료 × 12월'의 비율로 산정한다.

구분	지하 1, 2층	1층	2층	3~5층	6층 이상
임대료(원/㎡)	606,000	969,600	726,600	606,000	424,500
층별 효용비	63	100	75	63	44

(2) 건물 등 이용저해율

1) 저해층수

지하 1, 2층, 지상 4~8층 저해

2) 건물 등 이용저해율

$$\frac{63\times2+63\times2+44\times3}{63\times2+100+75+63\times3+44\times3}\times 0.75 \fallingdotseq 0.463$$

3) 지하이용저해율

최유효층수 8층으로서 저층시가지이며, 한계심도 30m이다.

$\therefore$ 0.05

4) 기타이용저해율

지하부분 최대 적용 $\therefore$ 0.15 × 0.5 = 0.075

5) 입체이용저해율(저층시가지 기준)

0.463 + 0.05 + 0.075 ≒ 0.588

$\therefore$ 3,000,000 × 0.588 ≒ 1,760,000원/㎡

2. 지료의 현가액 기준

(6,500,000 × 12) ÷ 0.08(영구지속) ≒ 975,000,000원(1,950,000원/㎡)

3. 구분지상권 평가액

1,760,000 × 0.7 + 1,950,000 × 0.3 ≒ 1,820,000원/㎡

III 구분지상권이 설정된 토지가격

3,000,000 − 1,820,000 ≒ 1,180,000원/㎡(× 500 = 590,000,000원)

15점

Ⅰ 〈물음 1〉

1. 쾌적성 저해요인
   통과전압의 종별 및 송전선의 높이, 송전선로가 심리적・신체적으로 미치는 영향 정도 기타 조망・경관의 저해 등

2. 시장성 저해요인
   장래기대이익의 상실 정도, 송전선로의 이전가능성 및 그 난이도 등

3. 기타 저해요인
   선하지 면적의 해당 토지 전체면적에 대한 비율, 송전선로의 통과위치, 기타 이용상의 제한 정도 등

Ⅱ 〈물음 2〉 감정평가액(가격시점 : 2023년 8월 20일)

1. 나지가격(공시지가기준법)

(1) 비교표준지 선정 : 대상토지와 용도지역, 이용상황 등이 동일・유사한 기호 1을 선정한다.

(2) 시점수정치 : 1.02000

(3) 지역요인비교치 : 1.000

(4) 개별요인비교치 : 100/110 ≒ 0.909

(5) 그 밖의 요인비교치

1) 사례 등 선정 : 일반상업지역, 상업용으로서 본건과 유사한 거래사례 선택

2) 사례토지가격(배분법)
$1,670,000,000 - (460,000 \times 0.950 \times 1,830) = 870,290,000$원($1,740,000$원/㎡)

3) 격차율

$$\frac{1,740,000 \times 1.05200 \times 1.111^{*} \times 1.222^{**}}{1,950,000 \times 1.02000} \fallingdotseq 1.249$$

* 지역 : 100/90
** 개별 : 110/90

4) 결정 : 상기 격차율 및 인근의 지가수준을 고려하여 1.20으로 결정한다.

5) 토지의 평가액

1,950,000 × 1.02000 × 1.000 × 0.909 × 1.20

≒ 2,170,000원/㎡(×650 = 1,410,500,000원)

2. 감가율

(1) 입체이용저해율

1) 저해층수 판정

① 이격거리

$$3+\frac{54-35}{10}\times 0.15 \fallingdotseq 3.285(\text{m})$$

② 저해층수 판정

$\frac{21-3.285}{3.5} \fallingdotseq 5.06$층, 따라서 지상 6층이 저해된다.

2) 입체이용저해율

① 건물이용저해율

$$0.9 \times \frac{32}{64+100+64+32\times 4} \fallingdotseq 0.0809$$

② 기타이용저해율

$$0.1 \times \frac{1}{2} = 0.05$$

③ 입체이용저해율

0.0809 + 0.05 ≒ 0.1309

(2) 감가율

0.1309 + 0.1 ≒ 0.2309

3. 구분지상권 설정대가

(1) 연간임대료

2,170,000 × 650 × 0.1 × 0.2309 ≒ 32,570,000원

(2) 구분지상권 설정대가(존속기간 : 30년)

$$32,570,000 \times \frac{1.13^{30}-1}{0.13\times 1.13^{30}} \fallingdotseq 244,000,000\text{원}$$

25점

Ⅰ 평가개요

1. 본건은 K도 Y시 J동에 소재하는 골프연습장의 담보취득을 위한 감정평가로서 기준시점은 가격조사 완료일인 2023년 8월 10일을 기준한다.

2. 본건 토지는 전면의 토지와 후면의 토지의 가치가 상이한 것으로 판단되는 바, 필지별로 평가한다.

Ⅱ 기호 1 토지(350-1) 및 지상의 건물

1. 기호 1 토지의 평가액(공시지가기준가액)

(1) 비교표준지 선정

제2종 일반주거지역이며 인근의 표준적인 이용상황인 상업지대를 기준하여 표준지 1을 선정한다.

(2) 시점수정치(J시 주거지역(2023년 1월 1일~2023년 8월 10일))

$(1 - 0.00076) \times (1 - 0.00006 \times 41/30) \fallingdotseq 0.99916$

(3) 평가액 결정

$1,500,000 \times 0.99916 \times 1.000 \times 0.95 \times 1.00 \fallingdotseq 1,420,000$원/㎡

($\times$ 1,262 = 1,792,040,000원)

2. 기호 1 지상 건물의 평가액

(1) 1, 2층 부분

600,000(보합세) $\times$ 25/40 = 375,000원/㎡($\times$ 400 = 150,000,000원)

(2) 3 ~ 5층 부분

400,000 $\times$ 25/40 = 250,000원/㎡($\times$ 372 = 93,000,000원)

(3) 6층 부분

400,000 $\times$ 25/31 = 323,000원/㎡($\times$ 124 = 40,052,000원)

(4) 건물평가액

283,052,000원

3. 기호 1 및 지상 건축물의 평가액

1,792,040,000 + 283,052,000 = 2,075,092,000원

III 기호 2 토지(350-2) 및 지상구조물

1. 처리방침

둘 이상의 용도지역에 걸쳐 있으나 대부분 자연녹지지역으로서 자연녹지를 기준으로 감정평가한다(주상용). 구분지상권 가액을 차감한 가액으로 평가하며, 지상의 구조물은 구축물로서 평가목적상 감정평가의 대상이 되지 못하므로 평가외한다.

2. 기호 2 토지의 나지상태 토지평가액

(1) 비교표준지 선정

자연녹지지역으로서 후면의 표준적 이용상황 중 본건과 유사하다고 판단되는 주거용인 표준지 2를 선정한다.

(2) 시점수정치(Y시 녹지지역(2023년 1월 1일~2023년 8월 10일))

$1.00346 \times (1 + 0.00116 \times 41/30) ≒ 1.00505$

(3) 개별요인비교치

$1.1 \times 1.15^{*} ≒ 1.265$

* 이용상황에 대한 보정치는 요인비교치에서 미포함되어 있다 판단하여 별도로 보정하였다.

(4) 나지상정 평가액

$450,000 \times 1.00505 \times 1.000 \times 1.265 \times 1.00 ≒ 572,000$원/㎡

3. 구분지상권 설정 후 토지가액

(1) 처리방침

현재 김도전 씨가 활용가능한 부분이 지상 1층이므로 지상 1층을 제외한 부분의 입체이용저해율을 산정하여 구분지상권 설정 후 토지가액을 산정한다.

(2) 입체이용저해율

1) 건물 등 이용저해율

① 층별 효용비

인근 개발사례의 층별격차(주상용)를 추출하여 활용한다.

구분	B1	1	2	3	4
분양단가(원/㎡)	1,000,000	2,000,000	1,000,000	1,200,000	1,200,000
층별 효용비	50	100	50	60	60

② 최유효이용층수

개발사례가 최유효이용으로서 지하 1층~지상 4층이 최유효층수이다.

③ 저해층수

현실적으로 지하부분 및 지상 2층 이상의 활용이 어려워 지하 1층 및 지상 2, 3, 4층이 저해된다.

④ 건물 등 이용저해율

최유효층수를 기준으로 저층시가지를 적용한다.

$$0.75 \times \frac{50+50+60+60}{50+100+50+60+60} \fallingdotseq 0.51563$$

2) 지하이용저해율

$0.1 \times 0.5 = 0.05$

3) 기타이용저해율

0.15 × 1/2(지하부분 최대치) = 0.075

4) 입체이용저해율

$0.51563 + 0.05 + 0.075 \fallingdotseq 0.64$

(3) 구분지상권 가액 차감 후 토지가치

572,000 × (1 − 0.64) ≒ 206,000원/㎡(×4,316 = 889,096,000원)

CHAPTER 05

유형별 감정평가

Answer 43

35점

I 평가개요

본건은 전라남도 S시 H동에 소재하는 병원에 대한 자산재평가 목적의 감정평가로서 2023년 6월 10일을 기준시점으로 감정평가한다.

II 〈물음 1〉 일단지의 개념 및 유의사항

1. 일단지의 개념

일단지라 함은 용도상 불가분 관계에 있는 2필지 이상의 일단의 토지를 의미하며, 사회적・경제적・합법적 측면에서 합리적이고 가격형성과정에 있어서도 그러한 이용이 타당한 관계에 있는 경우를 말한다.

2. 일단지 평가시 유의사항

일단지를 한필지처럼 가격조사 및 현장조사해야 하며 도로접변, 형상, 지세 등 토지 특성을 조사해야 한다. 한편, 감정평가서에 일단지임을 평가명세표 비고란에 기재해야 한다.

III 〈물음 2〉 토지의 감정평가액

1. 처리방침

(1) 일단지의 판단

현재 건물은 Y시 H동 40-5번지 상에만 소재하고 있으나, 40-4번지 역시 건축물대장상 관련필지로서 양 필지를 일단지로 보아 평가해야 하며, 40-3번지는 별도로 평가한다.

(2) 개별요인 등

40-4, 40-5 일단의 토지는 북측의 광대로, 동측 및 서측의 소로에 접하는 자루형 토지로서 평가한다(북측의 광대로가 주 노선임).

2. 공시지가기준가액

(1) 비교표준지 선정

본건은 병원으로서 특수시설이나 인근의 표준적인 이용상황을 고려하여 중심상업지역, 상업용으로서 노선상가지대에 소재하는 표준지 1을 선정한다.

(2) 시점수정치(2023년 1월 1일~2023년 6월 10일, Y시 상업)

$1.01155 \times (1 + 0.00269 \times 41/30) \fallingdotseq 1.01527$

(3) 개별요인비교치

1) 획지요인 평점

지적개황도를 참조하여 40-4번지를 진입로, 40-5번지를 유효택지부분으로 판단한다.

$393.6/2{,}031.3 \times 95 + 1{,}637.7/2{,}031.3 \times 70 \fallingdotseq 75$

2) 개별요인비교치

$75/100 \times 90/110$(일단지 기준) $\fallingdotseq 0.614$

(4) 그 밖의 요인비교치

1) 평가선례의 선정

중심상업지역, 상업용으로서 인근 토지의 지가수준을 잘 반영하는 것으로 판단되는 평가선례 B를 선정한다.

2) 격차율 산정

$$\frac{1{,}060{,}000 \times 1.01069^{*} \times 1.000 \times 0.890^{**}}{936{,}000 \times 1.01527} \fallingdotseq 1.003$$

* 2023년 3월 1일~2023년 6월 10일, Y시 상업
$1.00429 \times 1.00269 \times (1 + 0.00269 \times 41/30)$

** 개별요인 : $100/103 \times 110/120$

3) 그 밖의 요인비교치 결정

상기의 산출치를 검토한 결과 그 밖의 요인은 대등한 것으로 판단된다(1.00).

(5) 공시지가기준가액

$936{,}000 \times 1.01527 \times 1.000 \times 0.614 \times 1.00 \fallingdotseq 583{,}000$원/㎡

3. 비준가액(거래사례비교법)

(1) 사례선택

중심상업지역, 상업용으로서 사정이 개입되지 않은 거래사례 C를 선정한다(A는 당사자 간의 거래로서 한정가액이 형성된 것으로 판단되어 제외한다).

(2) 사례토지 거래가격

$3{,}400{,}000{,}000 - (550{,}000 \times 1.00 \times 36/40 \times 3{,}200) \fallingdotseq 1{,}816{,}000{,}000$원(920,000원/㎡)

(3) 시점수정치(2023년 4월 1일~2023년 6월 10일, Y시 상업)

1.00269 × (1 + 0.00269 × 41/30) ≒ 1.00638

(4) 개별요인비교치

75/100 × 90/105 ≒ 0.643

(5) 비준가액

920,000 × 1.000 × 1.00638 × 1.000 × 0.643 ≒ 595,000원/㎡

4. 노선가식평가법

(1) 북측 주노선기준(깊이 60M)

700,000 × 0.82(깊이) × 0.95* ≒ 545,000원/㎡

* 전면너비 13M로서 0.95 적용한다.

(2) 동서측 가산가

(400,000 × 0.82 × 0.1) + (450,000 × 0.82 × 0.1) ≒ 70,000원/㎡

(3) 노선가식평가법에 의한 평가액

545,000 + 70,000 = 615,000원/㎡

5. 토지의 감정평가액 결정

(1) 시산가액 조정

「감정평가에 관한 규칙」에 의거 주방법인 공시지가기준법에 의하되, 다른 방법에 의하여 그 합리성이 인정되는 것으로 판단된다(583,000원/㎡).

(2) 필지별 평가액

1) 40-4, 40-5번지

583,000원/㎡(× 2,031.3 = 1,184,247,900원)

2) 40-3번지(공시지가기준법)

광대로에 접한 세장형 토지임.

936,000 × 1.01527 × 1.000 × 1.077* × 1.00

≒ 1,020,000원/㎡(× 393.7 = 401,574,000원)

* 개별 : 103/100 × 115/110

Ⅳ 〈물음 3〉 건물의 감정평가액

1. 기존부분(지상)

800,000 × 48/50 = 768,000원/㎡(× 4,666.5 = 3,583,872,000원)

2. 기존부분(지하)

800,000 × 0.7 × 48/50 ≒ 538,000원/㎡(× 1,469.76 = 790,730,880원)

3. 증축부분(현재의 시가대로 평가, 교환가치)

800,000 × 1.1 × 48/49 ≒ 862,000원/㎡(× 4,934.66 = 4,253,676,920원)

4. 건물의 감정평가액

8,628,279,800원

V 〈물음 4〉 최종 감정평가액 결정

1. 40-4, 40-5번지상 토지 및 건물

1,184,247,900 + 8,628,279,800 = 9,812,527,700원

2. 40-3번지 토지

401,574,000원

Answer 44

20점

I 평가개요

본건은 지상권이 설정된 토지에 대한 감정평가로서 나지상정평가액에서 지상권가치를 차감하여 평가한다(기준시점 : 2023년 8월 31일).

II 나지상정평가액

1. 공시지가기준가격

(1) 비교표준지 선정

제2종 일반주거지역, 주거용으로서 인근지역에 위치하고 있는 표준지 2를 선정한다.

(2) 시점수정치(2023년 1월 1일~8월 31일, 주거)

1.01292 × (1 + 0.00057 × 31/31) ≒ 1.01350

(3) 개별요인비교치

100/105 × 1.00 ≒ 0.952

(4) 평가액

800,000 × 1.01350 × 1.000 × 0.952 × 1.00 ≒ 772,000원/㎡

2. 비준가액

(1) 사례토지가격

350,000,000 − [500,000 × 98/100 × 32/40 × 250] ≒ 252,000,000원(@700,000)

(2) 시점수정치(2022년 12월 1일~2023년 8월 31일, 주거)

(1 − 0.00071) × 1.01350 ≒ 1.01278

(3) 개별요인비교치

100/(90 × 1.05) × 1.00 ≒ 1.058

(4) 비준가액

700,000 × 1.000 × 1.01278 × 1.000 × 1.058 ≒ 750,000원/㎡

3. 결정

「감정평가에 관한 규칙」 제14조에 근거하여 공시지가기준법에 따른 시산가액을 기준하되, 비준가액에 의한 합리성이 인정되는 것으로 판단된다. (772,000원/㎡)(× 350 = 270,200,000원)
(도시계획시설 저촉부분 540,000원/㎡(×50 = 27,000,000원)), (소계 : 297,200,000원)

Ⅲ 지상권의 가치

1. 처리방침

토지의 경락 이후 미등기 건물(현재는 보존등기)과의 소유자가 달라진 법적지상권이 성립된 토지로서 건물의 잔존연수 동안 법정지상권이 성립한다.

2. 토지의 정상실질임대료(적산법)

297,200,000 × 0.04 + 297,200,000 × 0.02 ≒ 17,832,000

3. 지상권 가치

$$17{,}832{,}000 \times \frac{1.1^{25}-1}{0.1 \times 1.1^{25}} \fallingdotseq 161{,}862{,}000$$

* 잔존내용연수 : 25년

Ⅳ 토지가격 및 분석

1. 지상권 설정된 토지가격

297,200,000 − 161,862,000 ≒ 135,328,000원(338,000원/㎡)

2. 분석

경락가액과 평가금액을 비교한 결과 경락시 해당 제시외 건물로 인한 불리한 정도를 반영하여 낙찰받은 것으로 분석된다.

Answer 45

40점

I 평가개요

본건은 충청북도 C시에 소재하는 골프장에 대한 담보취득목적의 감정평가로서 가격조사 완료일인 2023년 4월 16일을 기준시점으로 시장가치를 감정평가한다.

II 〈물음 1〉 공시지가기준가액 및 건물평가액 합계

1. **처리방침**

   대상토지는 골프장부지로서 골프코스, 주차장, 관리시설부지 등 개발지와 원형보전지 전체를 일단으로 평가하되, 사업계획승인 토지 전체를 기준한다.

2. **비교표준지 선정**

   자연녹지지역, 골프장으로서 본건이 표준지인 바, 표준지 '가'를 선정한다.

3. **시점수정치**(2023년 1월 1일~2023년 4월 16일, C시 녹지지역)

   1.00090 × (1 + 0.00085 × 47/28) ≒ 1.00233

4. **지역, 개별요인비교치** : 본건이 표준지로서 대등함.

5. **그 밖의 요인비교치**

   (1) **적용근거 및 필요성**

   「감정평가에 관한 규칙」 제14조 제3항 및 감정평가실무기준, 대법원 판례, 국토교통부 유권해석 등의 취지에 따라 인근지역 또는 동일수급권 내 유사한 평가선례 등과의 균형을 유지하고 인근의 지가수준을 적절하게 반영하기 위함이다.

   (2) **평가선례의 선정**

   본건과 지리적으로 가까우며, 골프장 유형(대중제)이 유사한 평가선례 2를 선정한다(용도지역의 차이는 골프장으로서 양자 모두 허가를 받은 바, 행정조건 상호 유사한 것으로 판단한다).

   (3) **평가선례 기준가격**

   1) **시점수정치(2021년 12월 1일~2023년 4월 16일)**

   평가선례가 소재한 시·군·구의 용도지역별 지가변동률을 활용한다(충청북도 C시 계획관리지역).

   1.00166 × 1.01482 × 1.00160 × (1 + 0.00102 × 47/28) ≒ 1.01987

2) 개별요인비교치(본건(비교표준지) / 평가선례 2)

1.08 × 1.05(접근) × 1.0(환경) × 1.05(획지) × 1.00 ≒ 1.191

3) 평가선례 기준가격

79,500 × 1.01987 × 1.000 × 1.191 ≒ 96,566원/㎡

(4) 공시지가 × 지가변동률

40,000 × 1.00223 ≒ 40,089원/㎡

(5) 그 밖의 요인비교치 결정

96,566 ÷ 40,089 ≒ 2.408

∴ 상기와 같이 산출된 바, 2.40으로 결정한다.

6. 공시지가기준가액

40,000 × 1.00233 × 1.000 × 1.000 × 2.40

≒ 96,000원/㎡(× 870,252.5 = 83,544,240,000원)

7. 건물의 감정평가액(원가법)

(1) 클럽하우스

1) 재조달원가

1,470,000 × 0.85 = 1,250,000원/㎡

2) 평가액(신축)

1,250,000 × 5,004.9 ≒ 6,256,125,000원

(2) 기타 건물

6,256,125,000 × 0.05 = 312,806,000원

(3) 건물의 평가액

6,256,125,000 + 312,806,000 = 6,568,931,000원

8. 평가액

83,544,240,000 + 6,568,931,000 = 90,113,171,000원

Ⅲ 〈물음 2〉 적산가액(토지) 및 건물평가액 합계

1. 소지매입비

(1) 처리방침

사업부지 매매사례는 인허가 이전 토지의 매입가로서 본건의 매입가와 차이가 있다. 따라서 본건의 매입가를 기준한다.

(2) 소지매입비

35,000,000,000원

2. 조성공사비(홀당)

평지형을 기준한다.

1,500,000,000 + 450,000,000 + 350,000,000 = 2,300,000,000원

3. 토지가액

35,000,000,000 + 2,300,000,000 × 18홀 = 76,400,000,000원

4. 평가액

76,400,000,000 + 6,568,931,000(건물평가액) = 82,968,931,000원

Ⅳ 〈물음 3〉 거래사례비교법에 의한 평가액

1. 거래사례의 적부

충청권 대중제 골프장(18홀)으로서 본건과 유사하며, 골프장 이외 부분이 거래가에 포함되어 있으나 골프장만의 가격이 적정하게 배분이 가능한 바, 적정한 거래사례로서 선정한다.

2. 골프장의 거래금액

평가된 자료에 따라 전체의 70%를 기준한다.

115,553,000,000 × 0.7 = 80,887,100,000원(118,000원/㎡)

3. 거래사례비교법에 의한 평가액

(1) 개별요인비교치

1.00 × 1.00 × 1.00 × 1.00 × 0.95 × 100/105 ≒ 0.905

(2) 평가액

118,000 × 1.02065* × 0.950 × 0.905

≒ 104,000원/㎡(× 870,252.5 = 90,506,260,000원)

* 시점, 2021년 12월 1일~2023년 4월 16일, D시 계획관리
1.00105 × 1.01444 × 1.00253 × (1 + 0.00151 × 47/28)

Ⅴ 〈물음 4〉 수익환원법에 의한 평가액

1. 매출액 추정

(1) 입장료 수입

39,000 × 100,000 + 28,000 × 140,000 = 7,820,000,000원

(2) 기타 수입

7,820,000,000 × 0.3 = 2,346,000,000원

(3) 매출액

7,820,000,000 + 2,346,000,000 = 10,166,000,000원

2. 영업이익비율(회귀분석)

(1) 변수의 결정(y = ax + b)

1) 독립변수

연도(t = 1~6)

2) 종속변수

골프장 영업이익률

(2) 회귀식 추정

Y = −2.20x + 63.24(R^2 ≒ 97%로서 유의하다)

(3) 영업이익률(t = + 7)

Y = −2.20 × 7 + 63.24 ≒ 47.84%

3. 수익가액

(1) 영업이익

10,166,000,000 × 0.4784 ≒ 4,863,414,000원

(2) 수익가액

4,863,414,000 ÷ 0.055 ≒ 88,426,000,000원

VI 〈물음 5〉 감정평가액 결정

「감정평가에 관한 규칙」 등 관련 규정에 의하여 토지는 공시지가기준법, 건물은 원가법으로 평가된 금액을 기준으로 결정하되, 기타 방법에 따라 그 합리성이 인정되는 것으로 판단된다(90,113,171,000원).

Answer 46

25점

I 평가개요

본건은 광천지에 대한 담보목적의 감정평가로서 2023년 4월 30일을 기준시점으로 평가한다.

II 〈물음 1〉 광천지의 평가방법(감정평가실무기준)

지하에서 온수·약수·석유류 등이 솟아 나오는 용출구와 그 유지에 사용되는 부지(운송시설 부지를 제외한다. 이하 "광천지"라 한다)는 그 광천의 종류, 광천의 질과 양, 부근의 개발 상태 및 편익시설의 종류와 규모, 사회적 명성, 그 밖에 수익성 등을 고려하여 감정평가하되, 토지에 화체되지 아니한 건물, 구축물, 기계·기구 등의 가액은 포함하지 아니한다.

III 〈물음 2〉 광천지 3방식 평가시 문제점

1. 원가법으로 평가시 문제점

온천 개발비는 심도, 지질상태, 기술능력(보링횟수) 등 요인의 차이에 의하여 개발비의 큰 격차가 발생할 수 있다. 따라서 개발비와 온천의 질이 반드시 비례한다고 보기 어렵다.

2. 거래사례비교법으로 평가시 문제점

우리나라에서 온천은 희소성이 있으며, 거래도 빈번하게 일어나지 않고, 거래가 되더라도 토지, 건물이 일괄로 매매되거나 특수한 조건을 수반한 경우가 많아 적정한 사례의 포착이 어렵다.

3. 수익환원법으로 평가시 문제점

용출량, 고객수, 입욕료, 시설수입, 양탕비용 등의 정확한 파악이 곤란하며, 통상 온천업은 숙박업소나 대형목욕탕으로서 광천지 자체보다는 투하자본, 영업력, 경영능력 등에 따라 수익이 크게 좌우되어 광천지 자체의 수익을 추계하기 어렵다.

Ⅳ 〈물음 3〉 광천지 평가액

1. 공시지가기준가격

(1) 비교표준지 선정

본건과 같은 계획관리지역, 광천지로서 적정한 표준지 B를 선정하되, 지역요인을 비교하여 활용한다.

(2) 시점수정치(K시 관리지역), 2023년 1월 1일~4월 30일

1.01005 × (1 + 0.00319 × 30/31) ≒ 1.01317

(3) 지역요인비교치

260,000 ÷ 175,000(중위치) ≒ 1.486

(4) 개별요인비교치(용출량지수)

1) 본건 : 330 × 0.8 ≒ 264.0(2.5)

2) 비교표준지 : 350 × 0.95 ≒ 332.5(3.0)

3) 개별요인비교치 : 2.5/3.0 ≒ 0.833

(5) 평가액

21,000,000 × 1.01317 × 1.486 × 0.833 × 1.00≒ 26,300,000원/㎡

2. 표준광천지 개발비 기준(수익, 원가 혼합방식)

(1) 기본개발비

2,000,000 + 16,500,000 + 5,000,000 + 3,500,000 + 4,050,000 + 450,000 × 3 ≒ 32,400,000원

(2) 온천지지수

1) 수익가액

$$\frac{189 \times 365\text{일} \times (430-256)}{0.15} \fallingdotseq 80,023,000\text{원}$$

2) 온천지지수

80,023,000÷32,400,000 ≒ 2.47

(3) 용출량지수

1) 표준광천지

350 × 0.8 ≒ 280(2.5)

2) 본건

264.0(2.5)

3) 용출량지수 비교치

1.00

(4) **평가액**(3㎡)

32,400,000 × 2.47 × 1.00 ≒ 80,028,000원/3㎡(㎡당 26,700,000원)

3. 평가액 결정

「감정평가에 관한 규칙」 제14조에 의하여 공시지가기준법으로 결정하되, 표준광천지 개발비 기준(수익, 원가 혼합방식)에 의한 합리성이 인정된다.

(26,300,000원/㎡)(× 9㎡ = 236,700,000원)

20점

Ⅰ 평가개요

본건은 「건축법」상 대지 및 도로의 관계에 따른 사도개설 관련 평가로서 각 물음에 답한다(기준시점 2023년 8월 31일).

Ⅱ 〈물음 1〉 한정가액

1. 처리방침

甲의 A토지 매입의 "한정가치"가 성립하는 바, A의 요구사항을 반영하여 평가한다(거래사례비교법).

2. A토지의 시장가치

(1) 사례의 선택

사례 #1, 2는 모두 일반상업지역, 업무지구로서 대상과 물적·위치적 유사성이 있는 바, 선택한다.

(2) 사례 #1 기준(161,100,000 ÷ 300 = 537,000원/㎡)

537,000 × 100/110 × 1.01333 × 1.000 × 100/90 ≒ 550,000원/㎡
시*

* 시점, 2023년 8월 31일 / 2022년 10월 1일, 지가지수 : 380 ÷ 375

(3) 사례 #2 기준(243,100,000 ÷ 280 = 868,000원/㎡)

1) 사정보정치 산정

① 증분가치

103 × 630 − (60 × 350 + 100 × 280) ≒ 15,890

② 증분가치 배분액

$$15{,}890 \times \frac{280 \times 100}{(280 \times 100) + (350 \times 60)} \fallingdotseq 9{,}080$$

③ 사정보정치 산정

(100 × 280) ÷ (100 × 280 + 9,080) ≒ 0.755

2) 비준가액

868,000 × 0.755 × 1.01333 × 100/115 × 100/105 ≒ 550,000원/㎡
시

(4) A토지의 시장가치

양 시산가액을 기준으로 550,000원/m²으로 결정한다.

3. A의 소유자에게의 최소지불액(한정가치)

(1) 매입면적

건축법 의거 "폭 3m"를 확보해야 한다. ∴ 3 × 12 = 36m²

(2) 최소지불액

550,000 × 1.1 × 36m² ≒ 21,780,000원

Ⅲ 〈물음 2〉 사도를 포함한 획지 B의 가격

1. 사도부분

한정가치와는 별도로 "시장가치"로 평가한다.

∴ 550,000 × 1/3 × 36m² ≒ 6,600,000원

2. B토지가격

550,000 × 0.7 × 200m² ≒ 77,000,000원

3. 사도개설 후 토지가격

6,600,000 + 77,000,000 ≒ 83,600,000원

Ⅳ 〈물음 3〉 사도 개설에 따른 이익

1. 사도개설 전 B토지가치

53,000,000원

2. 사도개설에 따른 B토지가치(비용 등 공제)

(1) 사도개설 후 B토지가치(사도 포함)

83,600,000원

(2) 사도개설비 및 부지매입비

21,780,000 + 100,000 ≒ 21,880,000원

(3) 비용공제 후 B토지가치

83,600,000 − 21,880,000 ≒ 61,720,000원

3. 사도개설에 따른 이득

종전 및 종후를 비교하여 산정한다.

∴ 61,720,000 − 53,000,000 ≒ (+) 8,720,000원

Answer 48

10점

I 평가개요

본건은 한정가격에 대한 문제로 사도 구입가격, 사도를 포함한 획지 B의 평가가격, 사도개설로 인하여 羅씨가 얻게 된 이익을 산정하여 결정하되, 사도개설폭은 깊이 10m 이상 35m 미만에 해당하므로 3m를 기준한다.

II 최소지불액

$$28,800,000 \times \frac{1}{20 \times 12} \times \underset{\text{사}}{1.100} \times \underset{\text{면}}{(3 \times 12)} = 4,752,000\text{원}$$

III 사도 포함 B토지가격

1. A토지 단가

$$28,800,000 \times \frac{1}{20 \times 12} = 120,000\text{원/m}^2$$

2. 사도 포함 B토지가격

$$\underset{\text{B토지부분}}{120,000 \times 0.700 \times (20 \times 10)} + \underset{\text{사도부분}}{120,000 \times \frac{1}{3} \times 36} = 18,240,000\text{원}$$

IV 羅씨의 사도개설에 따른 이익

$$18,240,000 - (9,600,000 + 4,752,000 + 1,000,000) = 2,888,000\text{원}$$

Answer 49

10점

Ⅰ 평가개요

본건은 합동환지에 대한 감정평가로서, 환지예정지가 지정된 이후인 바, 환지예정된 상태를 고려하여 평가하며, 지분비율은 종전 토지의 가치비율에 의한다(기준시점 : 2023년 8월 20일).

Ⅱ 전체 토지가격

1. 비교표준지 선정

용도지역, 이용상황(대) 등이 동일·유사한 표준지 기호 2를 선정한다.

2. 평가액

350,000 × 1.08914* × 1.000 × 0.900 × 1.000 ≒ 343,000원/㎡(× 500 = 171,500,000원)

* 2023.01.01~2023.08.20 : 1.07251×(1+0.00912×51/30)

Ⅲ Y씨의 지분비율

$$\frac{50,000\times 400}{200,000\times 100+50,000\times 300+50,000\times 400}\fallingdotseq 0.364$$

Ⅳ Y씨 지분가격

1. 지분면적(권리면적기준)

500 × 0.364 = 182

2. 평가액

@343,000 × 182 = 62,426,000원

Answer 50

10점

I 평가개요

본건은 영국산 도입기계에 대한 양도담보목적의 감정평가로 기준시점은 2023년 8월 25일이다. 양도담보인 점을 고려하여 설치비는 배제하고 원가법으로 평가한다.

II 재조달원가 산정

1. 도입기계가격

125,000 × 0.6267 × 1.0690 × 1,930.17 ≒ 161,638,000원

$ → £　　기·보　　£ → 원

* (구)담보평가지침(제27조 제4항)에 근거하여 최근 15일 평균기준환율을 기준한다.

2. 부대비용

(1) 관세

현행 관세 및 현행 감면율을 적용한다.

161,638,000 × 0.06 × (1 − 0.4) ≒ 5,819,000원

(2) 기타부대비용

도입기계만의 양도담보인 점을 고려하여 설치비는 배제한다.

161,638,000 × 0.03 ≒ 4,849,000원

(3) 농특세

감면관세의 20%

161,638,000 × 0.06 × 0.4 × 0.2 ≒ 776,000원

(4) 합계

11,444,000원

3. 재조달원가

173,082,000원

III 평가액 산정

173,082,000 × $0.1^{4/15}$ ≒ 93,667,000원

Answer 51

15점

Ⅰ 평가개요

1. 본건은 화물선에 대한 담보목적의 감정평가로서 2023년 8월 31일을 기준시점으로 평가한다.

2. 본건은 「감정평가에 관한 규칙」 제20조에 따라 원가법으로 평가하되, 거래사례비교법에 따라 합리성을 검토한다.

Ⅱ 원가법에 따른 평가액

1. 처리방침

선체, 기관, 의장품별로 구분하여 평가하되, 오버홀에 따른 내용연수를 보정하도록 한다.

2. 평가액 결정

(1) 선체

$(1,500,000 + 2,500,000) \div 2 \times 0.2^{(17/20)}$

$\fallingdotseq$ 509,000원/GT($\times$ 3,994 GT = 2,032,946,000)

(2) 기관

$(220,000 + 380,000) \div 2 \times 0.1^{(4/20^{*})}$ $\fallingdotseq$ 189,000원/HP($\times$ 5,320HP = 1,005,480,000원)

* 기관 오버홀 시점 기산하여 감가하였다.

(3) 의장품

$1,500,000,000 \times 0.1^{(2/5)}$ $\fallingdotseq$ 597,161,000원

(4) 평가액

2,032,946,000 + 1,005,480,000 + 597,161,000 $\fallingdotseq$ 3,635,587,000원(GT당 약 910,000원)

Ⅲ 거래사례비교법에 따른 적정성 검토

1. GT(Gross Tonage)당 거래가격

(1) 본건 거래가격

2,750,000 $\times$ 1,300원/$ $\fallingdotseq$ 3,575,000,000원(GT당 895,000원)

(2) 사례거래가격

3,800,000 $\times$ 1,300원/$ $\fallingdotseq$ 4,940,000,000원(GT당 898,000원)

2. 적정성 검토

G/T당 거래가격을 분석한 결과원가법에 따른 평가액과 거래사례 및 본건의 실제거래가격 간의 유사성이 인정된다.

Ⅳ 평가액 결정

원가법에 따른 평가금액인 3,635,587,000원으로 결정한다.

Answer 52

35점

I 평가개요

본건은 (주)D세라믹공장의 현물 출자목적의 감정평가로서 의뢰된 기준시점의 가격조사가 가능한 것으로 판단되는 바, 의뢰된 날인 2023년 5월 1일을 기준시점으로 감정평가한다.

II 〈물음 1〉 물건별 감정평가액 합

1. 토지의 평가액

(1) 공시지가기준가액

1) 비교표준지 선정

인근지역 내 유사한 표준지가 존재하지 않는 바, 동일수급권 내 유사지역인 계획관리, 공업용으로서 본건과 유사한 표준지 6을 선정한다.

2) 시점수정치(2023년 1월 1일~2023년 5월 1일, 계획관리지역)

$1.01297 \times (1 + 0.00511 \times 31/31) \fallingdotseq 1.01815$

3) 평가액

$72,000 \times 1.01815 \times 100/115 \times 100/95 \times 1.00 \fallingdotseq 67,000$원/㎡

(2) 적산가액(조성원가법)

1) 토지매입가의 적정성 검토

① 매입 당시 임야상태의 비준가액(거래사례)

$2,900,000,000 \times 1.00 \times 1.00 \times 95/103 \times 1/125,000$

$\fallingdotseq 21,000$원/㎡($\times$ 70,000 =1,470,000,000원)

② 적정성 검토

실제 매입가(14억원)와 격차율이 10% 이내로서 본건의 소지매입가격이 적정한 것으로 판단한다.

2) 조성공사 완공시 토지가액

① 소지가격 현가

$1,400,000,000 \times 1.006^7 \fallingdotseq 1,459,869,000$원

② 조성원가 현가

$(35,000 \times 70,000) \times (0.5 \times 1.006^6 + 0.5) \fallingdotseq 2,494,767,000$원

③ 조성완료시 토지가격

$1,459,869,000 + 2,494,767,000 \fallingdotseq 3,954,636,000$원(56,000원/㎡)

3) 기준시점 기준의 토지가격(성숙도 수정)

56,000 × 1.19108* ≒ 67,000원/㎡

* 2019년 7월 1일~2023년 5월 1일, 지가변동률

1.00400^{30} × 1.03781 × 1.01297 × (1+0.00511 × 31/31)

(3) 토지의 평가액 결정

원가법에 의한 가액과 공시지가기준가격이 상호 유사하며, 원가법에 의한 가액에 의하여 공시지가기준가액의 합리성이 지지된다. 따라서 「감정평가에 관한 규칙」 제14조에 의하여 공시지가기준가액인 67,000원/㎡로 결정한다(× 70,000 = 4,690,000,000원).

2. 건물

(1) 주공장(가동)의 감정평가액

1) 재조달원가

① 직접법(공사비내역서 기준)

A. 제외 항목

토지가치에 화체되는 옹벽 및 조경공사비는 제외한다.

B. 재조달원가(준공시)

600,000,000 + 300,000,000 + 2,500,000,000 + 150,000,000 + 900,000,000 × 3,550,000,000/4,650,000,000 ≒ 4,237,000,000원

C. 기준시점 현재의 재조달원가

4,237,000,000 × 1.003^{36} ≒ 4,719,457,000원(@ 270,000원/㎡)

② 간접법(15m 이상, 철골조)

250,000원/㎡

③ 결정

간접법에 의하되, 실제공사비에 의한 합리성이 인정된다(250,000원/㎡).

2) 주공장의 평가액

250,000 × 37/40 ≒ 231,000원/㎡(×17,500 = 4,042,500,000원)

(2) 부공장의 평가액

210,000 × 37/(37 + 1) ≒ 204,000원/㎡(× 4,000 = 816,000,000원)

(3) 사무실 등 평가액

450,000 × 47/50 = 423,000원/㎡(× 750 = 317,250,000원)

(4) 건물의 평가액

5,175,750,000원

3. 기계기구(과잉유휴설비 없음)

(1) 국산기계 1

$12,000,000 \times 131.5/112.6 \times 0.1^{3/15} \fallingdotseq 8,842,000$원/점

(2) 국산기계 2

$30,000,000 \times 131.5/112.6 \times 0.15^{3/13*} \fallingdotseq 22,614,000$원/점

* 구매 당시 13년 잔존연수의 기계를 매입하였으므로 내용연수를 보정한다.

(3) 도입기계

$(\text{EUR } 30,000 \times 1.08151 \times 1,532.6) \times 1.05 \times 0.2^{2/10} \fallingdotseq 37,842,000$원/점

(4) 기계기구 평가액

8,842,000 × 32점 + 22,614,000 × 17점 + 37,842,000 × 13점 = 1,159,328,000원

4. 물건별 평가액 합

4,690,000,000 + 5,175,750,000 + 1,159,328,000 + 750,000,000(유동자산)
= 11,775,078,000원

III 〈물음 2〉 일체수익가액

1. 영업이익 산정

(320,000,000 × 12월) × 0.55 × (1 − 0.3) ≒ 1,478,400,000원

2. 할인율 결정

$2,549/8,049 \times 0.175 + 5,500/8,049 \times 0.085 \fallingdotseq 11.35\%$

3. 일체수익가액

$$1,478,400,000 \times \frac{1-(1.05/1.1135)^5}{0.1135-0.05} + \frac{1,478,400,000 \times 1.05^4 \times 1.02}{0.1703^*} \times \frac{1}{1.1135^5}$$

≒ 12,210,914,000원

* 0.1135×150%

IV 〈물음 3〉 감정평가액 결정

공장의 수익가액은 물건별 평가시 편입되지 않은 무형자산 등으로 인하여 다소 높게 산출된 것으로 판단된다. 따라서 「감정평가에 관한 규칙」 등 관련 규정에 의하여 물건별 평가액을 기준으로 감정평가액을 결정한다(11,775,078,000원).

15점

Ⅰ 평가개요

1. 본건은 B의자의 영업권에 대한 시가참조목적의 감정평가로서 「감정평가에 관한 규칙」 제23조에 의하여 수익환원법을 적용한다.

2. 기준시점은 귀 제시일기준 2023년 7월 1일을 기준한다.

Ⅱ 현금흐름(FCFF)의 추정

1. 산식
   FCFF = EBIT × (1 − t%) + 감가상각비 − 자본적 지출 ± 순운전자본변동

2. EBIT
   2,800,000,000 × (1 − 0.6 − 0.1) = 840,000,000원

3. 세율
   0.1 + 0.01 = 11%

4. 감가상각비 및 자본적 지출
   2,800,000,000 × (0.05 − 0.03) = 56,000,000원

5. 순운전자본 변동
   없음

6. 추정 FCFF
   840,000,000 × (1 − 0.11) + 56,000,000 = 803,600,000원

Ⅲ 할인율(WACC) 추정

1. 자기자본비용(CAPM)
   1.406 + 1.28 × (9.1 − 1.406) + 6.34 ≒ 17.6%

2. 세후 타인자본비용
   (3.27 + 6.34) × (1 − 0.11) ≒ 8.6%

3. 자본구조

(1) 자기자본비율

(3,000,000,000 − 1,200,000,000) ÷ 3,000,000,000 = 60%

(2) 타인자본비율

40%

4. WACC

0.6 × 17.6 + 0.4 × 8.6 = 14.0%

Ⅳ 영업가치(기업가치)

$$803{,}600{,}000 \times \frac{1-\left(\frac{1.02}{1.14}\right)^5}{0.14-0.02} + \frac{803{,}600{,}000 \times 1.02^4 \times 1.00}{0.14} \times \frac{1}{1.14^5} \fallingdotseq 6{,}083{,}550{,}000\text{원}$$

Ⅴ 영업권 가치

1. 투하자본(영업자산 − 영업부채)

3,000,000,000 − 0 = 3,000,000,000원

2. 영업권 가치

6,083,550,000 − 3,000,000,000 = 3,083,550,000원

Answer 54

20점

Ⅰ 평가개요

1. (주)○○카의 상표권에 대한 시가참조목적의 감정평가이다(기준시점 : 2023년 1월 1일).

2. 「감정평가에 관한 규칙」 제23조에 의하여 수익환원법을 적용하되, 특허권의 특성상 기 발생원가가 중요하지 않은 점, 거래가 빈번하지 않은 점을 고려하여 타 방식을 통한 합리성 검토는 생략한다.

Ⅱ 잔여 경제적 내용연수 결정

1. 경제적 내용연수
   (1) 법적 내용연수 : 「상표법」상 존속기간은 영구적이다.
   (2) 프랜차이즈 유사업종의 평균 : 9년
   (3) 결정 : 양자 중 짧은 기간은 9년을 기준으로 한다.

2. 잔여 경제적 내용연수
   등록 이후 4년이 경과한바, 5년이 남은 것으로 판단된다.

Ⅲ 세후로열티의 추정

1. 2023년 추정매출액
   (1) 과거 상승률 추이
   2019~2020년 5%, 2020~2021년 4%, 2021년~2022년 6% 상승으로서 평균적으로 연간 5% 상승하는 것으로 판단한다.
   (2) 2023년 추정매출액
   $19,292,000,000 \times 1.05 = 20,256,600,000$원

2. 로열티율 결정

$$R = 2.0 + (5.0 - 2.0) \times \frac{25 - 20}{50 - 20} = 2.5\%$$

3. 세후로열티

$20,256,600,000 \times 2.5\% \times (1-0.2) = 405,132,000$원

Ⅳ 할인율(WACC) 결정

1. 자기자본비용 : $1.5 + 1.3 \times (13.5 - 1.5) + 5.0 + 5.0 = 27.1\%$

2. 타인자본비용 : $3.5 \times (1 - 0.2) = 2.8\%$

3. 가중평균자본비용 : $0.6 \times 27.1 + 0.4 \times 2.8 = 17.38\%$

Ⅴ 상표권 감정평가액

$$405,132,000 \times \frac{1-(1.05/1.1738)^5}{0.1738-0.05}^{*} \fallingdotseq 1,398,000,000\text{원}$$

* 5%로 5년간 정률성장하는 현금흐름의 현가합

Answer 55

30점

I 평가개요

1. 본건은 특허권의 일반거래(시가참조)목적의 감정평가로서 귀 제시일인 2023년 6월 1일을 기준시점으로 평가한다.

2. 「감정평가에 관한 규칙」 제23조에 의하여 수익환원법을 적용하되, 특허권의 특성상 기 발생원가가 중요하지 않은 점, 거래가 빈번하지 않은 점을 고려하여 타 방식을 통한 합리성 검토는 생략한다.

II 〈물음 1〉 추정기간 및 잔여기간 중 FCFF

1. 본 특허권의 경제적 수명 결정

(1) 처리방침

Q1 = 5, Q2 = 11, 획득값 : 58.29%, 기준값 : 60%, 최소값 : 20%

(2) 경제적 수명

$$ELT = 5 + (11-5) \times \frac{58.29 - 20}{60 - 20} \fallingdotseq 10\text{년}$$ (10년으로 결정함, 절사)

2. 현금흐름 추정기간 결정

경제적 수명이 10년이며, 특허권의 경과연수가 7년이므로 앞으로 3년을 추정기간으로 결정한다.

3. 추정(잔여)기간 중 FCFF

(1) 산식

FCFF = EBIT × (1−t%) + 감가상각비 − 자본적 지출 ± 순운전자본 변동

(2) 추정기간 중 FCFF

감가상각비는 자본적 지출과 상계되며, 순운전자본의 변동은 고려하지 않는다.

구분	1 (~2024년 5월 31일)	2 (~2025년 5월 31일)	3 (~2026년 5월 31일)
매출액	1,260,000,000	1,512,000,000	1,814,400,000
영업이익*	378,000,000	453,600,000	544,320,000
세후영업이익**(FCFF)	294,840,000	353,808,000	424,569,600

* 영업이익 = 매출액 × 0.3

** 세후영업이익 = 영업이익 × (1 − 0.22)

*** 법인세율 = 법인세(20%) + 주민세(2%)

Ⅲ 〈물음 2〉 할인율(WACC)의 결정

1. 자기자본비용

(1) 처리방침

ke = CAPM + 안정성 프리미엄 + 비상장기업 프리미엄 + 기술사업화 위험프리미엄

(2) 자기자본비용(ke)

10.50 + 3 + 2.76 + 11.03 = 27.29%

2. 타인자본비용(세후)

15.34 × (1 − 0.22) ≒ 11.97%

3. 가중평균자본비용(WACC)의 결정

0.52 × 27.29 + 0.48 × 11.97 ≒ 19.94%

Ⅳ 〈물음 3〉 기술기여도 결정

1. 산업기술요소

C29기준, 0.947 × 0.733 ≒ 69.4%

2. 개별기술 강도

69%

3. 기술기여도

69.4% × 69.0% ≒ 47.89%

Ⅴ 〈물음 4〉 특허권 가치의 결정

1. 처리방침

추정기간 동안의 기업가치에 해당 기술기여도를 고려한 값을 특허권 가치로 결정한다.

2. 추정기간 중의 기업가치

<table>
<tr><th>구분</th><th>1</th><th>2</th><th>3</th></tr>
<tr><td rowspan="2">FCFF</td><td>294,840,000</td><td>353,808,000</td><td>424,569,600</td></tr>
<tr><td colspan="3">현가합(19.94%) : 737,838,000원</td></tr>
</table>

3. 특허권의 가치

737,838,000 × 47.89% ≒ 353,351,000원

Answer 56

25점

Ⅰ 평가개요

주어진 자료를 바탕으로 순자산가치와 주식가치를 산정하여 양도가액을 구하기로 한다(기준시점 : 2023년 1월 1일).

Ⅱ 순자산가치의 산정

1. 토지평가

600,000 × 1.05320 × 1.000 × 1.020 × 1.00 ≒ 645,000원/㎡(×15,000 = 9,675,000,000원)

시* 지 개 그

* 시점수정(2022년 1월 1일~2023년 1월 1일) 1.05305 × (1 + 0.05305 × 1/366)

2. 건물평가

$750,000 \times \frac{30}{40}$ ≒ 563,000원/㎡(×22,500 = 12,667,500,000원)

재 잔

3. 영업권 평가

영업이익을 기준으로 10년간 초과수익을 현가하여 수익환원법으로 평가한다.

(1) 2022년 영업이익

1) 매출원가(매입 + 이월상품 − 기말재고)

14,000,000,000 + 2,500,000,000 − 3,000,000,000 = 13,500,000,000원

2) 매출이익

26,000,000,000 − 13,500,000,000 = 12,500,000,000원

3) 판매관리비(감 + 대 + 퇴 + 기)

$\frac{13,500,000,000}{40}$ + (12,300,000,000 × 0.05 − 200,000,000) + (8,000,000,000 − 7,000,000,000) + 2,000,000,000 ≒ 3,752,500,000원

4) 영업이익

12,500,000,000 − 3,752,500,000 ≒ 8,747,500,000원

(2) 영업권을 제외한 자산가치

$$\underset{\text{현금}}{7,000,000,000} + \underset{\text{기말재고}}{3,000,000,000} + \underset{\text{유가증권}}{12,000,000,000} + \underset{\text{매출채권*}}{11,685,000,000} + \underset{\text{토지}}{9,675,000,000}$$

$$+ \underset{\text{건물}}{12,667,500,000} \fallingdotseq 56,027,500,000\text{원}$$

* 손실충당금 차감 후 (∵자산의 차감항목) 12,300,000,000 × (1 − 0.05)

(3) 영업권 가치

$$(\underset{\text{2022 영업이익}}{8,747,500,000} - 56,027,500,000 \times 0.08) \times \frac{1.1^{10} - 1}{0.1 \times 1.1^{10}} \fallingdotseq 26,208,422,000\text{원}$$

4. 해당 평가목적상 순자산가치

(1) 부채총계

$$\underset{\text{매입채무}}{8,000,000,000} + \underset{\text{단기차입금}}{8,000,000,000} + \underset{\text{퇴직급여충당금}}{8,000,000,000} \fallingdotseq 24,000,000,000\text{원}$$

(2) 순자산가치

$$56,027,500,000 - 24,000,000,000 + \underset{\text{영업권}}{26,208,422,000} \fallingdotseq 58,235,922,000\text{원}$$

Ⅲ 주식가치의 산정

양도계약체결일을 기준으로 30일간의 거래내역(실무기준)

2,050,965,000 ÷ 85,000 ≒ 24,129원/주

Ⅳ 양도가액의 결정

1. 재무상태표 기준 순자산가치

58,235,922,000원

2. 주식가치 기준 순자산가치

24,129 × 2,800,000* ≒ 67,561,200,000원

* 발행주식수 : $\frac{14,000,000,000}{5,000}$

3. 양도가액(전체의 25% 해당분)

$$(58,235,922,000 \times \frac{1}{3} + 67,561,200,000 \times \frac{2}{3}) \times 0.25 \fallingdotseq 16,113,000,000\text{원}$$

25점

I 평가개요

본건은 2023년 1월 1일을 기준한 기업가치평가이다.

II 〈물음 1〉

1. 기업잉여현금흐름(FCFF, 단위 : 만원)

		2021년	2022년
	EBIT×(1−0.36)	96,000	100,800
−	(자본적지출−감가상각비)	11,000	11,550
−	추가운전자본	15,000	1,750
=	FCFF	70,000	87,500

2. 할인율(WACC) 추정

(1) 자기자본비용(Ke : CAPM)

$0.075 + 1.5^{*} \times (0.13 - 0.075) = 0.1575$

* 체계적 위험도(β)는 해당 자산수익률과 시장전체의 기대수익률과의 상관관계이며 β는 기울기가 된다.

(2) 타인자본비용(Kd)

$0.0850 \times (1 - 0.36) = 0.0544$

(3) 가중평균자본비용

$0.1575 \times (1 - 0.2367) + 0.0544 \times 0.2367 \fallingdotseq 0.1331$

3. 기업가치

$\frac{87,500}{0.1331 - 0.05^{*}} \fallingdotseq 1,052,948$만원

* 영구성장률

Ⅲ 〈물음 2〉

1. 기업잉여현금흐름

(1) 고속성장기

$1,500,000,000 \times 0.4 \times (1 - 0.2) - 1,500,000,000 \times (0.3 - 0.2) - 1,500,000,000$[1] $\times 0.1 \times 0.05 = 322,500,000$원

(2) 안정성장기

$1,500,000,000 \times 1.05^4 \times 1.03 \times 0.4 \times (1 - 0.2) - 1,500,000,000 \times 1.05^4 \times 0.03 \times 0.1 = 595,476,000$원

2. 가중평균자본비용

(1) 고속성장기

1) 자기자본비용 : $3.5 + 1.25 \times 5.5 + 5.0 ≒ 15.4\%$

2) 타인자본비용 : $6 \times (1-0.2) = 4.8\%$

3) 가중평균자본비용 : $0.5 \times 15.4 + 0.5 \times 4.8 ≒ 10.1\%$

(2) 안정성장기

1) 자기자본비용 : $3.5 + 1.0 \times 5.5 + 5.0 ≒ 14.0\%$

2) 타인자본비용 : $5 \times (1-0.2) = 4.0\%$

3) 가중평균자본비용 : $0.4 \times 14.0 + 0.6 \times 4.0 ≒ 8.0\%$

3. 현금흐름의 분석

(1) 기말복귀가치

$\frac{595,476,000}{(0.08 - 0.03)} ≒ 11,909,600,000$원

(2) 매기 현금흐름 및 기업가치

구분	1	2	3	4	5
매기 현금흐름	322,500,000	338,625,000	355,556,250	373,334,063	392,000,766
기말복귀 가치	−	−	−	−	11,909,600,000
합계	322,500,000	338,625,000	355,556,250	373,334,063	12,301,600,766
현가합 (10.1%)					8,696,433,000원

1) 전년 매출액 대비 상승률을 의미하므로 1,500,000,000 ÷ 1.1을 기준할 수도 있을 것이다.

Answer 58

25점

Ⅰ 평가개요

본건은 2023년 1월 1일을 기준으로 (주)HLA의 기업가치를 평가하고, (주)R가 (주)HLA를 인수하면서 발생하는 영업권 가액을 산정한다.

Ⅱ 〈물음 1〉 수익환원법에 의한 기업가치

1. 매기 FCFF 추정

(1) 산식

FCFF = EBIT(1 − t%) − 자본적 지출 + 감가상각비 ± △순운전자본

(2) 고속성장기의 FCFF(단위 : 천원)

구분	2023년	2024년	2025년
Sales	836,000	919,600	1,011,560
EBIT	459,800	505,780	556,358
EBIT(1−t%)	344,850	379,335	417,269
+감가상각비	41,800	45,980	50,578
−자본적지출	83,600	91,960	101,156
−운전자본증가분	15,200	16,720	18,392
FCFF	287,850	316,635	348,299

(3) 안정성장기(2026년)의 FCFF

(1,011,560,000 × 1.02) × (1 − 0.35) × (1 − 0.35) + 1,011,560,000 × 1.02 × 0.04 − 1,011,560,000 × 1.02 × 0.05 − 1,011,560,000 × 0.02 × 0.1 ≒ 423,591,000원(매년 매출액 기준 2%씩 상승)

2. WACC 추정

(1) 고속성장기

1) 자기자본비용

0.045 + 1.5 × (0.09 − 0.045) ≒ 0.11250

2) 세후 타인자본비용

0.08 × (1 − 0.25) ≒ 0.06

3) WACC 결정

$0.7 \times 0.11250 + 0.3 \times 0.06 \fallingdotseq 0.09675$

(2) 안정성장기

1) 자기자본비용

$0.045 + 1.3 \times (0.09 - 0.045) \fallingdotseq 0.10350$

2) 세후 타인자본비용

$0.05 \times (1 - 0.35) \fallingdotseq 0.0325$

3) WACC 결정

$0.5 \times 0.10350 + 0.5 \times 0.0325 \fallingdotseq 0.068$

3. 수익환원법에 의한 기업가치평가

$$\frac{287{,}850\text{천}}{1.09675} + \frac{316{,}635\text{천}}{1.09675^2} + \frac{348{,}299\text{천}}{1.09675^3} + \frac{423{,}591\text{천}}{0.068 - 0.02} \times \frac{1}{1.09675^3} \fallingdotseq 7{,}479{,}000{,}000\text{원}$$

Ⅲ 〈물음 2〉 유사기업법에 의한 기업가치 평가

1. 유사기업의 배수분석

(1) PER

$$\left(\frac{26{,}100}{2{,}610} + \frac{42{,}900}{4{,}110} + \frac{98{,}500}{10{,}200} + \frac{119{,}200}{12{,}100}\right) \div 4 \fallingdotseq 9.99x$$

(2) PBR

$$\left(\frac{26{,}100}{8{,}200} + \frac{42{,}900}{14{,}100} + \frac{98{,}500}{36{,}600} + \frac{119{,}200}{39{,}700}\right) \div 4 \fallingdotseq 2.98x$$

(3) PSR

$$\left(\frac{26{,}100}{11{,}100} + \frac{42{,}900}{17{,}900} + \frac{98{,}500}{40{,}400} + \frac{119{,}200}{51{,}000}\right) \div 4 \fallingdotseq 2.38x$$

2. 대상기업의 지분가치 평가

$(2{,}500 \times 9.99) \times 0.50 + (8{,}400 \times 2.98) \times 0.3 + (10{,}500 \times 2.38) \times 0.2 \fallingdotseq 25{,}000$원/주

$(\times\ 200{,}000$주 $= 5{,}000{,}000{,}000$원$)$

3. 유사기업법에 의한 기업가치

$5{,}000{,}000{,}000 + 2{,}500{,}000{,}000 = 7{,}500{,}000{,}000$원

Ⅳ 〈물음 3〉 인수목적 기업가치 및 영업권 가액

1. 인수목적 기업가치

(1) 기업가치 평가액

7,479,000,000 × 0.7 + 7,500,000,000 × 0.3 ≒ 7,485,000,000원

(2) 인수목적 평가액(통제권 프리미엄 반영)

7,485,000,000 × 1.2 ≒ 8,982,000,000원

2. 영업권 가액 산정

(1) 인식가능한 자산가액(공정가치, 특허권 제외)

5,000,000,000 + 1,600,000,000 + 600,000,000 + 100,000,000 ≒ 7,300,000,000

(2) 영업권 가액 산정

8,982,000,000 − 7,300,000,000 ≒ 1,682,000,000원

Answer 59

40점

Ⅰ 평가개요

본건은 OO지방법원의 (주)D전자부품의 채무변제 협정과 관련된 기업가치의 감정평가로서 계속기업가치 및 청산가치를 각각 감정평가하며, 기준시점은 2023년 8월 17일이다.

Ⅱ 〈물음 1〉 계속기업가치

1. 기준가치 및 처리방법

현재 공장이 계속 가동이 가능하며, 이 상태대로 유지될 것이 합리적인 바, 계속기업가치가 '시장가치'인 것으로 판단되며, 수익환원법을 기준하되, 타 방법을 통하여 합리성을 검토하도록 한다.

2. 수익환원법에 의한 가액

(1) 처리방침

FCFF를 WACC로 할인하는 모형을 활용하되, 영구성장모델을 적용하여 결정한다.

(2) 2023년 예상 FCFF

1) 산식

FCFF = EBIT(1 − t) + DEP − 자본적 지출 ± △순운전자본

2) 매출액(2023년) 예상치

① 매출액 증가추이

2020년~2021년 5%, 2021년~2022년 4.76% 증가하면서 향후 4.8%로 증가할 것으로 예상한다.

② 매출액 예상치

4,400,000,000 × 1.048 = 4,611,000,000원

3) EBIT

매출원가 비율 52%, 판관비 비율 10%를 적용한다.

4,611,000,000 × (1 − 0.52 − 0.1) = 1,752,180,000원

4) 2023년 FCFF

1,752,180,000 × (1 − 0.2) + 4,611,000,000 × 0.05 − 4,611,000,000 × 0.1 − 4,400,000,000 × 0.048 × 0.2 ≒ 1,128,954,000원

(3) WACC

1) 자기자본비용(CAPM)

$Ke = 3.5 + (8 - 3.5) \times 1.5 = 10.25\%$

2) 타인자본비용

$Kd = 0.08 \times (1 - 0.2) = 6.4\%$

3) 가중평균자본비용

$0.7 \times 10.25 + 0.3 \times 6.4 \fallingdotseq 9.095\%$

(4) 수익환원법에 의한 계속기업가치

FCFF는 매기 매출액 증가폭과 동일한 연 4.8% 증가할 것으로 판단된다.

1,128,954,000 ÷ (0.09095 − 0.048) ≒ 26,285,300,000원

3. 거래사례비교법(시장지수 활용)

(1) 처리방침

대상 유사기업의 PER(Price−earning ratio)를 기준으로 평가한다.

(2) 해당 기업 주당 당기순이익(EPS)

2020년	2021년	2022년
13,000*	11,818	12,273

* 당기순이익 ÷ 발행주식수 ∴ 상기 EPS를 고려하여 12,364원/주로 결정한다.

(3) 주당 주가추정치

12,364 × 13배 = 160,732

(4) 순자산 총액

160,732 × 110,000주 = 17,680,520,000원

(5) 전체 기업가치

17,680,520,000 + 10,000,000,000(부채) ≒ 27,680,520,000원

4. 계속기업가치 결정

상기 시산가액의 유사성이 있는 바, 계속기업가치라는 조건에 부합하는 수익가액을 중심으로 조정하여 26,300,000,000원으로 결정한다.

Ⅲ 〈물음 2〉 청산기업가치

1. 기준가치 및 처리방침

청산가치란 회사의 영업활동을 중단하고 모든 자산을 개별적으로 처분하는 경우의 회수가능금액으로서 개별자산가액에 낙찰가율을 고려하여 결정한다. 청산가치는 수요자와 공급자 간의 합의된 시장가치라기보다는 수요자의 일방적인 가액인 청산가치에 유사하며 이는 '시장가치 외 가치'에 해당한다고 할 수 있다.

2. 토지가치의 결정(공시지가기준법)

(1) 비교표준지 적부 등

일단지를 기준하여 평가하며, 비교표준지는 적절함.

(2) 시점수정치(2023년 1월 1일~2023년 8월 17일, J시, 계획관리)

$1.00601 \times (1 - 0.00079 \times 48/30) \fallingdotseq 1.00474$

(3) 개별요인비교치

$1.00 \times 1.00 \times 1.00 \times 0.93 \times 1.00 \times 1.00 \fallingdotseq 0.930$

(4) 그 밖의 요인비교치

1) 격차율(비교표준지 기준)

$$\frac{60,000 \times 1.00000 \times 1.000 \times 1.003^{*}}{57,000 \times 1.00474} \fallingdotseq 1.05$$

* 개별 : 1/0.95 × 1/1.05

2) 결정 : 인근 지가수준 및 상기 격차율을 고려하여 1.05로 결정한다.

(5) 토지의 감정평가액

$57,000 \times 1.00474 \times 1.000 \times 0.930 \times 1.05$

$\fallingdotseq$ 56,000원/㎡(× 147,294 = 8,248,464,000원)

3. 건물가액

(1) 주공장의 평가액

$(370,000 + 80,000) \times 29/40 \fallingdotseq$ 326,000원/㎡(× 21,627 = 7,050,402,000원)

(2) 기타 건물

7,050,402,000 × 0.3 = 2,115,120,600원

(3) 건물의 감정평가액

9,165,522,600원

4. 기계기구

(1) 생산기계

1) Main기계

$(2,000,000 \times 1.0651 \times 1,150) \times (1 + 0.06 \times 0.7 + 0.06 \times 0.3 \times 0.2 + 0.1) \times 0.15^{4/15}$

$\fallingdotseq 1,692,163,000$원

2) 기타 기계

$1,692,163,000 \times 0.3 \fallingdotseq 507,649,000$원

3) 생산기계

$1,692,163,000 + 507,649,000 \fallingdotseq 2,199,812,000$원

(2) 주문제작기계(재고)

1) 처리방침

주문기계로서 전용가능성이 떨어지며, 수요성이 적다고 판단되는 바, 해체처분가격을 기준한다.

2) 평가액 : 800,000,000

(3) 기계기구 가액

$2,199,812,000 + 800,000,000 = 2,999,812,000$원

5. 청산가격

(1) 개별물건의 평가액 합

$8,248,464,000 + 9,165,522,600 + 2,999,812,000 = 20,413,798,600$원

(2) 청산가액

시장에서의 급매수준의 가액을 기준하며, 낙찰가율은 사례의 대표성이 결여되는 것으로 판단됨.

$20,413,798,600 \times 0.9 \fallingdotseq 18,400,000,000$원

Answer 60

35점

Ⅰ 평가개요

본건은 (주)A 기업의 주식가치 평가를 위한 유무형자산에 대한 감정평가로서 각 물음에 따라 2023년 9월 4일을 기준시점으로 하여 평가한다.

Ⅱ 〈물음 1〉 영업자산 판단 및 평가액

1. A 기업의 영업자산 판단

해당 기업의 S시 K구 Y동 업무용 사무실은 주요 생산업종과 무관한 투자자산으로서 제외하고 공장토지 및 건물, 기계기구를 영업자산으로 판단한다.

2. 공장부지의 평가액

(1) 공시지가기준가격

1) 비교표준지 선정

일반공업지역, 공업용으로서 대상과 규모적 측면에서도 유사한 표준지 3을 선정한다.

2) 시점수정치(2023년 1월 1일~9월 4일, 공업지역)

1.00987 × (1 + 0.00125 × 35/31) ≒ 1.01130

3) 평가액

593,000 × 1.01130 × 1.000 × 100/95 × 1.60 ≒ 1,000,000원/㎡

(2) 비준가액

1) 사례의 선택

공장부지 인근의 일반공업, 공업용 부지로서 사정이 개입되지 않은 사례 3을 선택한다.

2) 사례토지거래가격

① 건물의 가격

450,000 × 10,000 × 29/40 + 600,000 × 3,000 × 42/50 ≒ 4,774,500,000

② 사례토지가격

31,000,000,000 − 4,774,500,000 ≒ 26,225,500,000원(@1,008,673)

3) 시점수정치(2023년 4월 1일~9월 4일, 공업)

1.00297 × (1 + 0.00125 × 35/31) ≒ 1.00439

4) 비준가액

1,008,673 × 1.000 × 1.00439 × 1.000 × 100/105 ≒ 965,000원/㎡

(3) 공장부지의 평가액 결정

「감정평가에 관한 규칙」에 근거하여 공시지가기준가액을 기준하되, 거래사례비교법에 의한 시산가액에 의하여 그 합리성이 지지된다. 따라서 1,000,000원/㎡으로 결정한다(× 20,000 = 20,000,000,000원).

3. 공장건물의 평가

(1) 처리방침

본건 신축자료(취득가치)는 시점이 과다하게 지나서 활용이 어려운 바, 간접법을 통하여 결정한다.

(2) 건물의 평가액

550,000 × 15,000 × 30/40 ≒ 6,187,500,000원

4. 기계기구의 평가

(1) 재조달원가(주요기계)

1) 도입가격

$2,000,000 × 1.0606(시점*) × 1.080(KRW) ≒ 2,290,896,000

* 미국 기계가격 보정지수

2) 재조달원가

2,290,896,000 × (1 + 0.08 × 0.5 + 0.08 × 0.5 × 0.2 + 0.015 + 0.03) ≒ 2,503,949,000

(2) 주요기계 평가액

2,503,949,000 × $0.15^{(2/15)}$ ≒ 1,944,335,000

(3) 전체 기계 평가액

1,944,335,000 × 1.3 ≒ 2,527,635,000원

5. 영업자산의 평가액 합

28,715,000,000원

6. 비영업용 자산의 평가(S시 K구 Y동)

(1) 사례의 선택

대상과 유사하며 최근에 거래된 사례 1을 선택한다.

(2) 평가액

3,930,000 × 1.00 × 1.00 × 1.00 × 100/105 ≒ 3,740,000원/㎡(×20,000 = 74,800,000,000원)

Ⅲ 〈물음 2〉 특허권 가치의 평가

1. R의 영업이익

최근 3년간 영업이익을 기준으로 한다.

(6,500,000,000 + 6,300,000,000 + 5,700,000,000) ÷ 3 ≒ 6,167,000,000

2. 정상영업이익률

총자산가치(무형자산 제외) 대비 유사기업의 영업이익률을 구하되, 안정단계에 있는 것으로 판단되는 ABC, GHI 기업을 기준으로 판단한다(총자산회전율 × 영업이익률을 기준으로 한다).

(1.30 × 0.09 + 1.80 × 0.065) ÷ 2 ≒ 약 12%

3. 특허권의 가치평가

(1) 초과이익

6,167,000,000 − 28,715,000,000(영업자산의 가액) × 0.12 ≒ 2,721,200,000

(2) 특허권 가치(5년간 지속)

$$2{,}721{,}200{,}000 \times \frac{1.2^5 - 1}{0.2 \times 1.2^5} \fallingdotseq 8{,}138{,}000{,}000$$

Ⅳ 〈물음 3〉 비상장주식의 평가

1. 순자산가치(공정가치)

103,515,000,000 + 8,138,000,000 − 40,000,000,000 ≒ 71,653,000,000원

2. 발행주식수

자사주를 포함한 발행주식수인 5,000,000주를 기준한다.

3. 비상장주식의 감정평가액

71,653,000,000 ÷ 5,000,000 ≒ 14,300원/주

Answer 61 35점

Ⅰ 평가개요

1. 본건은 (주)A도료 기업 중 丙씨 지분(19%)에 대한 비상장주식의 공매목적 감정평가로서 제시된 기준시점인 2022년 12월 31일을 기준으로 평가한다.

2. 비상장주식은 「감정평가에 관한 규칙」 제24조에 의하여 기업가치에서 부채가치를 차감한 자기자본가치를 발행주식수로 나누어 평가하되, 기업가치는 수익환원법을 기준하며 다른 방식에 따른 합리성을 검토한다.

Ⅱ 〈물음 1〉 (주)A도료의 기업가치 감정평가

1. 수익환원법에 의한 평가액

(1) 2023년 FCFF 예측

1) 2023년 매출액

$2,500,000,000 \times 1.025 = 2,562,500,000$원

2) 감가상각비(기계기구는 감가상각이 만료됨)

$300,000,000 \times 1/50 + 1,800,000,000 \times 1/40 = 51,000,000$원

3) 2023년 FCFF

$2,562,500,000 \times (1 - 0.3 - 0.25) \times (1 - 0.3) + 51,000,000 - 2,562,500,000 \times 0.1$
$- 2,500,000,000 \times 0.025 \times 0.2 \fallingdotseq 589,438,000$원

(2) WACC

1) 자기자본비용(CAPM)

① 베타의 측정(유사기업 활용)

㉠ 무부채베타

$3.20 \div (1 + (1 - 0.3) \times 2) \fallingdotseq 1.333$

㉡ 해당 기업의 베타

$1.333 \times (1 + (1 - 0.3) \times 0.5) \fallingdotseq 1.80$

② 자기자본비용 결정

$0.032 + 1.80 \times (0.06 - 0.032) \fallingdotseq 8.24\%$

2) 타인자본비용

① 자본비용의 평균치

$12/20 \times 0.042 + 3/20 \times 0.062 + 5/20 \times 0.065 \fallingdotseq 5.08\%$

② 타인자본비용

$5.08 \times (1 - 0.3) \fallingdotseq 3.56\%$

3) WACC 결정

부채비율 50%를 고려하여 결정한다.

$100/150 \times 8.24 + 50/150 \times 3.56 \fallingdotseq 6.68\%$

(3) 기업가치 결정

FCFF는 매출액의 성장률인 연간 2.5%로 영구성장한다.

$\frac{589,438,000}{0.0668 - 0.025} \fallingdotseq 14,100,000,000$원

2. 거래사례비교법에 의한 평가액

(1) 처리방침

유사기업의 사례를 기준으로 PER, PBR을 추정하여 대상기업에 적용하되, 상장기업의 주가는 유동성 프리미엄을 보정하여 활용한다.

(2) 유사기업의 PER 및 PBR

1) PER(Price-Earning Ratio)

① X기업

$(42,500 \div 1.3^{*}) \div 3,500 \fallingdotseq 9.34$

* 유동성 프리미엄 제거

② Y기업

$(26,250 \div 1.3) \div 1,520 \fallingdotseq 13.28$

③ Z기업

$32,620 \div 2,900 \fallingdotseq 11.25$

④ 결정

위 지수들의 산술평균치인 11.29를 적용한다.

2) PBR(Price-Book value Ratio)

① X기업

$(42,500 \div 1.3) \div 26,500 \fallingdotseq 1.23$

② Y기업

$(26,250 \div 1.3) \div 14,230 \fallingdotseq 1.42$

③ Z기업

$32,600 \div 26,200 \fallingdotseq 1.25$

④ 결정

위 지수들의 산술평균치인 1.30을 적용한다.

(3) 해당 기업의 주식가치(시가총액)

1) PER 기준

4,100 × 11.29 ≒ 46,289

2) PBR 기준

35,390 × 1.30 ≒ 46,007

3) 결정

산술평균치인 46,148원/주로 결정(×200,000주 = 9,229,600,000원)

(4) 기업가치 평가액

9,229,600,000 + 2,000,000,000(부채) ≒ 11,300,000,000원

3. 원가법

(1) 토지

1,500,000 × (1 − 0.00367) ≒ 1,490,000원/m²(× 3,000 = 4,470,000,000원)

(2) 건물

300,000,000 × 46/50 + 1,800,000,000 × 36/40 = 1,896,000,000원

(3) 원가법에 의한 평가액

4,470,000,000 + 1,896,000,000 + 700,000,000 ≒ 7,066,000,000원

4. 기업가치의 결정

원가법은 계속기업의 전제 및 무형자산의 반영이 미흡할 수 있으며, 거래사례비교법은 사례기업 거래시 통제권 프리미엄 반영 여부 및 상장 여부가 다른 기업의 자료를 활용한 점, 기업의 개별적인 특성 반영의 한계가 있는 점이 문제된다. 따라서 「감정평가에 관한 규칙」 제24조에 의한 주된 평가방법인 수익환원법에 의한 가액으로 최종 결정한다(14,100,000,000원).

III 〈물음 2〉 비상장주식의 평가액

1. 순자산가치

14,100,000,000 − 2,000,000,000 = 12,100,000,000원

2. 의뢰된 주식의 평가액

12,100,000,000 ÷ 200,000 = 60,500원/주(×38,000주(丙씨 지분) = 2,299,000,000원)

Answer 62

25점

I 평가개요

본건은 (주)W푸드시스템의 비상장주식 중 "박대한" 소유분(보통주 6,000주)에 대한 공매목적의 감정평가로서 2023년 1월 1일을 기준시점으로 감정평가한다.

II 기업체의 자산가치(기업가치)의 감정평가

1. 처리방침

「감정평가에 관한 규칙」에 의거 수익환원법을 기준으로 하되, 원가법을 병용하여 시산조정 후 기업가치를 결정한다.

2. 수익환원법에 의한 기업가치

(1) 처리방침

본 기업은 기준시점 이후 안정된 영업망을 토대로 운영될 것으로 보이는 바, '안정성장모델'을 적용한다.

(2) 2023년 예상 영업이익

2021년의 영업자료는 일시적인 시장상황의 변동으로 인한 영향이 있으므로 이를 배제하고 추정한다(2019년 이후).

1) 연평균 매출액 성장률

(5.7 + 10.6 + 5.6) ÷ 3 ≒ 7.3%

2) 매출총이익률

(22.9 + 16.7 + 17) ÷ 3 ≒ 18.87%

3) 판관비/매출총이익 비율

(15.2 + 28.7 + 32) ÷ 3 ≒ 25.3%

4) 2023년 예상 영업이익

23,630,129,000 × 1.073 × 0.1887 × (1 − 0.2530) ≒ 3,574,031,000원

(3) 2023년의 잉여현금흐름(FCF) 결정

1) 산식

FCFF = EBIT(1 − t) + 감가상각비 − 자본적 지출 ± 추가운전자본

2) 2023년 FCFF

3,574,031,000 × (1 − 0.21) + 3,574,031,000 × (0.05 − 0.03) = 2,894,965,000원

(매년 0% 증가)

(4) 할인율(WACC) 결정

1) 자기자본비용(ke)

① 산식

$ke = rf + \beta\ (Rm - rf) + \alpha$

② 무위험이자율

(3.78 + 3.45 + 4.82) ÷ 3 ≒ 4.02

③ 시장기대수익률

유가증권시장의 연평균 수익률을 기준한다.

$(1+r)^{33} \fallingdotseq 18.8441\ \ r \fallingdotseq 0.093$

④ 자기자본비용(베타 = 1로 추정)

0.0402 + 1 × (0.093 − 0.0402) + 6%* ≒ 0.152

* 비상장주식에 대한 위험프리미엄

2) 타인자본비용(kd) : 0.045 × (1 − 0.21) ≒ 0.0356

3) WACC 추정

0.8 × 0.152 + 0.2 × 0.0356 ≒ 0.129

(5) 수익환원법에 의한 기업가치

2,894,965,000 ÷ (0.129 − 0%*) ≒ 22,442,000,000원

* 장기성장률(매출총이익률 25% 미만)

3. 원가법에 의한 기업가치

(1) 유동자산

4,700,000,000 − 600,000,000 = 4,100,000,000원

(2) 투자자산

대상회사의 유형자산 등 실사를 통하여 조정된 순자산가액을 기준한다.

1,900,000,000 × 0.75 + 4,600,000,000 + 3,600,000,000 = 9,625,000,000원

(3) 유형자산(시장가치)

5,000,000,000 + 400,000,000 + 200,000,000 = 5,600,000,000원

(4) 원가법에 의한 기업가치

4,100,000,000 + 9,625,000,000 + 5,600,000,000 + 500,000,000 = 19,825,000,000원

4. 기업가치 결정

수익환원법에 의한 시산가액이 원가법에 의한 시산가액에 의하여 지지되는 것으로 판단되는 바, 수익환원법에 의한 시산가액으로 결정한다.

∴ 22,442,000,000원

Ⅲ 의뢰된 주식가치 결정

1. 순자산가치

(1) 부채가액

1,600,000,000 + 100,000,000 = 1,700,000,000원

(2) 순자산가치

22,442,000,000 − 1,700,000,000 = 20,742,000,000원

2. 1주당 주식가격

20,742,000,000 ÷ 40,000주 ≒ 518,550원/주

(의뢰된 주식가치 : 518,550 × 6,000주 = 3,111,300,000원)

Answer 63

25점

Ⅰ 평가개요

1. 본건은 오염부동산의 무형의 가치손실인 스티그마(stigma)로 인한 가치손실에 대한 감정평가로서 가치판단의 기준시점은 2023년 8월 31일이다.
2. 본건 감정평가시 오염 전후의 시장가치를 거래사례비교법과 수익환원법을 통하여 산정 및 검토한 후 직접 복구비용을 차감하여 평가한다.

Ⅱ 오염 전 토지가액

1. 비준가액

(1) 거래사례의 선정

오염이 발생된 시점인 2022년 4월 말 이전에 거래되어 오염과 무관할 것으로 판단되는 사례 1을 선정한다.

(2) 사례토지의 거래가격

[4,500,000,000 − (600,000 × 38/50 × 3,200)] ÷ 760㎡ ≒ 4,001,053원/㎡

(3) 비준가액

4,001,053 × 1.00 × 1.04272* × 1.00 × 100/95 ≒ 4,392,000원/㎡

* 시점, 2023.1.1~8.31, 상업지역
1.03917 × (1 + 0.00342 × 31/31)

2. 수익가액

(1) 예상 복합부동산의 순수익

(14,000 × 12월) × (1 − 0.05) × (1 − 0.2) × 3,700㎡ ≒ 472,416,000원

(2) 토지귀속 순수익

(472,416,000 − 600,000 × 3,700 × 0.1) ÷ 900 ≒ 278,240원/㎡

(3) 토지의 수익가액

278,240 ÷ 0.06 ≒ 4,637,000원/㎡

3. 오염 전 토지가액

양 시산가액이 서로 유사하므로 합리성이 인정되며, 시장성이 반영된 비준가액을 기준으로 하여 4,392,000원/㎡로 결정한다.

Ⅲ 오염 후 토지가액

1. 비준가액

(1) 거래사례의 선정

오염 이후에 거래된 사례로서 비교가능한 사례 2를 선정한다.

(2) 오염 후 토지비준가액

$(2,700,000,000 \div 960m^2) \times 1.00 \times 1.01256^* \times 1.00 \times 100/98 \fallingdotseq 2,906,000$원/m²

* 시점, 2023.5.15~8.31, 상업지역

$(1 + 0.00429 \times 17/31) \times 1.00331 \times 1.00342 \times (1 + 0.00342 \times 31/31)$

2. 수익가액

(1) 예상 복합부동산의 순수익

$(13,500 \times 12$월$) \times (1 - 0.05) \times (1 - 0.25) \times 3,700m^2 \fallingdotseq 427,073,000$원

(2) 토지귀속 순수익

$(427,073,000 - 600,000 \times 3,700 \times 0.11) \div 900 \fallingdotseq 203,192$원/m²

(3) 토지의 수익가액

$203,192 \div 0.07 \fallingdotseq 2,902,000$원/m²

3. 오염 후 토지가액

양 시산가액이 서로 유사하므로 합리성이 인정되며, 시장성이 반영된 비준가액을 기준으로 하여 2,906,000원/m²로 결정한다.

Ⅳ 스티그마의 산정

1. 직접 복구비용

시장할인율인 12%를 적용하여 현가한다.

$139,574,000 + 237,317,000 + 20,894,000 = 397,785,000$원

2. 오염으로 인한 가치하락액

$4,392,000 - 2,906,000 = 1,486,000$원/m²$(\times 900 = 1,337,400,000)$

3. 스티그마 효과

$1,337,400,000 - 397,785,000 = 939,615,000$원

Answer 64

15점

I 평가개요

본건은 입목의 취득가격에 대한 감정평가로서 「감정평가에 관한 규칙」 및 제시된 자료(원목시장가격) 등을 참작하여 시장가역산법으로 감정평가한다(기준시점은 감정평가 현시점을 기준한다).

II 입목의 취득가격 감정평가액

1. 원목의 시장가격

(1) 수종별 재적

1) 참나무

700,000/10,000(ha) × 75 = 5,250㎥

2) 소나무

300,000/10,000(ha) × 95 = 2,850㎥

(2) 원목의 시장가격 산정

1) 참나무

5,250 × 0.3(정상재적) × 90,000원/㎥ + 5,250 × 0.2(시들음병, 경급) × (90,000 × 0.9)
= 226,800,000원

2) 소나무

2,850 × 95,000 = 270,750,000원

3) 원목시장가격

226,800,000 + 270,750,000 = 497,550,000원
(평가대상 입목재적 : 5,250 × (0.3 + 0.2) + 2,850 = 5,475㎥)

2. 조재율 결정

관리상태는 양호하며, 임령, 경급, 수고 등을 고려하여 '중'을 기준하며 85%를 적용한다.

3. 생산비용

(1) 벌목 및 조재, 산지집재, 운반비

(80,000 + 80,000 + 30,000 + 80,000 + 80,000 + 110,000) ÷ 10㎥/인 × 5,475㎥ = 251,850,000원

(2) 임도보수 및 설치비

$(2.1 \div 0.3) \times 90{,}000 = 630{,}000$원

(3) 생산비

$(251{,}850{,}000 + 630{,}000) \times 1.1 = 277{,}728{,}000$원

4. 이자율 및 기업자이윤 등

$0.07 \times 6/12 + 0.1 + 0.05 \fallingdotseq 0.185$

5. 입목의 취득가격 결정

$0.85 \times (497{,}550{,}000 \div 1.185 - 277{,}728{,}000) = 120{,}824{,}000$원

15점

Ⅰ 평가개요

본건은 동산·채권 등의 담보에 관한 법률에 의한 경기도 시흥시 정왕동 1263-3 'M스텐'에서 보유 중인 재고자산에 대한 담보목적의 감정평가이다(기준시점 : 2023년 8월 20일).

Ⅱ 평가대상의 확정

1. 평가대상의 종류

재고자산 전체를 평가가능하나, 316계열은 그중 최저 재고자산이 '0'인 경우도 있는 바, 담보의 안정성 차원에서 평가 외 한다.

2. 수량의 확정

(1) 처리방침

과거 1년 동안 최저수량의 65% 수준에서 결정한다.

(2) 구체적인 수량

1) 400계열

1,460,000 × 0.65 = 949,000

2) 200계열

535,000 × 0.65 = 347,750

3) 304계열(스크랩)

4,500,000 × 0.65 = 2,925,000

4) 304계열(분철)

3,000,000 × 0.65 = 1,950,000

Ⅲ 평가액 결정

1. 평가단가의 결정(원/kg)

(1) 처리방침

제품의 출고단가의 최저치와 시장가격 수준을 비교하여 보수적인 가격으로 결정하되, 그 가격의 80%를 적용한다.

(2) 평가단가의 결정

1) 400계열

시장가격 수준으로 결정한다.

∴ $500 \times 0.8 = 400$

2) 200계열

최근 출고가가 없는 바, 시장가격을 기준으로 한다.

∴ $500 \times 0.8 = 400$

3) 304계열(스크랩)

최근 출고가의 최저치가 시장가를 하회하는 바, 출고가 최저치를 기준한다.

∴ $2,150 \times 0.8 = 1,720$

4) 304계열(분철)

최근 출고가가 없는 바, 시장가격을 기준으로 한다.

∴ $1,500 \times 0.8 = 1,200$

2. 평가액 결정

(1) 스텐 – 400계열

$949,000 \times 400 \fallingdotseq 379,600,000$원

(2) 스텐 – 200계열

$347,750 \times 400 \fallingdotseq 139,100,000$원

(3) 스텐 – 304계열(스크랩)

$2,925,000 \times 1,720 \fallingdotseq 5,031,000,000$원

(4) 스텐 – 304계열(분철)

$1,950,000 \times 1,200 \fallingdotseq 2,340,000,000$원

(5) 총 평가액

$379,600,000 + 139,100,000 + 5,031,000,000 + 2,340,000,000 = 7,889,700,000$원

CHAPTER 06

부동산투자 타당성 및 최고최선 이용의 분석

Answer 66

15점

I 〈물음 1〉 NPV 등

1. NPV의 개념

순현재가치(Net Present Value)는 투자안으로부터 발생하는 현금유입현가에서 현금유출현가를 차감한 값을 의미한다.

$$NPV = \Sigma \frac{\text{n기의 Cashflow}}{(1+r)^t} - \text{투자금액}$$

2. 복수 투자대안에서 투자상호관계

(1) **독립적 투자안**(Independent Investment)

한 투자 대안이 다른 투자대안의 현금흐름에 아무런 영향을 미치지 않는 경우를 말하며, 이 경우 각 투자안별 채택 및 기각 여부가 결정되므로 단일투자안 분석결과와 동일하다.

(2) **종속적 투자안**(Dependent Investment)

하나의 투자안의 선택을 위하여 반드시 다른 투자안이 먼저 선택되어야 하는 복수 투자안의 관계를 말한다.

(3) **상호 배타적 투자안**(Mutually Exclusive Investment)

두 개 이상 투자안이 동시에 채택될 수 없는 관계로서 하나의 투자안이 채택되면 나머지 투자안은 반드시 기각되어야 하는 관계를 말한다.

II 〈물음 2〉 투자분석

1. 투자안의 NPV 산정

(1) A의 NPV

$500/1.1 + 800/1.1^2 - 1,000 ≒ 116$만원

(2) B의 NPV

$100/1.1 + 200/1.1^2 - 200 ≒ 56$만원

2. 독립적 투자안의 경우

0 < B의 NPV < A의 NPV로서 A, B투자안 모두 선택

3. 상호 배타적인 투자안의 경우

0 < B의 NPV < A의 NPV로서 A투자안 선택

4. 결합 NPV와 그 의미

(1) 결합투자시 NPV

(A + B)투자안의 NPV = $(500+100)/1.1+(800+200)/1.1^2-(1{,}000+200) \fallingdotseq 172$만원

(2) 의미

NPV(A + B) = NPV(A) + NPV(B)

이는 NPV의 가치가산의 원리가 성립함을 의미하며 이는 NPV법이 부의 극대화를 달성하기 위한 장점을 가지게 됨을 나타낸다.

20점

Ⅰ 〈물음 1〉 회수기간법

1. 회수기간 산정

누계 \ 대안	A부동산	B부동산
1	45,000	8,000
2	90,000	22,000
3	135,000	50,000
4	165,000	78,000
5	185,000	106,000
6	194,000	134,000
7	199,000	166,000
8	202,000	198,000
9	204,000	232,000
10 (복귀가치)	400,000	502,000

2. 투자안 검토

A부동산은 회수기간이 8년이고 B부동산은 회수기간이 9년이므로 회수기간을 기준할 때는 A부동산에 투자하는 것이 유리하다.

Ⅱ 〈물음 2〉 NPV법

1. A부동산

$$\frac{45,000}{1.1}+\frac{45,000}{1.1^2}+\frac{45,000}{1.1^3}+\frac{30,000}{1.1^4}+\frac{20,000}{1.1^5}+\frac{9,000}{1.1^6}+\frac{5,000}{1.1^7}+\frac{3,000}{1.1^8}+\frac{2,000}{1.1^9}+\frac{200,000}{1.1^{10}}$$

$-\ 200,000 ≒ 31,820$천원

2. B부동산

$$\frac{8,000}{1.1}+\frac{14,000}{1.1^2}+\frac{28,000}{1.1^3}+\frac{28,000}{1.1^4}+\frac{28,000}{1.1^5}+\frac{28,000}{1.1^6}+\frac{32,000}{1.1^7}+\frac{32,000}{1.1^8}+\frac{34,000}{1.1^9}$$

$$+\frac{270,000}{1.1^{10}}-200,000 ≒ 42,061\text{천원}$$

3. 투자안 검토

B부동산의 순현가가 높으므로 B안에 투자하는 것이 유리하다.

Ⅲ 〈물음 3〉 IRR법

1. A부동산의 IRR

   13.31%

2. B부동산의 IRR

   12.98%

3. 투자안 검토

   내부수익률이 높은 A부동산에 투자하는 것이 유리하다.

Ⅳ 〈물음 4〉

회수기간법은 화폐의 시간가치를 고려하지 않기 때문에 적정한 투자안 검토가 되기 어렵다. 이와 달리 NPV나 IRR은 시간가치를 고려한다는 점에서 유용한 방법이 되고 있으나, 위 A, B부동산과 같이 현금흐름이 감소하는 경우와, 증가하는 상반된 경우에 있어서는 두 방법의 결론이 상충하게 될 수 있다. 그 이유는 IRR에 있어 비현실적인 재투자수익률 때문인데, 이는 현실적인 재투자수익률을 가정한 수정된 IRR(MIRR)을 이용하여 해결할 수 있다.

Ⅴ 〈물음 5〉 MIRR

1. A부동산

(1) 미래가치

$45,000 \times 1.1^9 + 45,000 \times 1.1^8 + 45,000 \times 1.1^7 + 30,000 \times 1.1^6 + 20,000 \times 1.1^5 + 9,000 \times 1.1^4 + 5,000 \times 1.1^3 + 3,000 \times 1.1^2 + 2,000 \times 1.1 + 200,000 \fallingdotseq 601,280$

> **Tip** CASIO 계산기 사용시 미래가치(FV)를 계산하는 방법
>
> TVM 기능의 Cashflow에서 Cashflow를 원하는 LIST에 입력한 후(단, 0기의 투자금액인 (−)200,000원은 넣지 않는다) F4(NFV)를 선택하면 미래가치를 구할 수 있다.

(2) MIRR

$\frac{601,280}{(1+x)^{10}} - 200,000 = 0 \quad \therefore\ x \fallingdotseq 11.64\%$

2. B부동산

(1) 미래가치

$8,000 \times 1.1^9 + 14,000 \times 1.1^8 + 28,000 \times 1.1^7 + 28,000 \times 1.1^6 + 28,000 \times 1.1^5 + 28,000 \times 1.1^4 + 32,000 \times 1.1^3 + 32,000 \times 1.1^2 + 34,000 \times 1.1 + 270,000 \fallingdotseq 627,843$

(2) MIRR

$$\frac{627,843}{(1+x)^{10}} - 200,000 = 0$$

$$\therefore\ x \fallingdotseq 12.12\%$$

3. 투자안 검토

NPV에서와 마찬가지로 MIRR이 높은 B부동산에 투자하는 것이 유리하다.

Answer 68

25점

Ⅰ 평가개요

본건은 각 물음별로 제시된 의사 판단 기준을 적용하여 타당성을 검토하는 사안으로서 현재시점을 기준으로 하여 판단한다.

Ⅱ 〈물음 1〉 ARR

1. 현대화하지 않을 경우

(1) 연평균 순수익

(60,000,000 + 50,000,000 + 40,000,000 + 30,000,000 + 20,000,000) ÷ 5 ≒ 40,000,000

(2) 연평균 투자액

(1,000,000,000 + 600,000,000) ÷ 2 ≒ 800,000,000

(3) ARR

40,000,000 ÷ 800,000,000 ≒ 0.05

2. 현대화할 경우

(1) 연평균 순수익

(100,000,000 + 95,000,000 + 90,000,000 + 85,000,000 + 80,000,000 ÷ 5 ≒ 90,000,000

(2) 연평균 투자액

(1,000,000,000 + 200,000,000 + 800,000,000) ÷ 2 ≒ 1,000,000,000

(3) ARR

90,000,000 ÷ 1,000,000,000 ≒ 0.09

3. 현대화할 경우의 타당성 검토

현대화할 경우 ARR이 보다 큰 바, 현대화하는 것이 타당하다.

Ⅲ 〈물음 2〉 NPV

1. 현금유출(Outflow)

부동산 매입비로서 600,000,000원

2. 현금유입(Inflow)

부동산의 지분가치 + 저당가치로서 투자가치를 의미한다.

(1) 저당가치

100,000,000원

(2) 지분가치

1) 할인율 결정(CAPM)

① 산식

$r = r_f + \beta(R_M - r_f)$

② 결정

0.1 + 1.5 × (0.15 − 0.1) ≒ 0.175

2) ATCF 현가합

① 현금흐름의 기초

a. NOI

{(40,000 + 50,000) × 200 × 12 + 5,900,000 × 200 × 0.1*} × (1−0.4)

≒ 200,400,000원

* 안전한 수익률을 가정함

b. DS

$100,000,000 \times \frac{0.12 \times 1.12^{10}}{1.12^{10} - 1} \fallingdotseq 17,698,000$

c. 원금상환분

17,698,000 − 100,000,000 × 0.12 ≒ 5,698,000(매기 저당이자율로 복리 상승)

d. 감가상각비

330,000 × 700 × 1/50 ≒ 4,620,000

② 매기 ATCF(단위 : 천원)

구분	1기	2기	3기	4기	5기
NOI	200,400	210,420	220,941	231,988	243,587
DS	17,698	17,698	17,698	17,698	17,698
BTCF	182,702	192,722	203,243	214,290	225,889
TAX*	55,134	58,345	61,731	65,303	69,071
ATCF	**127,568**	**134,377**	**141,512**	**148,987**	**156,818**
감가상각비	4,620	4,620	4,620	4,620	4,620
원금상환분	5,698	6,382	7,148	8,006	8,967

* Tax = (BTCF − 감가상각비 + 원금상환분) × 세율(30%)

③ ATCF 현가합

Σ ATCF/1.175^t ≒ 441,312,000원

3) 기말복귀가치 현가

① 순매도액

3,000,000×300 ≒ 900,000,000

② 미상환저당잔금

$100{,}000{,}000 \times (1 - \frac{1.12^5 - 1}{1.12^{10} - 1}) \fallingdotseq 63{,}799{,}000$

③ 양도소득세

(900,000,000 − 600,000,000 × 1.07) × 0.3 ≒ 77,400,000

④ 복귀가치 현가

(900,000,000 − 63,799,000 − 77,400,000) ÷ 1.175^5 ≒ 338,796,000

4) 지분가치

441,312,000 + 338,796,000 ≒ 780,108,000

(3) 투자가치(Inflow)

100,000,000 + 780,108,000 ≒ 880,108,000

3. 타당성 검토

(1) NPV

880,108,000 − 600,000,000 ≒ 280,108,000

(2) 검토

NPV > 0으로서, 투자 타당성이 인정된다.

Answer 69

30점

Ⅰ 평가개요

본건은 평가시점 현재의 시장가치의 산정 및 매입 타당성 분석으로서 기대수익률 산정 후 이를 요구수익률과 비교・검토하여 타당성 여부를 판단한다(기준시점 : 2023년 8월 19일).

Ⅱ 〈물음 1〉 대상 부동산의 가격평가

1. 토지의 가격

(1) 공시지가기준법

1) 비교표준지 선정

인근지역에 위치하며, 일반상업, 상업용으로서 대상과 유사한 표준지 2를 선정한다.

2) 시점수정치(2023년 1월 1일~2023년 8월 19일, 상업지역)

$1.01345 \times (1 + 0.00234 \times 19/31) \fallingdotseq 1.01490$

3) 평가액

$2,510,000 \times 1.01490 \times 1.000 \times 100/98 \times 1.00 \fallingdotseq 2,600,000$원/㎡

(2) 거래사례비교법

1) 사례선택

일반상업, 상업용으로서 유사성이 있는 사례 1을 선택한다(#2 : 사정보정 불가).

2) 사례가격 정상화(2022년 11월 1일)

$$980,000,000 + 100,000,000 + 300,000,000 \times \frac{0.0125 \times 1.0125^{180}}{1.0125^{180} - 1} \times \frac{1.01^{110} - 1}{0.01 \times 1.01^{110}}$$

$\fallingdotseq 1,359,346,000$원

3) 사례토지의 가격

① 사례건물의 가격

$490,000 \times \underset{시^*}{0.98718} \times 1 \times (1 - 0.9 \times 5/40) \fallingdotseq 429,000$원/㎡($\times 900 = 386,100,000$원)

* 시점 : 2022년 11월 1일~2023년 1월 1일, 건축비 $(125 + 5 \times 4/6) \div 130$

② 사례토지의 가격(배분법)

$1,359,346,000 - 386,100,000 \fallingdotseq 973,246,000$원(@2,630,000)

4) 시점수정치(2022년 11월 1일~2023년 8월 19일, 상업지역)

$(1 + 0.0154 \times 61/365) \times 1.01345 \times (1+0.00234 \times 19/31) \fallingdotseq 1.01752$

5) 평가액

2,630,000 × 1.000 × 1.01752 × 1.000 × 0.980* ≒ 2,620,000원/㎡

* 100/102

(3) 평가액 결정

「감정평가에 관한 규칙」 제14조에 의거 공시지가기준법에 의하되, 거래사례비교법에 의한 시산가액에 의하여 그 합리성이 지지되는 것으로 판단된다(2,600,000원/㎡ × 300 = 780,000,000원).

2. 건물의 평가

(1) 재조달원가

490,000 × 1.05128 × 1.000 ≒ 515,000원/㎡

시*

* 2023년 8월 19일 / 2023년 1월 1일, 건축비 : (130 + 5 × 8/6) ÷ 130

(2) 적산가액

515,000 × (1 − 0.9 × 3/40) ≒ 480,000원/㎡(×720 = 345,600,000원)

3. 대상 부동산의 가치

780,000,000 + 345,600,000 ≒ 1,125,600,000원

Ⅲ 〈물음 2〉 기대수익률(지분수익률) 결정

1. 현금수지 분석

(1) 현금흐름의 기초

1) PGI

① 1~2기(기존의 계약사항)

(50,000,000 + 60,000,000 + 75,000,000) × 0.1 + {(10,000 + 11,000) × 200 + 14,000 × 190} × 12월 ≒ 100,820,000원

② 3~5기(신규계약)

100,820,000 × 1.1 ≒ 110,902,000원

2) DS

$$150{,}000{,}000 \times \frac{0.13/12 \times (1+0.13/12)^{240}}{(1+0.13/12)^{240}-1} \times 12\text{월} \fallingdotseq 21{,}088{,}000\text{원}$$

(2) 매기 Cash Flow(단위 : 천원)

구분	1	2	3	4	5
PGI	100,820	100,820	110,902	110,902	110,902
NOI	65,533	65,533	72,086	72,086	72,086
D/S	21,088	(좌 동)			
BTCF	44,445	44,445	50,998	50,998	50,998

2. 지분복귀액

(1) 재매도가치(외부추계법)

$1,125,600,000 \times 1.2 \fallingdotseq 1,350,720,000$원

(2) 미상환 저당잔금

$$150,000,000 \times [1-\frac{(1+0.13/12)^{60}-1}{(1+0.13/12)^{240}-1}] \fallingdotseq 138,895,000\text{원}$$

(3) 지분복귀액

$1,350,720,000 - 138,895,000 \fallingdotseq 1,211,825,000$원

3. 기대수익률(지분수익률) 산정

(1) 지분투자액

$1,125,600,000 - 150,000,000 \fallingdotseq 975,600,000$원

(2) 기대수익률 산정식(IRR)(단위 천원)

$$975,600 \fallingdotseq \frac{44,445}{(1+y)} + \frac{44,445}{(1+y)^2} + \frac{50,998}{(1+y)^3} + \frac{50,998}{(1+y)^4} + \frac{(50,998 + 1,211,825)}{(1+y)^5}$$

(3) 기대수익률(IRR) 결정

8.97%

4. 매수 타당성 결정

기대(지분)수익률 < 요구수익률로서 매수하지 않는 것이 타당하다.

Answer 70

15점

Ⅰ 처리방침

본건은 수익성 부동산의 위험지표인 Duration과 타당성 분석의 지표인 NPV, IRR, MIRR을 각각 산정하고 분석한다.

Ⅱ Duration 산정

1. 현금흐름의 현재가치

$$\frac{50,000,000}{1.06}+\frac{60,000,000}{1.06^2}+\frac{1,070,000,000}{1.06^3} \fallingdotseq 998,962,000\text{원}$$

2. 각 기간별 현금흐름 현가의 비중

(1) 1기 현금흐름

$(50,000,000/1.06) \div 998,962,000 \fallingdotseq 4.7\%$

(2) 2기 현금흐름

$(60,000,000/1.06^2) \div 998,962,000 \fallingdotseq 5.3\%$

(3) 3기 현금흐름

$(1,070,000,000/1.06^3) \div 998,962,000 \fallingdotseq 89.9\%$

(4) 합계

100%(단수조정)

3. Duration 산정

$4.7\% \times 1 + 5.3\% \times 2 + 89.9\% \times 3 \fallingdotseq 2.85$년

Ⅲ 타당성 분석

1. NPV

998,962,000(현금흐름 현재가치 합) − 900,000,000 ≒ (+)98,962,000 > 0

∴ 타당한 투자이다.

2. IRR

$$-900,000,000+\frac{50,000,000}{1+r}+\frac{60,000,000}{(1+r)^2}+\frac{1,070,000,000}{(1+r)^3}\fallingdotseq 0$$

$r \fallingdotseq 9.955\%$

∴ 시장수익률보다 크므로 타당한 투자이다.

3. MIRR

(1) 현금흐름의 미래가치 합

$50,000,000 \times 1.06^2 + 60,000,000 \times 1.06 + 1,070,000,000 \fallingdotseq 1,189,780,000$원

(2) MIRR

$900,000,000 \fallingdotseq 1,189,780,000/(1+MIRR)^3$, MIRR ≒ 9.75%

∴ 시장수익률보다 크므로 타당한 투자이다(6% < 9.75%).

Answer 71

10점

Ⅰ 처리방침

본건은 NPV, PI, WAPI와 관련한 사항으로서 각 물음에 답한다.

Ⅱ 〈물음 1〉 NPV, PI

1. NPV

(1) A투자안

$(-)1,000 + 700/1.12 + 700/1.12^2 \fallingdotseq 183$만

(2) B투자안

$(-)2,000 + 1,300/1.12 + 1,300/1.12^2 \fallingdotseq 197$만

2. PI

(1) 투자안 A

$(700/1.12 + 700/1.12^2) \div 1,000 \fallingdotseq 1.1830$

(2) 투자안 B

$(1,300/1.12 + 1,300/1.12^2) \div 2,000 \fallingdotseq 1.0985$

3. 타당성 분석 및 상반된 이유

NPV법은 투자안 B, PI법은 투자안 A가 타당하다고 결정된다. 이는 투자규모의 차이로 인한 결과이다.

Ⅲ 〈물음 2〉 WAPI

1. WAPI의 개념

투자규모 차액을 PI가 1인 투자, 기타투자에 재투자하는 것을 각각 가정하여 투자자금과 유휴자금의 PI를 가중평균한 개념이다.

2. 타당성 검토(PI = 1인 투자안에 유휴자금을 투자)

(1) 투자안 A

A에 1,000 투자, PI = 1인 투자안에 1,000 투자한다.

$\therefore$ $1,000/2,000 \times 1.183 + 1,000/2,000 \times 1.00 \fallingdotseq 1.0915$

(2) 투자안 B

1.0985

(3) 결정

투자안 B에 투자하는 것이 타당하다(NPV법과 동일한 결과가 산출되게 된다).

25점

Ⅰ 평가개요

본건은 두 투자대안 중 투자자의 목표수익률 및 위험감내도에 따라 적정한 투자대안을 선택하는 건으로서 2023년 8월 31일을 기준으로 의사결정한다.

Ⅱ 〈물음 1〉 투자대안의 선택

1. 처리방침

투자자가 평균-분산기준에 따라 의사결정하고자 하는 바, A, B부동산의 기대수익률 및 표준편차를 산정하여 결정한다.

2. A부동산의 기대수익률 및 표준편차

(1) 부동산 매입가격

620 × 10,000,000 = 6,200,000,000원

(2) 각 시나리오별 수익률

1) 호황(30%)

공실률 0%, 경비비율 5%를 적용한다.

① 총수익

1,500,000,000 × 0.035 + 60,000,000 × 12월 = 772,500,000원(이하 동일)

② 수익률

772,500,000 × (1 − 0.05) ÷ 6,200,000,000원 ≒ 11.84%

2) 중립(30%)

공실률 10%, 경비비율 15%를 적용한다.

772,500,000 × (1 − 0.1) × (1 − 0.15) ÷ 6,200,000,000 ≒ 9.53%

3) 불황(40%)

공실률 20%, 경비비율 25%를 적용한다.

772,500,000 × (1 − 0.2) × (1 − 0.25) ÷ 6,200,000,000 ≒ 7.48%

(3) 기대수익률

11.84 × 0.3 + 9.53 × 0.3 + 7.48 × 0.4 ≒ 9.40%

(4) 표준편차

$[(11.84-9.4)^2 \times 0.3 + (9.53-9.40)^2 \times 0.3 + (7.48-9.40)^2 \times 0.4]^{1/2}$ ≒ 1.81%

3. B부동산의 기대수익률 및 표준편차

(1) 부동산 매입가격

A부동산과 동일한 6,200,000,000원

(2) 각 시나리오별 수익률

1) 호황(30%)

공실률 0%, 경비비율 5%를 적용한다.

① 총수익

$1,000,000,000 \times 0.035 + 40,000,000 \times 12$월 $= 515,000,000$원(이하 동일)

② 수익률

$515,000,000 \times (1 - 0.05) \div 6,200,000,000 \fallingdotseq 7.89\%$

2) 중립(30%)

공실률 3%, 경비비율 7%를 적용한다.

$515,000,000 \times (1 - 0.03) \times (1 - 0.07) \div 6,200,000,000 \fallingdotseq 7.49\%$

3) 불황(40%)

공실률 5%, 경비비율 9%를 적용한다.

$515,000,000 \times (1 - 0.05) \times (1 - 0.09) \div 6,200,000,000 \fallingdotseq 7.18\%$

(3) 기대수익률

$7.89 \times 0.3 + 7.49 \times 0.3 + 7.18 \times 0.4 \fallingdotseq 7.49\%$

(4) 표준편차

$[(7.89 - 7.49)^2 \times 0.3 + (7.49 - 7.49)^2 \times 0.3 + (7.18 - 7.49)^2 \times 0.4]^{1/2} \fallingdotseq 0.29\%$

4. 투자대상의 선택

양자 모두 목표수익률 이상으로서 적정하다. 하지만 부동산 A는 투자자가 생각하는 최고의 위험을 초과하기 때문에 적절하지 못하며 B는 수익률 및 위험 모두 투자자의 요구수준을 충족하는 바, B를 투자대상으로 선택한다.

Ⅲ 〈물음 2〉 Leverage를 고려한 수익률 및 표준편차(B부동산)

1. 기대수익률

(1) 지분투자금액

$6,200,000,000 \times 0.5 = 3,100,000,000$원

(2) 시나리오별 수익률(Levered Return)

1) 호황(30%)

$$\frac{515,000,000 \times (1 - 0.05) - 3,100,000,000 \times 0.04}{3,100,000,000} \fallingdotseq 11.78\%$$

2) 중립(30%)

$$\frac{515,000,000\times(1-0.03)\times(1-0.07)-3,100,000,000\times0.04}{3,100,000,000} \fallingdotseq 10.99\%$$

3) 불황(40%)

$$\frac{515,000,000\times(1-0.05)\times(1-0.09)-3,100,000,000\times0.04}{3,100,000,000} \fallingdotseq 10.36\%$$

(3) 기대수익률

$11.78 \times 0.3 + 10.99 \times 0.3 + 10.36 \times 0.4 \fallingdotseq 10.98\%$

2. 표준편차

$[(11.78-10.98)^2 \times 0.3 + (10.99-10.98)^2 \times 0.3 + (10.36-10.98)^2 \times 0.4]^{1/2} \fallingdotseq 0.59\%$

3. 결과 분석

(1) Leverage 효과로 인한 수익률 상승

Unlevered return보다 유리한 차입비용으로서 수익률이 상승된다.

(2) Risk 증가

현금흐름의 변동성이 증가함에 따라 위험(표준편차)도 증가한다.

Answer 73

10점

Ⅰ 평가개요

허프(Huff)의 상권분석모형에 따라 현시점을 기준으로 대상상가의 가능판매액을 추정하도록 한다.

Ⅱ 현재 시장의 총규모

(135,000 + 140,000 + 155,000) × 1,500,000 × 0.1 ≒ 64,500,000천원

Ⅲ 가능판매액 추정

1. 각 지역별 대상점포의 점유율

(1) 주거지대 1

$8,000/4^2 \div (4,500/2^2 + 6,000/5^2 + 8,000/4^2) \fallingdotseq 0.26810$

(2) 주거지대 2

$8,000/3^2 \div (4,500/2^2 + 6,000/2^2 + 8,000/3^2) \fallingdotseq 0.25296$

(3) 주거지대 3

$8,000/2^2 \div (4,500/5^2 + 6,000/3^2 + 8,000/2^2) \fallingdotseq 0.70258$

(4) 대상점포의 점유율

(0.26810×135,000+0.25296×140,000+0.70258×155,000) ÷ 430,000
≒ 0.41978(42%)

2. 대상점포의 가능판매액

64,500,000천원 × 0.42 ≒ 27,090,000천원

Answer 74

25점

Ⅰ 평가개요

본건은 현황이 최유효이용에 현저히 미달하는 상태의 부동산에 대한 적정매도가격을 제시하는 것으로, 나지상태의 토지가치에 철거비를 고려하여 평가한다(기준시점 : 2023년 9월 1일).

Ⅱ 대상의 나지상태가격

1. 거래사례기준

(1) 사례의 적부검토

거래사례는 대상 부동산과 유사한 부동산으로서 비교가능성이 인정된다.

(2) 사례의 현금등가액

$$2,175,000,000 \times (0.6 + 0.4 \times \frac{0.06 \times 1.06^{20}}{1.06^{20}-1} \times \frac{1.05^{20}-1}{0.05 \times 1.05^{20}}) + 1,080 \times 75,000$$

≒ 2,331,266,000원(@3,890,000)

* 철거비(매수자 부담)

(3) 비준가액

$$3,890,000 \times 1.0 \times 1.00000 \times 1.000 \times \frac{100}{102} ≒ 3,810,000원/㎡$$

사 시(최근) 지(인근) 개

2. 수익가액

인근지역의 표준적 임대료수준을 반영하고 있는 임대사례의 임대료로부터 대상 부동산의 임대료를 추계하기로 한다.

(1) 총수익

1) 사례(3층) 총수익(2022년 7월 1일 기준)

$$1,950,000 \times (12 + 24 \times 0.05 + 12 \times \frac{0.05 \times 1.05^2}{1.05^2-1}) \times \frac{1}{330} ≒ 116,000원/㎡$$

지 보 권

2) 대상 부동산 3층 총수익(2023년 9월 1일 기준)

$$116,000 \times 1.0 \times 1.11667 \times 1.000 \times \frac{100}{97} \times \frac{100}{98} ≒ 136,000원/㎡$$

사 시* 지 토・개 건・개*

* 임대료지수(2022년 7월 1일~2023년 9월 1일) : $\frac{105+(105-100)\times 8/6}{100}$

* 잔가율이 포함되어 있는 것으로 본다.

3) 대상 부동산 총수익

① 지상층

$136,000 \times (\underbrace{360 \times \frac{170+120}{100}}_{1\sim2층} + \underbrace{320 \times \frac{100+60+50\times6}{100}}_{3\sim10층}) \fallingdotseq 342,176,000$원

② 지하층

$90,000 \times 1.11667 \times 40$대 $\times 12$월 $\fallingdotseq 48,240,000$원

③ 계

390,416,000원

4) 상각전 순수익

① 필요경비

$450,000 \times 5,760 \times (\underbrace{0.01}_{유지} + \underbrace{0.003}_{보험}) + 390,416,000 \times (\underbrace{0.01}_{관리} + \underbrace{0.05}_{공실}) + \underbrace{30,000,000}_{공조}$

$\fallingdotseq$ 87,121,000원

② 상각전 순수익

$390,416,000 - 87,121,000 \fallingdotseq 303,295,000$원

5) 대상토지 순수익

$303,295,000 - \{450,000 \times 5,760 \times (0.05 + \frac{1}{50})\} \fallingdotseq 121,855,000$원(@185,000)

6) 수익가액

$\frac{185,000}{0.05} \fallingdotseq 3,700,000$원/㎡

3. 나지상정가격 결정

(1) **비준가액** : 3,810,000원/㎡

(2) **수익가액** : 3,700,000원/㎡

(3) **결정**

상기와 같이 시산가액이 산정되었는 바, 양 가격의 합리성이 인정되는 것으로 판단되며, 시장성에 중점을 두어 대상토지의 나지상정가격을 3,810,000원/㎡(2,514,600,000원)으로 결정한다.

Ⅲ 의견제시(결론)

대상의 적정매도가격은 대상토지의 최유효이용을 상정한 가격인 나지가격에서 건부감가인 지상건물의 철거비를 공제한 가격이며, 이는 2,424,600,000원(= 2,514,600,000 − 1,200 × 75,000)으로서, 결국, 대상 부동산은 乙의 매수제안가격인 22억원보다는 더 높은 가격을 실현할 수 있는 잠재력을 지니고 있는 바, 현소유자 甲은 이를 주장하여 좀 더 높은 가격으로 거래를 할 수 있을 것으로 판단된다.

35점

Ⅰ 평가개요

본건은 토지에 대한 일반평가로서 시장가치 평가 후 금융 조건을 고려하여 매입 타당성을 검토한다 (기준시점 : 2023년 8월 31일).

Ⅱ 〈물음 1〉 지역, 개별요인 평점

1. 지역요인

(1) 동일수급권 내 유사지역의 확정 및 지역요인 평점(단위면적당 순영업소득 기준)

구분	A동	B동	C동	D동	E동
순영업소득	15,300	14,700	15,000	13,400	17,100
지역요인 평점	102*	98	100	89	114

* 15,300 × 100 ÷ 15,000

(2) 동일수급권 내 유사지역 확정

A, B, C동을 동일수급권 내 유사지역으로 판단한다.

2. 개별요인 평점(형상)

(1) 적용면적비율

$\{(6\times20\div2)+(9\times8\div2)+(12\times4\div2)\}\div(25\times20)=24\%$

(2) 평점

부정형 보정률에 의거 '93'으로 결정한다.

Ⅲ 〈물음 2〉 대상토지의 시장가치

1. 공시지가기준법

(1) 비교표준지 선정

제2종 일반주거지역, 상업용, 전면노선상가 지대인 표준지 3을 선정한다.

(공시시점 이후 합병 등 요인은 고려치 아니함. 공시시점 당시의 가치형성요인 비교가 가능하다)

(2) 시점수정치(2023년 1월 1일~8월 31일, 주거)

$1.00012\times1.00011\times1.00016\times1.00014\times1.00013\times1.00018\times1.00019\times1.00015$
$\fallingdotseq 1.00118$

(3) 평가액

$1,500,000 \times 1.00118 \times 1.000 \times (1 \times 93/100) \times 1.00 ≒ 1,400,000$원/㎡

2. 거래사례비교법

(1) 사례선택

제2종 일반주거지역, 상업용으로서 사정 개입 없는 사례 1을 선택한다.

(2) 거래금액

$780,000,000 \times (0.7 \times 1/1.01^3 + 0.3 \times 1/1.01^6) ≒ 750,381,000$원(@1,630,000)

(3) 시점수정치(2023년 5월 12일~8월 31일, 주거)

$(1 + 0.00013 \times 20/31) \times 1.00018 \times 1.00019 \times 1.00015 ≒ 1.00060$

(4) 비준가액

$1,630,000 \times 1.000 \times 1.00060 \times 100/102 \times (1.00 \times 93/105) ≒ 1,420,000$원/㎡

3. 조성사례 기준가격

(1) 준공시점 사례토지가격(조성원가법)

1) 소지가격

$600,000,000 \times 1.01^6 ≒ 636,912,000$원

2) 조성공사비

$200,000,000 \times (0.5 \times 1.01^3 + 0.5) ≒ 203,030,000$원

3) 일반관리비 및 적정이윤

$(200,000,000 \times 0.1) + (200,000,000 \times 0.1 + 200,000,000) \times 0.08 ≒ 37,600,000$원

4) 소계

$636,912,000 + 203,030,000 + 37,600,000 ≒ 877,542,000$원(@1,460,000)

(2) 조성사례 기준가격

$1,460,000 \times 1.000 \times 1.00035^* \times 1.000 \times (100/90 \times 93/100) ≒ 1,510,000$원/㎡

* 2023년 6월 30일~8월 31일, 주거 : $(1 + 0.00018 \times 1/30) \times 1.00019 \times 1.00015$

4. 개발법(수익환원법에 의한 준공후 가치평가)

(1) 최유효이용 상정 순수익

1) 총수익

$70,000 \times 10 + (300,000 + 150,000 + 100,000 \times 5) \times 281 + (3 + 1.5 + 1 \times 5) \times 100,000,000 \times 0.08 ≒ 343,650,000$원

2) 총비용(감가상각비 제외)

① 건축비 표준견적액

700,000 × 2,640 ≒ 1,848,000,000원

② 총비용

1,848,000,000 × (0.01 + 0.003) + 7,644,000 + 343,650,000 × 0.05 ≒ 48,851,000원

3) 순수익

343,650,000 − 48,851,000 ≒ 294,800,000원

(2) 인근지역 표준적 환원이율 결정

1) 수익사례 선정

동일수급권, 동일 용도지역. 이용상황인 1~4를 선택한다.

2) 환원이율 결정

① 산식

{EGI × (1 − OER)} ÷ 거래가격

② 환원이율 산정

1	2	3	4
0.1104	0.11	0.1157	0.1071

③ 환원이율

산술평균하여 0.1108로 결정한다.

(3) 수익가액 결정

1) 최유효이용 상정 복합부동산 가격

294,800,000÷0.1108 ≒ 2,660,645,000원

2) 대상토지 수익가액

2,660,645,000−1,848,000,000 ≒ 812,645,000원(1,630,000원/m²)

5. 대상토지의 시장가치 결정

(1) 시산조정

가설적 평가인 수익가액보다 대상과 유사성 있는 거래사례, 조성사례를 중심으로 하여 평가액을 결정한다.

(2) 결정

「감정평가에 관한 규칙」 제14조에 의하여 공시지가기준가액으로 결정하며, 거래사례비교법에 의한 합리성이 인정되는 것으로 판단된다.

(1,400,000원/m²)(× 500 ≒ 700,000,000원)

Ⅳ 〈물음 3〉 매입 타당성 판단

1. 매입금액의 현금등가 산정

(1) 대출가능 금액

700,000,000 × 0.6 ≒ 420,000,000원

(2) 현금등가

$$[\{750{,}000{,}000 - 420{,}000{,}000\}] + 420{,}000{,}000 \times \frac{0.07 \times 1.07^{20}}{1.07^{20} - 1} \times \frac{1.12^{20} - 1}{0.12 \times 1.12^{20}}$$

≒ 626,126,000원

2. 매입 타당성 검토

A 입장에서의 매수제안가에 대한 현금 등가가 부동산의 시장가치보다 작은 바, A입장에서는 매수 타당성이 있다.

15점

Ⅰ 개요

자기자본에 대한 직접환원이율은 초년도의 $\frac{BTCF}{지분가치}$로 하여 구한다.

Ⅱ 매기 현금수지현가(단위 : 천원)

구분	1기	2기	3기	4기	5기	6기
PGI	230,000	230,000	250,000	250,000	270,000	270,000
EGI	213,900	213,900	235,000	235,000	256,500	
NOI	149,730	149,730	176,250	176,250	192,375	192,375
DS	115,177	(좌 동)				
BTCF	34,553	34,553	61,073	61,073	77,198	
현가(15%)	30,046	26,127	40,156	34,919	38,381	−
합계	169,629					

* DS : $DCR = \frac{NOI_{1t}}{DS} = 1.3$에서 DS는 115,177

* 최초 저당대부액 : $x \times MC_{0.12,10} \fallingdotseq 115,177$에서 $x \fallingdotseq 650,776$

* 할인율 : 무위험률 + 위험할증률 = 15%

Ⅲ 복귀가치 현가(단위 : 천원)

1. 재매도가치

$192,375 \div 0.18 \fallingdotseq 1,068,750$

2. 저당잔금

$650,776 \times (1 - \frac{1.12^5 - 1}{1.12^{10} - 1}) \fallingdotseq 415,187$

3. 복귀가치 현가

(1) 복귀가치

$1,068,750 - 415,187 \fallingdotseq 653,563$

(2) 현가

$653,563 \times \frac{1}{1.15^5} \fallingdotseq 324,936$

Ⅳ 자기자본에 대한 직접환원이율

1. 지분가치

$169,626 + 324,936 ≒ 494,562$

2. 자기자본에 대한 직접환원이율

$\frac{34,553}{494,562} ≒ 0.0699(6.99\%)$

20점

Ⅰ 평가개요

본건은 사옥(복합부동산)에 대한 매후환대차의 타당성 분석으로서 2023년 6월 30일을 의사결정 시점으로 하여 분석한다.

Ⅱ 현시점 사옥의 시장가치

1. 원가법(개별평가)

(1) 토지(공시지가기준법)

제2종 일반주거지역으로서 유사한 이용상황으로 적절한 표준지인 것으로 판단된다.

2,680,000 × 1.00500 × 1.000 × 1.050 × 1.30 ≒ 3,680,000원/㎡(× 773(일단지) = 2,844,640,000원)

(2) 건물

(700,000 + 150,000) × 43/50 ≒ 731,000원/㎡(× 2,141.78 ≒ 1,565,641,000원)

(3) 개별평가에 의한 시산가액

2,844,640,000 + 1,565,641,000 = 4,410,281,000원

2. 거래사례비교법(일괄평가)

(1) 처리방침

용도지역, 이용상황 등 유사한 거래사례로서 토지, 건물 일괄의 비준가액을 산정한다 (5,600,000,000 ÷ 3,165.1 ≒ 1,770,000원/㎡).

(2) 비준가액

$1,770,000 \times 1.000 \times 1.000 \times 1.000 \times (0.95 \times \frac{43/50}{38/50})$ ≒ 1,900,000원/㎡(× 2,141.78 ≒ 4,069,382,000원)

3. 수익환원법

(1) 순영업소득

(10,000 × 10 × 2,141.78) × 0.04 + 10,000 × 2,141.78 × 12월 ≒ 265,581,000원

(2) 수익가액

265,581,000 ÷ 0.06 ≒ 4,426,350,000원

4. 평가액 결정

일괄평가액에 의하여 개별평가액의 합리성이 지지되는 것으로 판단되는 바, 「감정평가에 관한 규칙」 제7조에 의하여 개별평가액을 기준으로 결정한다(4,410,281,000원).

III 매후환대차의 타당성 분석

1. 현시점의 적정임대료(NOI) : 265,581,000원

2. 매후환대차시 편익

(1) 매각대금의 세후가치

1) 양도소득세

① 현시점의 장부가

2,000,000,000 + 2,000,000,000 × 43/50 = 3,720,000,000원

② 양도소득세

(4,410,281,000 − 3,720,000,000) × 0.3 = 207,084,000원

2) 매각대금의 세후가치

4,410,281,000 − 207,084,700 = 4,203,197,000원

(2) 세후 임대료의 현가

$$265,581,000 \times (1-0.2) \times \frac{1-(1.03/1.06)^5}{0.06-0.03} \fallingdotseq 947,048,000\text{원}$$

(3) 매후환대차시 편익

4,203,197,000 − 947,048,000 = 3,256,149,000원

3. 계속보유시 편익

(1) 감가상각비 절세효과

$$2,000,000,000 \times 1/50 \times 0.2 \times \frac{1.06^5-1}{0.06 \times 1.06^5} \fallingdotseq 33,699,000\text{원}$$

(2) 기말 세후 매각대금 현가

1) 5년 후 예상 부동산가치

2,844,640,000 × 1.1 + 1,565,641,000 × 0.95 = 4,616,463,000원

2) 기말 양도소득세 추정치

① 기말 장부가치

2,000,000,000 + 2,000,000,000 × 38/50 = 3,520,000,000원

② 양도소득세 추정치

(4,616,463,000 − 3,520,000,000) × 0.3 = 328,939,000원

3) 기말 세후 매각대금의 현가

$$(4,616,463,000 - 328,939,000) \times \frac{1}{1.06^5} \fallingdotseq 3,203,887,000원$$

(3) 계속보유시 편익

$33,699,000 + 3,203,887,000 = 3,237,586,000$원

4. 매후환대차의 타당성 분석

매후환대차시 편익이 더 크나, 그 차이가 크지 않아 향후 부동산가격의 변동 등 대외변수에 따라 타당성이 바뀔 수도 있다.

Answer 78

35점

Ⅰ 평가개요

본건은 근린생활시설 신축공사와 관련한 현금수지분석 등 타당성 분석의 건으로서 2023년 7월 1일을 기준시점으로 분석한다.

Ⅱ 〈물음 1〉 토지의 시장가치

1. 공시지가기준법

(1) 비교표준지 선정

제3종 일반주거지역으로서 이용상황 및 주변환경이 유사한 표준지 2를 선정한다.

(2) 시점수정치(2023년 1월 1일~7월 1일, 주거지역)

1.00397 × (1 + 0.00093 × 31/31) ≒ 1.00490

(3) 개별요인비교치

100/95 × 105/95 ≒ 1.163

(4) 평가액

6,000,000 × 1.00490 × 1.000 × 1.163 × 1.30 ≒ 9,120,000원/㎡

2. 거래사례비교법

(1) 사례선택

제3종 일반주거지역의 상업용으로서 완료된 거래이며, 사정개입이 없는 거래사례 B를 선택한다(C는 토지, 건물소유자는 상이하며 상호 이해관계로서 적정한 나지상태의 토지가격을 추출할 수 없다고 보아 제외한다).

(2) 사례토지가격

1) 사례건물가격(거래시점)

600,000 × 1,100 × 38/50 ≒ 501,600,000원

2) 사례토지가격

4,300,000,000 − 501,600,000 ≒ 3,798,400,000원(@9,040,000)

(3) **시점수정치**(2022년 12월 15일~2023년 7월 1일, 주거지역)

$(1 - 0.00092 \times 17/31) \times 1.00397 \times (1+0.00093\times31/31) ≒ 1.00440$

(4) **개별요인비교치**

$100/102 \times 1.05 ≒ 1.029$

(5) **비준가액**

9,040,000 × 1.000 × 1.00440 × 1.000 × 1.029 ≒ 9,340,000원/㎡

3. **토지의 시장가치 결정**

「감정평가에 관한 규칙」 제14조에 의하여 공시지가기준법으로 평가하되, 거래사례비교법에 의하여 그 합리성이 지지되는 것으로 판단된다.

(9,120,000원/㎡)(× 650 = 5,920,000,000원)(본건의 실거래가와 비교시 합리성이 인정된다)

III 〈물음 2〉 현금수지분석(자기지분)

1. **토지의 매입시점**(2023년 7월 1일)

(1) **토지매입가격**

제시된 금액에 따른다.

10,500,000 × 650 ≒ 6,825,000,000원

(2) **대출금액**

대출금액은 감정가격을 기준으로 산출되는 바, 감정가의 45%를 적용한다.

5,920,000,000 × 0.45 ≒ 2,664,000,000원

(3) **지분현금흐름**

6,825,000,000 − 2,664,000,000 ≒ 4,161,000,000원

2. **건물의 준공시점**(2024년 7월 1일)

(1) **건축비**(준공시점의 현금유출)

850,000 × (390 × 5) + 850,000 × 0.85 × 200 + 850,000 × 0.7 × (300 + 500)

≒ 2,278,000,000원

(2) **보증금**

예상된 보증금인 1,850,000,000원을 수취한다(수취된 보증금은 대출상환에 이용된다).

(3) **대출이자**(2023년 7월 1일~2024년 7월 1일)

2,664,000,000 × 0.061 ≒ 162,504,000원

(4) 건물준공시점의 현금흐름

2,278,000,000 + 162,504,000원 ≒ 2,440,504,000원

(대출잔액 : 2,664,000,000 − 1,850,000,000 = 814,000,000원)

3. 운영단계 중의 현금흐름(2024년 7월 1일~2029년 6월 30일)

(1) 매기 순영업소득

보증금은 대출상환에 이용되었으므로 보증금에 대한 운용이익은 발생하지 않는다.

63,500,000 × (1 − 0.05*) × 12월 ≒ 723,900,000원

* 관리비 등은 임차인이 실비정산하므로 고려하지 아니한다.

(2) 대출이자

814,000,000 × 0.0505 ≒ 41,107,000원

(3) 운영단계 중 현금흐름

723,900,000 − 41,107,000 = 682,793,000원 유입

4. 기말 매각시점의 현금흐름(2029년 7월 1일)

(1) 순재매도가치

1) 토지

$6,825,000,000 \times 1.015^{6}$ ≒ 7,462,750,000원

2) 건물

2,278,000,000 × (1 − 0.02 × 5년) ≒ 2,050,200,000원

3) 순재매도가치

(7,462,750,000 + 2,050,200,000) × (1 − 0.02) ≒ 9,322,691,000원

(2) 기말 매각시점에서의 현금흐름

순재매도가치에서 설정된 보증금과 대출잔액을 차감한다.

9,322,691,000 − 1,850,000,000 − 814,000,000 ≒ 6,658,691,000원 유입

Ⅳ 〈물음 3〉 투자 타당성 검토

1. 현금수지 요약(단위 : 천원)

2023년 7월 1일	2024년 7월 1일	2024년 7월 1일~2029년 6월 30일	2029년 7월 1일
(−) 4,161,000	(−) 2,440,504	(+) 682,793	(+) 6,658,691

2. 타당성 지표 검토

(1) NPV

$$(-)4,161,000,000 + (-)2,440,504,000 \times \frac{1}{1.075} + 682,793,000 \times \frac{1.075^5 - 1}{0.075 \times 1.075^5} \times \frac{1}{1.075^1} + 6,658,691,000 \times \frac{1}{1.075^6} \fallingdotseq 453,108,000\text{원}$$

(2) IRR

NPV를 '0'으로 만드는 요구수익률로서 9.02%로 산출된다.

3. 타당성 결론

NPV > 0, IRR > 7.5%로서 타당한 투자안으로 판단된다.

Answer 79

20점

I 평가개요

본건은 타당성 분석으로 개발비용과 개발 후 부동산가치를 비교하여 결정하되 부동산가치는 조임대료승수법에 의해 산정한다.

II 대상 조임대료(총수익) 산정

1. 안정인구 추정

$$\underset{\text{해제 ×}}{3,000 \times 0.4} + \underset{\text{해제 ○}}{3,282 \times 0.6} \doteqdot 3,169\text{명/ha}$$

2. 거래지역 총인구

$$3,169 \times 3.14 \times 200^2 \times \underset{\text{m}^2 \rightarrow \text{ha}}{\frac{1}{10,000}} \doteqdot 39,803\text{명}$$

3. 대상 판매액

(1) 전체 판매액

$$\underset{\text{식료품소비}}{5,300,000 \times 0.2} \times \underset{\text{외}}{(1-0.1)} \times \underset{\text{인구}}{39,803} \doteqdot 37,972,000,000\text{원}$$

(2) 대상 점유율

$$\frac{2,200}{1,450+1,600+1,300+1,400+2,200} \times 0.7 + \frac{250}{170+200+140+150+250} \times 0.3 \doteqdot 0.2761$$

(3) 대상 판매액

$$37,972,000,000 \times 0.2761 \doteqdot 10,484,000,000\text{원}$$

4. 대상 조임대료

$$10,484,000,000 \times 0.015 \doteqdot 157,260,000\text{원}$$

Ⅲ 대상 부동산가치

1. 대상지역 조임대료승수(전체가격/연간 조임대료)

(1) 슈퍼 1 : $\frac{9억1천}{67억5천 \times 0.015} ≒ 8.99$

(2) 슈퍼 2 : $\frac{9억9천}{74억2천 \times 0.015} ≒ 8.89$

(3) 슈퍼 3 : $\frac{8억1천}{60억 \times 0.015} ≒ 9$

(4) 슈퍼 4 : $\frac{8억7천}{64억5천 \times 0.015} ≒ 8.99$

(5) 결정

각 사례가 유사한 바, 조임대료승수는 9로 결정한다.

2. 부동산가치

157,260,000 × 9 ≒ 1,415,340,000원

Ⅳ 타당성 분석

1. 개발비용

1,010,000,000 + 370,000,000 ≒ 1,380,000,000원

2. 부동산가치

1,415,340,000원

3. 타당성 판단

부동산가치가 개발비용을 초과하므로 타당성 있는 것으로 판단된다.

Answer 80

10점

Ⅰ 〈물음 1〉

(127,000 + 120,000 × 3 + 126,500 + 126,000 × 2 + 120,500 + 124,000 × 2 + 122,500 × 4) ÷ 14 ≒ 123,143천원

Ⅱ 〈물음 2〉

중간값은 122,500천원이다.

Ⅲ 〈물음 3〉

가장 많은 거래사례인 최빈값은 122,500천원이다.

Ⅳ 〈물음 4〉

1. **표준편차의 개념**

   표준편차란 각 데이터가 평균과 얼마나 차이를 가지느냐를 알려주는 분산의 양의 제곱근으로 다음과 같은 수식으로 설명할 수 있다(x_i 독립변수, N 독립변수의 수, m 독립변수의 평균).

$$\sqrt{\frac{\sum_{i=1}^{n}(m-x_i)^2}{N}}$$

2. **거래사례의 표준편차** : 2,423천원

Ⅴ 〈물음 5〉

표준편차가 작고 최빈값이나 중앙값이 동일하며 시장이 안정적이라는 점 등에서 李씨의 부동산가격은 122,500,000원으로 결정하는 것이 타당하다고 판단된다.

> **Tip CASIO 계산기 사용시 통계량 분석**
>
> Menu → STATS → List에 숫자 입력 → F2(CALS) → F1(Var)
>
> 1-Variable 결과치
>
> ○ x : 평균값　○ $x\sigma_n$: 표준편차　○ $x\sigma_{n-1}$: (표본의) 표준편차
>
> ○ Med : 중간값　○ Mod : 최빈값

Answer 81

20점

I 평가개요

본건은 동적 DCF에 따른 실물옵션(Real Option)에 대한 가치결정으로서 이항모형(Binomial Model)을 통하여 현시점을 기준으로 결정한다.

II 〈물음 1〉 현상태 하의 최유효이용

1. 방침
   실물 옵션을 고려하지 않은 상황에서 토지가치를 극대화시키는 이용상황을 선정한다.

2. 단독주택 건축시
   (1,000,000 − 640,000) × 10개호 ≒ 3,600,000원

3. 연립주택 건축시
   (1,000,000 − 800,000) × 15개호 ≒ 3,000,000원

4. 결정
   토지의 가치가 더 큰 단독주택이 최유효이용인 것으로 판단된다(토지가격 = 3,600,000원).

III 〈물음 2〉 무위험확률(p) 산정

1. 처리방침
   향후 1년간 개발을 유보한 상태에의 가격과 무위험수익률을 일치시키는 확률을 무위험확률로 결정한다(단독주택개발기준).

2. 1년 후 해당 자산의 기대가치
   (1,200,000 − 640,000) × 10 × p(상승확률) + (900,000 − 640,000) × 10 × (1 − p) + 300,000
   = 3,000,000× p + 2,900,000

3. 1년 후 현 자산의 무위험수익률 고려가치
   3,600,000 × 1.12 = 4,032,000원

4. 무위험확률
   4,0320,000 = 3,000,000 × p + 2,900,000
   ∴ p = 38%(하락시장 확률 = 62%)

Ⅳ 〈물음 3〉 1년 후 개발대안 결정

1. 강세시장의 경우

(1) 단독주택 건축시

(1,200,000 − 640,000) × 10호 ≒ 5,600,000원

(2) 연립주택 건축시

(1,200,000 − 800,000) × 15호 ≒ 6,000,000원

(3) 결정

연립주택을 개발함이 타당하다.

2. 약세시장의 경우

(1) 단독주택

(900,000 − 640,000) × 10호 ≒ 2,600,000원

(2) 연립주택

(900,000 − 800,000) × 15호 ≒ 1,500,000원

(3) 결정

단독주택을 개발함이 타당하다.

3. 1년 후 토지가치의 결정(ROV 반영)

6,000,000 × 0.38 + 2,600,000 × 0.62 ≒ 3,892,000원

Ⅴ 〈물음 4〉 실물옵션의 가치

1. 실물옵션 미고려시 토지가치

3,600,000원 〈물음 1〉

2. 실물옵션 고려시 현 토지가치

(300,000* + 3,892,000)/1.12 = 3,743,000원

* 보유기간 중 임대료

3. ROV

3,743,000 − 3,600,000 ≒ 143,000원

Answer 82

20점

Ⅰ 평가개요

대안별 토지가치가 가장 높은 대안이 최고최선의 이용이 되므로 개발상정 복합부동산의 가치에서 개발비용을 뺀 토지가치를 구해 분석한다.

Ⅱ 대안 A의 귀속토지가치

1. 대상 부동산의 순영업소득

(1) 가능총소득

$40,000,000 \times 6 \times 0.1 + 400,000 \times 12 \times 6 + 30,000,000 \times 6 \times 0.1 + 300,000 \times 12 \times 6 \fallingdotseq 92,400,000$원

(2) 순영업소득

$92,400,000 \times (1 - 0.4) \fallingdotseq 55,440,000$원

2. 대상 부동산의 시장가치

$\frac{55,440,000}{0.1} \fallingdotseq 554,400,000$원

3. 대상토지가치

$554,400,000 - (700,000 \times 500) \fallingdotseq 204,400,000$원

Ⅲ 대안 B의 귀속토지가치

1. 대상 부동산의 순영업소득

(1) 가능총소득

$40,000,000 \times 12 \times 0.1 + 400,000 \times 12 \times 12 + 30,000,000 \times 12 \times 0.1 + 300,000 \times 12 \times 12 \fallingdotseq 184,800,000$원

(2) 순영업소득

$184,800,000 \times (1 - 0.45) \fallingdotseq 101,640,000$원

2. 대상 부동산의 시장가치

$\frac{101,640,000}{0.1} ≒ 1,016,400,000$원

3. 대상토지가치

1,016,400,000 − (650,000 × 1,000) ≒ 366,400,000원

IV 대안 C의 귀속토지가치

1. 대상 부동산의 순영업소득

(1) 가능총소득

184,800,000 + (20,000,000 × 12 × 0.1 + 200,000 × 12 × 12) + (15,000,000 × 12 × 0.1 + 150,000 × 12 × 12) ≒ 277,200,000원

(2) 순영업소득

277,200,000 × (1 − 0.45) ≒ 152,460,000원

2. 대상 부동산의 시장가치

$\frac{152,460,000}{0.1} ≒ 1,524,600,000$원

3. 대상토지가치

$1,524,600,000 - (550,000 \times 2,000) - \frac{1,200,000 \times 12}{0.1} ≒ 280,600,000$원

V 최고최선의 이용분석

토지가치가 가장 높은 대안 B(366,400,000원)가 최고최선의 이용이라 할 수 있다. 따라서 연면적 1,000㎡의 지상 2층 업무용 건물을 건축하는 것이 가장 효과적이다.

Answer 83

20점

Ⅰ 평가개요

본건은 상업나지에 대한 기준시점 현재를 기준한 최유효이용 분석 및 토지의 시장가치의 평가건으로서 각 투자안의 투자가치를 산정하여 최유효이용을 분석한다(현재 시점을 기준한다).

Ⅱ 최유효이용 분석

1. 제1투자안

(1) 총수익

1) 보증금 운용익

(50,000,000 + 90,000,000) × 6 × 0.12 ≒ 100,800,000원

2) 지불임대료

(500,000 + 900,000) × 6 × 12월 ≒ 100,800,000원

3) 소계

100,800,000 + 100,800,000 = 201,600,000원

(2) 순영업소득

201,600,000 × (1 − 0.4) ≒ 120,960,000원

(3) 환원이율(토지)

1) 표준편차

① 기댓값

0.7 × 0.12 + 0.15 × 0.13 + 0.15 × 0.11 ≒ 0.12

② 표준편차

$[(0.12-0.12)^2 \times 0.7+(0.13-0.12)^2 \times 0.15+(0.11-0.12)^2 \times 0.15)]^{(1/2)} ≒ 0.00548$

2) 환원이율

0.07 + 0.00548 ≒ 0.07548

(4) 토지수익가액

1) 토지귀속 순수익

120,960,000 − 700,000,000 × (0.07548 + 1/50) ≒ 54,124,000

2) 토지수익가액

54,124,000 ÷ 0.07548 ≒ 717,064,000(598,000원/㎡)

2. 제2투자안

(1) 총수익

1) 보증금 운용익

(60,000,000 + 80,000,000) × 12 × 0.12 ≒ 201,600,000원

2) 지불임대료

(600,000 + 800,000) × 12 × 12월 ≒ 201,600,000원

3) 소계

201,600,000 + 201,600,000 = 403,200,000원

(2) 순영업소득

403,200,000 × (1 − 0.45) ≒ 221,760,000원

(3) 환원이율(토지)

1) 표준편차

① 기댓값

0.3 × 0.08 + 0.45 × 0.13 + 0.25 × 0.18 ≒ 0.1275

② 표준편차

$[(0.08-0.1275)^2 \times 0.3+(0.13-0.1275)^2 \times 0.45+(0.18-0.1275)^2 \times 0.25)]^{(1/2)} \fallingdotseq 0.037$

2) 환원이율

0.07 + 0.037 ≒ 0.107

(4) 토지수익가액

1) 토지귀속 순수익

221,760,000 − 1,300,000,000 × (0.107 + 1/50) ≒ 56,660,000원

2) 토지수익가액

56,660,000 ÷ 0.107 ≒ 529,533,000(441,000원/㎡)

3. 최유효이용분석

투자안 1의 토지가치가 더 크므로 투자안 1이 최유효이용으로 판단된다.

Ⅲ 토지의 가격

투자안 1에 따른 가격인 598,000원/㎡이 시장가치이다.

40점

I 평가개요

본건은 2023년 9월 1일을 기준으로 한 최유효이용판정 및 최유효이용상정 가치추계이다.

II 최유효이용판정 〈물음 1〉

1. 대안(상업용)

(1) 세후 현금수지(단위 : 천원)

	1	2	3
NOI	234,880*1	246,624	254,023
DS*2	24,412	좌동	
Tax	10,000	좌동	
ATCF	200,468	212,212	219,611
현가합(12%)	504,478,000		

* 1) $\{12 \times 12 \times 2{,}000 \times (1 - 0.05) + 20{,}000\} \times (1 - 0.2)$

* 2) $150{,}000 \times \frac{0.1 \times 1.1^{10}}{1.1^{10} - 1}$

(2) 기간말 지분복귀액

$254{,}023{,}000 \div 0.15 - \underbrace{118{,}847{,}000^*}_{\text{미}^*} - \underbrace{30{,}000{,}000}_{\text{자}} = 1{,}544{,}640{,}000$원

* 미상환저당잔금 : $150{,}000{,}000 \times (1 - \frac{1.1^3 - 1}{1.1^{10} - 1})$

(3) 부동산가치

$504{,}478{,}000 + \frac{1{,}544{,}640{,}000}{1.12^3} + 150{,}000{,}000 ≒ 1{,}753{,}922{,}000$원

(4) 토지가치

$1{,}753{,}922{,}000 - \underbrace{(440{,}000 \times 2{,}400)}_{\text{건물가격}} ≒ 697{,}922{,}000$원

2. 대안 2(주상복합)

(1) 세후 현금수지(단위 : 천원)

	1	2	3
NOI	266,784*	280,123	288,527
DS	24,412	좌동	
Tax	10,000	좌동	
ATCF	232,372	245,711	254,115
현가합(13%)	574,181,000		

* $\{14 \times 12 \times 2{,}200 \times (1 - 0.05) + 30{,}000\} \times (1 - 0.3)$

(2) 기간말 지분복귀액

$$\frac{288{,}527{,}000}{0.15} - 118{,}847{,}000 - 30{,}000{,}000 \fallingdotseq 1{,}774{,}666{,}000\text{원}$$

(3) 부동산가치

$$574{,}181{,}000 + \frac{1{,}774{,}666{,}000}{1.13^3} + 150{,}000{,}000 \fallingdotseq 1{,}954{,}114{,}000\text{원}$$

(4) 토지가치

$$1{,}954{,}114{,}000 - \underbrace{(530{,}000 \times 2{,}400)}_{\text{건물가격}} \fallingdotseq 682{,}114{,}000\text{원}$$

3. 최유효이용 판정

상업용을 상정한 토지가치가 더 크므로 상업용이 최유효이용이다.

III 최유효이용상정 가치추계 〈물음 2〉

1. 개요

최유효이용이 상업용인 바, 이를 기준하여 대상토지의 가치를 산정한다.

2. 개발법에 의한 가액

697,922,000원(1,400,000원/㎡)

3. 공시지가기준가액

(1) 표준지 선정

용도지역, 이용상황(상업용)이 동일하고 도로교통 등이 유사한 표준지 4를 선정한다(기호 1, 3, 5는 이용상황 상이, 기호 2는 공법상 제한이 상이하여 배제한다).

(2) 시점수정치(2023년 1월 1일~2023년 9월 1일)

$1.01231 \times (1 + 0.00052 \times 32/31) \fallingdotseq 1.01285$

(3) 개별요인비교치

100/102 × 100/100 ≒ 0.980

(4) 평가액

1,280,000 × 1.01285 × 1.000 × 0.980 × 1.00 ≒ 1,270,000원/㎡

4. 비준가액

(1) 사례의 선택

위치적, 물적 유사성이 있으며 도로교통 등의 제반 비교요인에 있어 비교가능성이 높은 사례 2를 선정한다(사례 1은 이용상황이 상이하여 배제).

(2) 현금등가

1,400,000,000 × (0.2 × 1.01^3 + 0.3 × 1.01 + 0.5) ≒ 1,412,684,000원

(3) 사례토지가격

1,412,684,000 × 0.55* ≒ 776,976,000원(@1,250,000)

* 거래시점 토지가격구성비

(4) 시점수정치(2022년 12월 1일~2023년 9월 1일)

(1 + 0.01735 × 31/365) × 1.01231 × (1 + 0.00052 × 32/31) ≒ 1.01435

(5) 지역요인비교치

100/98 ≒ 1.020

(6) 개별요인비교치

100/101 × 100/100 ≒ 0.990

(7) 평가액

1,250,000 × 1.000 × 1.01435 × 1.020 × 0.990 ≒ 1,280,000원/㎡

5. 대상토지가격 결정

본건은 「감정평가에 관한 규칙」 제14조에 의하여 공시지가기준법으로 결정하되, 다른 방법에 의하여 그 합리성이 인정되는 것으로 판단된다.

(1,270,000원/㎡ (635,000,000원))

Answer 85

30점

I 평가개요

본건은 A시 H동에 소재하는 창고부지에 대한 일반거래목적의 감정평가로서 2023년 9월 1일을 기준시점으로 평가한다.

II 〈물음 1〉 개발대안에 따른 토지가치

1. 처리방침

양 개발대안 모두 물리적·법적·합리적 타당성이 있는 바, 제시된 조건에 따라 경제적 타당성을 검토한다.

2. 개발대안 1

(1) 매년 순영업소득

[(1,000,000,000 + 500,000,000 + 2,000,000,000) × 0.05 + (30,000,000 + 50,000,000 + 60,000,000) × 12월] × 0.95 − (30,000,000 + 50,000,000 + 60,000,000)× 0.95 × 12월 × 0.1 ≒ 1,602,650,000원

(2) 경제적 타당성 검토

$$\frac{4,200,000,000}{1,602,650,000} ≒ 2.62년$$

∴ 경제적 타당성이 있다.

(3) 개발대안에 따른 토지가치

(1,602,650,000 ÷ 0.12) − 4,200,000,000 ≒ 9,155,417,000원

3. 개발대안 2

(1) 매년 순영업소득

1) 임대부분

[(1,200,000,000 + 600,000,000) × 0.05 + (35,000,000 + 55,000,000) × 12월] × 0.95 − (35,000,000 + 55,000,000) × 0.95 × 12월 × 0.1 ≒ 1,008,900,000원

2) 영화관 부분

① 전체 매출액

a. 예상 내점고객수 : (250 × 4개) × 5.5회 × 365일 × 0.15 ≒ 301,125명

b. 총매출액 : 301,125 × (7,000 × 0.5 + 3,000) ≒ 1,957,313,000원

② 영업이익

1,957,313,000 × (1 − 0.5) ≒ 978,656,000원

3) 매년 순영업소득

1,008,900,000 + 978,656,000 ≒ 1,987,556,000원

(2) 경제적 타당성 검토

$$\frac{6,300,000,000}{1,987,556,000} \fallingdotseq 3.17\text{년}$$

∴ 회수기간이 3년 이상으로서 타당성이 없다.

4. 개발대안에 따른 토지가치

개발대안 1의 경우 자본회수기간이 3년 이내로서 타당성이 있는 바, 개발대안 1에 따른 평가금액인 9,155,417,000원으로 결정한다(3,980,000원/㎡).

Ⅲ 〈물음 2〉 적정성 검토

1. 공시지가기준가격

(1) 비교표준지 선정

준주거지역, 상업용으로서 주변환경 등 유사한 표준지 2를 선정한다.

(2) 시점수정치(2023년 1월 1일~2023년 9월 1일, A시 주거)

1.02119 × (1 + 0.00081 × 32/31) ≒ 1.02204

(3) 평가액 결정

3,800,000 × 1.02204 × 1.00 × 100/95 × 1.00 ≒ 4,090,000원/㎡

2. 비준가액(사례는 적정한 것으로 판단된다.)

(1) 사례토지가격

9,300,000,000 − (820,000 × 4,200 × 0.8) ≒ 6,544,800,000원(@4,090,000)

(2) 시점수정치(2022년 11월 1일~2023년 9월 1일, A시 주거지역)

(1 − 0.00091) × 1.00123 × 1.02204 ≒ 1.02237

(3) 비준가액

4,090,000 × 1.000 × 1.02237 × 1.000 × 100/110 ≒ 3,800,000원/㎡

3. 토지가격 결정 및 적정성 검토

공시지가기준법에 의하여 4,090,000원/㎡으로 결정하며 비준가액에 의하여 합리성이 인정된다(× 2,300 = 9,407,000,000원). 〈물음 1〉에 의한 토지가격에 대하여 격차율이 10% 이내(제시된 조건)로서 〈물음 1〉에 의한 토지가격이 적정하다고 판단된다.

Ⅳ 〈물음 3〉 현황대로의 평가액

1. 창고로서의 순영업소득(연)

(1) 임대료(198㎡, 8~10m)

3,500,000 × 8개동 × 12월 ≒ 336,000,000

(2) 보증금 운용수익

3,500,000 × 8개동 × 10월 × 0.05 ≒ 14,000,000

(3) 순영업소득

(336,000,000 + 14,000,000) × 0.9 ≒ 315,000,000

2. 현황대로의 평가금액

$$315{,}000{,}000 \times \frac{1.1^5 - 1}{0.1 \times 1.1^5} + \frac{9{,}407{,}000{,}000 \times 120\%}{1.1^5}$$ ≒ 8,203,306,000원(3,570,000원/㎡)

Ⅴ 〈물음 4〉 감정평가액 결정

1. 각 가격 검토

(1) 개발대안에 따른 가격 : 9,155,417,000원(3,980,000원/㎡)

(2) 현황대로의 가격 : 8,203,306,000원(3,570,000원/㎡)

2. 최종 감정평가액 결정

개발대안에 따른 평가금액인 9,155,417,000원(3,980,000원/㎡)으로 결정한다. 이는 창고로서의 효용보다 점포시설을 신축하는 것이 타당하다는 것을 의미한다.

20점

I 평가개요

본건은 최유효이용에 대한 판단 및 가치결정에 관한 건으로서 2023년 6월 30일을 기준시점으로 판단한다.

II 〈물음 1〉 나지에 대한 최유효이용 분석

1. 처리방침

지상의 개량물을 고려하지 않으며, 합법적, 물리적, 합리적이며 경제적인 대안을 선택한다. 개발대안 C는 적법하지 않으며 인근지역의 표준적인 사용과도 괴리되는 바, 배제한다.

2. 개발대안 A에 의한 토지가격

(1) 건축가능면적

1,109.2 × 800% ≒ 8,873.6㎡

(2) 분양가 총액

3,500,000 × 8,873.6 = 31,057,600,000원

(3) 개발비용

1,000,000 × 8,873.6 = 8,873,600,000원

(4) 토지가치

31,057,600,000 − 8,873,600,000 = 22,184,000,000원(20,000,000원/㎡)

3. 개발대안 B에 의한 토지가격

(1) 건축가능면적

1,109.2 × 600% ≒ 6,655.2㎡

(2) 분양가 총액

3,000,000 × 6,655.2 ≒ 19,965,600,000원

(3) 개발비용 총액

800,000 × 6,655.2 ≒ 5,324,160,000원

(4) 토지가치

19,965,600,000 − 5,324,160,000 = 14,641,440,000원(13,200,000원/㎡)

4. 토지의 최유효이용 결정(나지상태의 토지가격)

개발대안 중 더 높은 가치를 보이는 개발대안 A(업무시설)로 결정하며, 토지의 가치는 이에 따른 가치인 20,000,000원/㎡로 결정한다.

Ⅲ 〈물음 2〉 현상태 가격을 고려한 가치결정

1. 현상태 하의 복합부동산 평가액

(1) 일체 비준가액

거래사례는 본건과 토지, 건물의 요인이 유사하며, 별도의 품등비교 절차없이 활용이 가능하다.

18,000,000,000 × 1.00 × 1.000(시점) × 1.00 × 1/0.7(개별) ≒ 25,714,286,000원

(2) 일체 수익가액

1) 순영업소득

(130,000 + 130,000 × 0.5 + 130,000 × 0.35) × 665.85㎡ × 12월 × (1 − 0.4)
≒ 1,152,986,000원

2) 일체수익가액

현상태를 반영한 환원이율을 적용한다.

1,152,986,000 ÷ 0.045 ≒ 25,621,911,000원

(3) 결정

양 가격을 모두 고려하여 25,700,000,000원으로 결정한다.

2. 가치결정

(1) 철거비를 고려한 나지상태 토지가격

22,184,000,000 − 100,000 × 1,997.55 ≒ 21,984,245,000원

(2) 결정

본 복합부동산의 가치는 25,700,000,000원으로 결정한다.

CHAPTER 07

목적별 감정평가

Answer 87

35점

I 평가개요

본건은 경기도 Y군 Y면에 소재하는 토지 및 건물에 대한 담보취득목적 및 경매목적의 감정평가로서 2023년 8월 31일을 기준시점으로 평가한다.

II 〈물음 1〉 담보평가목적의 감정평가액

1. 각 필지별 처리방침

(1) 101-1번지

- 을구에 설정된 지상권은 저당권자가 채권확보를 위해 설정한 것으로서 이에 구애됨 없이 평가한다.
- 지상의 제시외 건물이 소재하고 있으며 그 정도가 현저한 바, 평가목적을 고려하여 평가외 한다.

(2) 101-2, 3번지

- 용도상 불가분관계로서 일단지로 평가한다.
- 기계기구는 5년 이상 경과한 바, 협약사항에 따라 평가 외 한다.

(3) 101-4번지

- 계획관리지역의 부분이 미미한 바, 주된 용도지역(자연녹지지역)을 기준한다.
- 지상의 건축물은 적법한 건축물(건축대장이 있다)이나 미등기 상태로서 정상평가하되, 보존등기 후 담보취득하도록 감정평가서에 기재한다.
- 제시외 물건이 소재하나 부합물로서 본 담보물에 영향이 없는 것으로 판단되는 바, 이를 감정평가서에 기재한다.
- 현황도로인 부분은 평가 외 한다.

(4) 101-5번지

공유지분 중 KJH씨만의 지분평가이나 위치확인이 되지 않으므로 협약사항에 의거 평가 외 한다.

2. 101-2, 3번지상 토지, 건물의 감정평가액

(1) 토지(공시지가기준가액)

1) 비교표준지 선정

계획관리지역, 공업용으로서 표준지 2를 선정한다.

2) 시점수정치(2023년 1월 1일~2023년 8월 31일, Y군 계획관리)

$1.03293 \times (1 + 0.00092 \times 31/31) \fallingdotseq 1.03388$

3) 그 밖의 요인비교치 결정

계획관리지역의 공업용 평가선례로서 비교표준지와 유사한 평가목적인 담보평가선례이며, 개별적 유사성이 있는 것으로 판단되는 평가선례 A를 선정한다.

$$\frac{610{,}000 \times 1.00 \times 1.00 \times 100/105}{470{,}000 \times 1.03388} \fallingdotseq 1.195$$

∴ 상기와 같이 산출되었는 바, 그 밖의 요인보정치로서 1.15를 적용한다.

4) 토지의 감정평가액

$470{,}000 \times 1.03388 \times 1.000 \times 105/95 \times 1.15 \fallingdotseq$ 618,000원/㎡($\times$640(일단지) = 395,520,000원)

(2) 건물

$450{,}000 \times 0.8$(적용률) $\times 32/40 = 288{,}000$원/㎡($\times$ (520 + 350) = 250,560,000원)

(3) 감정평가액

395,520,000 + 250,560,000 = 646,080,000원

3. 101-4번지상 토지 및 건물의 감정평가액

(1) 토지(공시지가기준가액)

1) 비교표준지 선정

자연녹지의 상업용으로서 유사한 표준지 1을 선정한다.

2) 시점수정치(2023년 1월 1일~2023년 8월 31일, 녹지)

$1.02871 \times (1 + 0.00129 \times 31/31) \fallingdotseq 1.03004$

3) 그 밖의 요인비교치

계획관리지역, 자연녹지의 상업용으로서 유사한 평가선례 B를 선정한다.

$$\frac{620{,}000 \times 1.00 \times 1.00 \times 100/95}{590{,}000 \times 1.03004} \fallingdotseq 1.074$$

(상기와 같이 산출된 바, 그 밖의 요인비교치로서 1.05를 적용한다)

4) 토지의 감정평가액

590,000 × 1.03004 × 1.000 × 90/110 × 1.05 ≒ 522,000원/㎡(×(400−40*)
= 187,920,000원)

* 도로 제외

(2) 건물

650,000 × 0.8 × 42/50 ≒ 437,000원/㎡(× (290 + 290) = 253,460,000원)

(3) 평가액

187,920,000 + 253,460,000 = 441,380,000원

Ⅲ 〈물음 2〉 경매목적의 감정평가

1. 각 필지별 처리방침(담보평가시와 차이점)

(1) 101−1번지

지상 제시외 건물로 인한 영향을 받는 토지로서 나지상태로 평가하되, 지상건물로 인한 영향시 평가목적상 이에 구애됨 없이 평가하되 지상 제시외 건물로 인하여 영향을 받는 경우(법정지상권 성립시)의 가액을 비고란에 병기한다.

(2) 101−2, 3번지

추가의뢰된 목록의 기계기구는 타용도로 전용이 불가능한 기계기구로서 해체처분가격으로 평가한다.

(3) 101−4번지

법원으로부터 건물에 대한 목록 수정을 요청하여 건물을 평가하되, 제시외 물건도 평가한다.

(4) 101−5번지

위치확인되지 않은 바, 지분비율로서 평가한다.

2. 101−1번지 평가

(1) 토지의 평가액(공시지가기준가액)

1) 비교표준지 선정

계획관리, 상업용으로서 표준지 4를 선정한다.

2) 그 밖의 요인비교치 선정

계획관리, 상업용으로서 평가선례 E을 선정한다.

$$\frac{900,000 \times 1.00 \times 1.00 \times 100/90}{650,000 \times 1.03388} \fallingdotseq 1.488$$

(상기와 같이 시산된 바, 그 밖의 요인보정치로서 1.45를 적용한다)

3) 평가액

650,000 × 1.03388× 1.000×100/85×1.45≒1,150,000원/㎡(지상건물로 인한 영향시 805,000원/㎡)

(2) 제시외 건물

400,000 × 29/40 = 290,000원/㎡(×80 = 23,200,000원)

3. 101-2, 3번지 평가액

(1) 토지

618,000원/㎡(× 640 = 395,520,000원)

(2) 건물

450,000×32/40 = 360,000원/㎡(×870 = 313,200,000원)

(3) 기계기구

50,000,000원

4. 101-4번지 평가

(1) 토지

522,000원/㎡(× 360 = 187,920,000원), 도로부분 365,400원/㎡(× 40 = 14,616,000원)

(2) 건물

650,000×42/50 = 546,000원/㎡(×580 = 316,680,000원)

(3) 제시외 건물

150,000 × 22/25 = 132,000원/㎡(×30 = 3,960,000원)

5. 101-5번지 평가

(1) 비교표준지 선정

계획관리지역, 전으로서 표준지 3을 선정한다.

(2) 그 밖의 요인비교치

계획관리지역, 전으로서 평가선례 C를 선정한다.

$$\frac{250{,}000 \times 1.00 \times 1.00 \times 100/110}{150{,}000 \times 1.03388} \fallingdotseq 1.465$$

(그 밖의 요인보정치로서 1.45를 적용한다)

(3) 평가액

150,000 × 1.03388 × 1.000 × 70/65 × 1.45 ≒ 242,000원/㎡(× 720 × 1/2 = 87,120,000원)

20점

Ⅰ 평가 개요

본건은 경기도 B시 N동에 소재하는 복합부동산에 대한 담보목적 감정평가 및 대출가능 여부로서 가격조사 완료일인 2023년 5월 10일을 기준시점으로 판단한다.

Ⅱ 〈물음 1〉 담보 목적의 감정평가액

1. 처리방침

본건 중 타인점유(타인소재 건물소재)인 부분에 대해서는 평가목적을 고려하여 평가 외 하도록 한다.

본건 중 도시계획도로 저촉부분은 N동 1-2구역 주택재개발정비사업에 의해 지정되었으며, 이에 대한 저촉감가 없이 가치가 형성되어 있으므로 이에 구애됨이 없이 평가하도록 한다.

2. 공시지가기준가액

(1) 비교표준지 선정

본건의 최유효이용이 주상용으로서 제2종 일반주거지역, 주상용으로서 본건과 같은 노선상에 위치하며 지리적으로 인접하다고 판단되는 표준지 A를 선정한다.

(2) 시점수정치(2023년 1월 1일~2023년 5월 10일, B시 O구 주거지역)

$1.00261 \times (1 + 0.00062 \times 40/31) \fallingdotseq 1.00341$

(3) 개별요인비교치(조정개별공시지가 격차, 이하 동일)

$1,230,000/1,500,000 \fallingdotseq 0.820$

(4) 그 밖의 요인비교치 결정

1) 평가선례의 선정

제2종 일반주거지역, 주상용의 사례로서 비교표준지와 비교가능하며 비교적 최근 평가된 담보평가선례인 평가선례 2를 선정한다.

2) 그 밖의 요인비교치 결정

$$\frac{1,600,000 \times 1.02612 \times 1.00 \times 1.240^{*}}{1,500,000 \times 1.00341} \fallingdotseq 1.352$$

* 1,500,000/1,210,000

상기와 같이 산출된 바, 그 밖의 요인비교치로서 1.35를 적용한다.

(5) 공시지가기준가액

1,500,000 × 1.00341 × 1.000 × 0.820 × 1.35 ≒ 1,670,000원/㎡

3. 비준가액(거래사례비교법)

(1) 거래사례 적부

제2종 일반주거지역, 주상용으로서 비교가능성이 있으며 사례로서 적절하고 건물은 거래 당시 20년 이상 경과되어 가치가 없는 것으로 본다.

(165,000,000 ÷ 97.2 ≒ 1,697,531원/㎡)

(2) 비준가액

1,697,531 × 1.000 × 1.00142* × 1.000 × 1.051** ≒ 1,787,000원/㎡

* 2023년 3월 1일~2023년 5월 10일, O구 주거지역
1.00062 × (1 + 0.00062 × 40/31)

** 1,230,000/1,170,000

4. 감정평가액 결정

(1) 토지의 감정평가액 결정

「감정평가에 관한 규칙」에 의거 공시지가기준법에 의하되, 거래사례비교법에 의하여 그 합리성이 인정된다고 판단된다.

(1,670,000원/㎡)(× 500* ≒ 835,000,000원)

* 740.2-240

(2) 건물 감정평가액 결정

20년 이상 된 건물로서 실질적인 가치를 가지지 않을 것으로 예상되므로 평가 외 할 수 있으나 개별평가의 원칙에 의하여 원가법에 의한 가치를 평가하도록 한다.

500,000 × 11/40 = 137,000원/㎡(× 170 = 23,290,000원)

(3) 감정평가액 결정

835,000,000 + 23,290,000 = 858,290,000원

(담보평가시 타인점유부분이 평가외 되어 실거래계약금액과 괴리된다)

III 〈물음 2〉 대출가능 여부 검토

1. 유효대출 가능금액

858,290,000 × 0.5 − 50,000,000(보증금) = 379,145,000원

2. 대출가능 여부

대출가능금액이 신청금액(1,350,000,000 × 0.4 = 540,000,000원)에 미달하는 바, 대출이 불가능하다.

25점

Ⅰ 평가개요

본건은 경기도 K시 J면 소재 임야 등에 대한 경매목적의 감정평가 및 담보평가시와의 가격격차 소명에 관련된 건으로서 2023년 9월 1일을 기준시점으로 감정평가한다.

Ⅱ 〈물음 1〉 2023년 9월 1일 기준 경매평가액

1. 처리방침

- 건축허가 취소 및 현재 공사 중이 아닌 바, 현황대로 평가하며, 허가 여부가 불분명하여 건축허가로 인한 조건을 반영하지 않는다.
- 멸실된 창고는 평가외 한다.

2. 비교표준지 선정

(1) 기호 1

모두 2023년 공시지가를 활용하며(이하 동일), 생산관리지역, 자연림으로서 유사한 표준지 나를 선정한다.

(2) 기호 2

생산관리지역, 토지임야로서 유사한 표준지 사를 선정하며 토목공사로 인한 자본적 지출은 개별요인으로 반영하여 평가한다.

(3) 기호 3

계획관리지역, 전으로서 표준지 아를 선정한다.

3. 경매목적 감정평가액

(1) 기호 1(본건 : 소로한면, 부정형, 완경사)

1) 시점수정치(2023년 1월 1일~2023년 9월 1일)

세분화된 관리지역별 시점수정치가 공시되지 않은 바, 유사한 용도지역인 관리지역의 지가변동률을 활용한다(이하 동일).

$1.01216 \times (1 + 0.00051 \times 32/31) ≒ 1.01269$

2) 평가액

$11,000 \times 1.01269 \times 1.000 \times (100/90 \times 1.00 \times 1.00) \times 2.00$(그 밖의 요인) $≒ 25,000$원/㎡

($\times$ 2,000 = 50,000,000원)

(2) 기호 2(본건 : 세로가, 부정형, 완경사)

53,000 × 1.01269 × 1.000 × (1.00 × 1.00 × 1.00) × 2.00 + 70,000* ≒ 177,000원/㎡
(× 3,000 = 531,000,000원)

* 토목공사비로 인한 가치증가분
210,000,000 ÷ 3,000(본건 토지면적) = 70,000원/㎡

(3) 기호 3(본건 : 맹지, 부정형, 완경사)

120,000 × 1.01269 × 1.000 × (75/80 × 1.00 × 90/100) × 1.80 ≒ 185,000원/㎡
(× 1,000 = 185,000,000원)

(4) 전체 평가액

50,000,000 + 531,000,000 + 185,000,000 = 766,000,000원

III 〈물음 2〉 담보평가액과 차이가 나는 이유

1. 용도지역의 변경

평가대상 중 일부는 용도지역이 변경되었으므로 이를 반영하여 평가하였다.

2. 건축허가의 취소

건축허가가 취소되면서 비교표준지의 변경, 면적사정의 변경, 개별요인이 변경되어 가격의 변동이 생겼다.

3. 현황의 변경

현재 종전의 창고가 철거되면서 창고부지가 현황이 전이되었다.

4. 자본적 지출의 투하

일부 토지에 토목공사비가 투하되면서 이 부분이 평가액에 반영되었다.

5. 시점의 변동

담보평가 이후 수년이 경과하면서 거시적 시장이 변동되어 가격의 변동이 발생하였다.

25점

Ⅰ 평가개요

본건은 경기도 K시에 소재하는 단독주택에 대한 담보감정평가의 심사와 관련된 건으로서 관련 규칙 등에 따라 심사를 한다(기준시점 : 2023년 7월 15일).

Ⅱ 〈물음 1〉 담보감정서의 심사

1. 비교표준지의 선정 및 개별요인비교 관련

(1) 선정기준(「감정평가에 관한 규칙」 제14조)

인근지역에 있는 표준지 중에서 대상토지와 용도지역, 이용상황, 주변환경 등이 같거나 유사한 표준지를 선정해야 한다. 다만, 인근지역에 적절한 표준지가 없는 경우에는 인근지역과 유사한 지역적 특성을 갖는 동일수급권 안의 유사지역에 있는 표준지를 선정할 수 있다.

(2) 심사의견

본건은 개발제한구역의 집단취락지구 외에 위치하고 있으나 집단취락지구 내의 비교표준지를 선정하면서 적절한 개별요인비교를 하지 않은 것은 비교표준지 선정 및 개별요인비교에 문제가 있는 것으로 판단된다.

2. 평가대상의 확정 관련

(1) 담보평가시 진입도로의 처리

대지의 진입도로가 공도가 아닌 이상 담보평가시 진입도로도 명세표에 표시하여 공동으로 담보취득할 수 있도록 해야 한다.

(2) 심사의견

본건 진입도로가 공도가 아닌 사도로서 차주의 도로부분에 대한 공유지분을 담보취득하여 향후 물건의 환가성에 문제가 없도록 조치해야 한다.

3. 건물부분의 감정평가 관련

건물의 경제적 가치가 희박하더라도 멸실신고가 완료된 경우가 아니라면 명세표에 기재하여 담보로 취득해야 한다.

4. 현황에 대한 부분

현황 법면의 부분은 향후 건축행위가 불가하여 정상적인 대지에 비해 감가됨이 일반적이므로 이에 대한 개별요인비교가 필요하다.

5. 그 밖의 요인비교치 산출과정

그 밖의 요인비교치의 산출과정을 평가서에 구체적으로 기록해야 한다.

III 〈물음 2〉 심사의견 반영시 시장가치

1. 비교표준지 선정

인근지역 내 집단취락지구 외 표준지가 없으며, 유사지역 내 존재하나 지역요인 등 비교가 불가한 것으로 판단된다. 따라서 표준지 1을 선정하되 행정적 요인으로 개별요인을 비교한다.

2. 시점수정치(2023년 1월 1일~2023년 7월 15일, 경기도 K시 녹지지역)

$1.01311 \times (1 + 0.00262 \times 45/31) \fallingdotseq 1.01696$

3. 지역요인

인근지역에 소재하므로 대등하다(1.000).

4. 개별요인

행정적 요인의 격차율이 적정하지 않은 것으로 판단되는 바, 적정한 요인비교치를 결정한다(거래사례 활용).

(1) 행정적 요인비교치 결정

1) 거래사례 A의 토지거래가격

① 거래사례토지가격

$280,000,000 - 150,000 \times 100 = 265,000,000$원(1,020,000원/㎡)

② 기준시점의 토지가격

$1,020,000 \times 1.00380^{*} \fallingdotseq 1,020,000$원/㎡

* 2023년 6월 1일~2023년 7월 15일, 경기도 K시, 녹지지역

$1 + 0.00262 \times 45/31$

2) 거래사례 B의 토지거래가격

$260,000,000 \div 350 \fallingdotseq 743,000$원/㎡

3) 요인비교치 결정(지구 외/지구 내)

개별격차를 보정하여 격차율을 산정한다.

$743,000 \div (1,020,000 \times 100/95) \fallingdotseq 0.69$

(2) 개별요인비교치

$0.97 \times 1.00 \times 1.00 \times 1.00 \times 0.69 \times 1.00 \fallingdotseq 0.669$

5. 그 밖의 요인비교치 결정

(1) 평가선례의 선정

본건 비교표준지와 유사한 이용상황이며, 평가목적이 유사하며 최근 선례인 평가선례 1을 선정한다.

(2) 그 밖의 요인비교치 결정

$$\frac{1{,}320{,}000 \times 1.01696 \times 1.00 \times 1.00}{820{,}000 \times 1.01696} \fallingdotseq 1.609$$

상기와 같이 산출된 바, 그 밖의 요인비교치로서 1.60을 적용한다.

6. 시장가치의 결정

$820{,}000 \times 1.01696 \times 1.000 \times 0.669 \times 1.60 \fallingdotseq 893{,}000$원/㎡

Ⅳ 〈물음 3〉 명세표 작성

지번	면적(㎡)	단가(원/㎡)	평가액(원)	비고
343-1	433 ┌ 383	893,000	342,019,000	–
	└ 50		평가외	법면부분
위 지상	90.4		평가외	담보가치 희박
342-8	120 × 1/3 = 40		평가외	A씨 지분 현황도로

25점

Ⅰ 평가개요

본건은 N 제1구역 제1지구의 관리처분계획 수립을 위한 종전자산 평가이다. 「도시정비법」 제74조에 의하여 사업시행인가(변경)일인 2023년 7월 23일을 기준시점으로 한다.

Ⅱ 〈물음 1〉 김서울씨 소유자산 평가

1. 처리방침

변경 전 용도지역(제1종 일주)를 기준하며, 건물은 현황 멸실이나 객관적인 자료에 의하여 평가가 가능할 것으로 보이며(특정 무허가건축물), 관찰감가를 병용한다. 도로부분은 「토지보상법 시행규칙」 제26조를 준용하여 평가한다.

2. 토지의 평가액(일단지 평가, 공시지가기준법)

(1) 비교표준지 선정

2023년 공시지가를 기준하며 사업지 내 적정한 표준지가 없어 사업지 외 표준지로서 제1종 일반주거지역, 주거용인 표준지 '가'를 선정한다.

(2) 시점수정치(2023년 1월 1일~2023년 7월 23일)

1) 지가변동률

$1.00800 \times (1 + 0.00190 \times 23/31) \fallingdotseq 1.00942$

2) 생산자물가상승률

2023년 7월/2022년 12월 $= 101.43/103.11 \fallingdotseq 0.98371$

3) 결정

토지가치를 잘 반영하는 지가변동률을 기준한다.

(3) 그 밖의 요인보정치

1) 거래사례 등의 선정

제1종 일반주거지역으로서 유사성 있는 거래사례 D를 선정한다.

2) 사례토지단가

$(585{,}000{,}000 - 900{,}000 \times 43/50 \times 298.44)/130 \fallingdotseq 2{,}720{,}000$원/㎡

3) 격차율 및 결정

$$\frac{2{,}720{,}000 \times 1.00745 \times 1.00 \times 1.08}{2{,}050{,}000 \times 1.00942} \fallingdotseq 1.430$$

(1.43으로 결정한다)

(4) 감정평가액

2,050,000×1.00942×1.00×0.884×1.43 ≒ 2,620,000원/㎡(×266.54(일단지)
= 698,335,000원)

(도로부분(1/3 이내) : 873,000원/㎡(×10 = 8,730,000원))

3. 건물평가액(원가법)

900,000 × 12/50(관찰감가) = 216,000원/㎡(×216.2 = 46,699,200원)

4. 소계

753,764,000원

Ⅲ 〈물음 2〉 박부산씨 소유 자산의 평가

1. 처리방침 및 사례선택

구분소유건물로서 「감정평가에 관한 규칙」 제16조에 의하여 대지권을 포함한 거래사례비교법으로 평가한다. 다만 본건은 재개발구역 내에 소재하여 그 특성상 층 및 위치의 격차보다 대지지분 여부 및 크기, 종후자산 가격형성과 밀접한 연관이 있으므로 본건과 대지지분, 건물의 사용연수 등이 유사한 거래사례 A를 선택한다(98,000,000 ÷ 39.25 ≒ 2,500,000원/㎡).

2. 시점수정치(2022년 6월 5일~2023년 7월 23일)

연립/다세대 매매가격지수 기준, 2023년 7월/2022년 5월 = 100.2/98.9 ≒ 1.01314

3. 가치형성요인비교치

1.05 × 0.95 × 1.00* ≒ 0.998

* 층격차는 대등한 것으로 본다.

4. 비준가액

2,500,000 × 1.000 × 1.01314 × 0.998 ≒ 2,530,000원/㎡(× 45 = 113,850,000원)

Answer 92

25점

I 평가개요

1. 본건은 K2지구 주택재개발 정비사업의 관리처분계획 수립을 위한 종후자산의 감정평가 건이다.
2. 전체 종후자산 중 분양예정 공동주택부분을 평가한다.
3. 기준시점은 사업시행자가 제시한 분양신청기간 종료일인 2023년 5월 20일이다.

II 기준 호의 기준단가 결정

1. 사례의 적정성
   선정된 사례는 대상과 물적 유사성이 높으며 비교적 최근에 거래되어 적정하다.

2. 사례 A 기준가격
   (1) 시점수정치(2023.2.22~2023.5.20)
   비교사례가 소재하는 S구 아파트 매매가격지수(이하 동일)
   2023년 5월 ÷ 2023년 2월 = 102.8 / 102.4 ≒ 1.00391

   (2) 가치형성요인 비교 : 0.794 × 1.071 × 1.000 ≒ 0.850

   (3) 사례 A 기준가격
   8,390,000 × 1.00 × 1.00391 × 0.850 ≒ 7,160,000원/㎡

3. 사례 B 기준가격
   (1) 시점수정치(2023.3.23 ~ 2023.5.20)
   2023년 5월 ÷ 2023년 3월 = 102.8 / 102.9 ≒ 0.99903
   (2) 가치형성요인 비교 : 0.930 × 1.050 × 1.030 ≒ 1.006

   (3) 사례 B 기준가격
   6,600,000 × 1.00 × 0.99903 × 1.006 ≒ 6,630,000원/㎡

4. 기준호 기준단가 결정
   요인비교자료를 보건대, 사례 B가 사례 A에 비해 유사성이 높으므로 B에 70%, A에 30%의 가중치를 두어 결정한다.
   7,160,000 × 0.3 + 6,630,000 × 0.7 ≒ 6,790,000원/㎡

III 의뢰된 각 호수별 종후자산 평가액

1. 제101동 제101호(59A)

(1) 세대별 총 효용지수

0.925(1층) × 1.10(주택평형별지수) × 0.98(향별지수) × 1.00(동별지수) × 1.00(평면구조 효용지수) × 1.02(발코니 효용지수) ≒ 1.017

(2) 제101동 제101호 종후자산가

6,790,000 × 1.00(시점, 이하 동) × 1.017 ≒ 6,910,000원/㎡(×59.93 = 414,116,300원)

2. 제102동 제502호(84C)

(1) 세대별 총 효용지수

0.975(층) × 1.00(주택형) × 0.99(향) × 1.00(동) × 0.97(평면) × 1.00(발코니) ≒ 0.936

(2) 제102동 제502호의 종후자산가

6,790,000 × 1.00 × 0.936 ≒ 6,360,000원/㎡(×84.96 = 540,345,600원)

3. 제103동 제1003호(108A)

(1) 세대별 총 효용지수

0.99(층) × 0.89(주택형) × 0.97(향) × 1.01(동) × 1.00(평면) × 0.99(발코니) ≒ 0.855

(2) 제103동 제1003호의 종후자산가

6,790,000 × 1.00 × 0.855 ≒ 5,810,000원/㎡(× 108.72 = 631,663,200원)

4. 제104동 제203호(59B)

(1) 세대별 총 효용지수

0.950(층)* × 1.10(주택형) × 1.00(향) × 1.01(동) × 0.97(평면) × 1.02(발코니) ≒ 1.044

* 필로티 상층 1.0%p 증가

(2) 제104동 제203호의 종후자산가

6,790,000 × 1.00 × 1.044 ≒ 7,090,000원/㎡(×59.93 = 424,903,700원)

Answer 93

15점

Ⅰ 평가개요

1. 본건은 D1구역 주택재개발사업에 편입되는 토지에 대한 보상감정평가이다.
2. 「도시정비법」 제73조에 의하여 현금청산하는 건으로서 동법 제63조, 제65조에 의하여 「토지보상법」을 준용하여 평가한다.
3. 가격시점은 「토지보상법」 제67조에 의하여 협의예정일(귀 제시일)인 2023년 9월 26일이다.

Ⅱ 적용공시지가 및 비교표준지의 선택

1. 적용공시지가의 선택

「도시정비법」상 사업시행인가 고시일이 사업인정의제가 된다. 본 사업은 2019년 9월 24일에 득한 사업시행인가의 사업기간 이후 다시 사업시행인가를 득한 바, 새로운 사업시행인가일이 사업인정의제(2023년 2월 14일)가 되며, 이전의 공시지가인 2023년 공시지가를 선정한다.

2. 비교표준지 선택

사업지 내 본건의 종전 용도지역 등과 유사한 표준지가 소재하지 아니하는 바, 사업지 밖의 표준지를 선정하며, 제3종 일반주거지역의 후면 주택부지로서 표준지 '나'를 선정한다.

Ⅲ 감정평가액

1. **시점수정치**(2023.01.01~2023.09.26)

비교표준지가 소재하는 S구의 지가변동률 기준(생산자물가지수 미제시로 미고려)

$1.02116 \times (1 + 0.00388 \times 57/31) \fallingdotseq 1.02845$

2. **개별요인비교치** : $1.00 \times 1.08 \times 1.00 \fallingdotseq 1.080$

3. **감정평가액**

$2,300,000 \times 1.02845 \times 1.000 \times 1.080 \times 2.20 \fallingdotseq 5,620,000$원/㎡($\times 44.3 = 248,966,000$원)

Ⅳ 종전자산 평가액과 차이가 나는 이유

1. 가격시점의 차이

종전자산은 사업시행인가고시일 기준이며, 현금청산평가는 협의(재결) 당시를 기준으로 한다.

2. 평가목적의 차이

종전자산평가는 관리처분계획 수립 및 조합원의 상대적 가액을 기준으로 한 권리가액의 산정이 목적이나, 현금청산평가는 절대적 가격으로서 정당보상이 되도록 해야 하므로 평가액의 차이가 있을 수 있다.

Answer 94

25점

Ⅰ 평가개요

1. 본건은 C시 S동 SB주공2단지 주택재건축정비사업지구 내 토지 등에 대한 매도청구 목적의 소송평가로서 「도시정비법」 등 관련 법령에 의하여 평가한다.
2. 기준시점은 제시된 2022년 2월 11일로서 소급하여 시가로 감정평가한다.
3. 본 감정에서는 기준시점까지의 현실화 및 구체화된 개발이익을 반영하여 평가한다.

Ⅱ 토지의 감정평가액(공시지가기준법)

1. 비교표준지 선정

기준시점 이전 2022년 공시지가를 선정하며, 현재의 용도지역인 제3종 일반주거지역의 단독주택인 표준지 가를 선정한다.

2. 시점수정치(2022년 1월 1일~2022년 2월 11일, 주거)

$(1-0.00011)\times(1+0.00200\times 11/28) \fallingdotseq 1.00068$

3. 그 밖의 요인보정치

(1) 평가선례 및 거래사례 선정

본건의 기준시점 이후의 평가선례 및 거래사례는 제외하며, 제3종 일반주거지역의 주거용으로서 비교가능성이 있는 A를 선정한다(종전자산가액은 적절한 개발이익을 반영하지 못하고 있어 제외한다).

(2) 거래사례의 토지배분가액

$317,500,000-(650,000\times 0.58)\times 262.42 \fallingdotseq 218,386,700$원($\div 213.9 = 1,020,000$원/m²)

(3) 격차율 산출

$$\frac{1,020,000\times 1.04256^{*}\times 1.00\times 0.898}{440,000\times 1.00068} \fallingdotseq 2.169$$

* 2021년 5월 24일~2022년 2월 11일, 주거

(4) 그 밖의 요인보정치 결정

상기와 같이 산출된 바, 2.16으로 결정한다.

4. 평가액 결정

(1) 처리방침

본건에 저촉된 도시계획시설(어린이공원)은 감가가 없는 바, 이에 구애됨 없이 평가한다.

(2) 토지의 평가액

440,000 × 1.00065 × 1.000 × 1.000 × 2.16 ≒ 951,000원/㎡(×153 = 145,503,000원)

Ⅲ 건물 및 제시외 물건의 평가액

1. 처리방침

현황을 기준으로 평가하되, 멸실된 부분은 제외하며, 제시외 물건인 수목은 해당 물건의 가격으로 평가한다.

2. 건물의 평가액(기준시점 당시 29년 경과함)

650,000 × 16/45 ≒ 231,000원/㎡(×63.9 = 14,760,900원)

3. 수목

150,000 + 70,000 = 220,000원

4. 소계

14,760,900 + 220,000 = 14,980,900원

Ⅳ 평가액 결정

145,503,000 + 14,980,900 = 160,483,900원

Ⅴ 피고의 주장 검토

1. 의견 1

매도청구가액은 매도청구권 행사시의 객관적인 거래가격이며, 비례율은 미래 발생할 재건축사업의 이익이고 불확실하므로 이를 반영하여 평가할 수는 없다. 또한 조합원은 재건축사업에 따른 수익과 개발손실 등 위험을 책임지므로 매도청구 대상자와 다른 상황이다.

2. 의견 2

공익사업에 따른 손실보상이 아니므로 영업에 대한 손실보상은 있을 수 없다.

3. 의견 3

임대료 및 이사비는 감정의 대상이 아니며, 건축물의 수리비는 수익적 지출로서 재조달원가에 참작되어 있다.

Answer 95

25점

I 평가개요

본건은 환지방식의 도시개발사업에 의한 정리 전・후 토지의 감정평가 및 사업구역 내 토지에 대한 담보평가로서 각 물음에 답한다.

II 〈물음 1〉 정리 전 토지평가

1. 기준시점

실시계획인가고시일인 2022년 5월 5일이다.

2. 평가기준

종전의 토지를 기준으로 평가하여 자연녹지지역의 전을 기준하며, 해당 사업으로 인한 도시계획시설은 이에 구애됨 없이 평가한다.

3. 비교표준지 선정

기준시점 이전의 2022년 공시지가를 기준하며 자연녹지지역, 전을 기준하되 사업지 내 소재하여 유사성 있는 표준지 A를 선정한다.

4. 평가액 결정

650,000 × 1.01376* × 1.00 × 1.000** × 1.50 ≒ 988,000원/㎡(×1,000 = 988,000,000원)

* 2022년 1월 1일~2022년 5월 5일, 녹지

** 1.00× 1.00 × 1.00

III 〈물음 2〉 정리 후 토지평가

1. 기준시점

제시된 환지처분(예정)일인 2023년 7월 1일이다.

2. 평가기준

환지 후의 상태를 기준으로 제2종 일반주거지역, 주상용을 기준하며, 환지예정지 면적을 기준한다.

3. 비교표준지 선정

기준시점 이전의 2023년 공시지가를 기준하며, 제2종 일반주거지역의 주상용으로서 사업지 내 소재한 표준지 E를 선정한다.

4. 평가액 결정

1,450,000 × 1.02162* × 1.000 × 1.084** × 1.40 ≒ 2,250,000원/㎡(×500(환지면적) = 1,125,000,000원)

* 2023년 1월 1일~2023년 7월 1일, 주거

** 1.05 × 97/94 × 1.00

Ⅳ 〈물음 3〉 청산면적(㎡)의 산정

1. 권리가액

988,000,000 × 1.10 = 1,086,800,000원

2. 권리면적

1,086,800,000 ÷ 2,250,000 ≒ 483.02㎡

3. 청산면적

환지예정지 면적이 500㎡인 바, 16.98㎡ 과도지정으로서 징수청산금이 발생한다.

Ⅴ 〈물음 4〉 담보평가액

1. 기준시점

「감정평가에 관한 규칙」 제9조에 의하여 가격조사 완료일인 2023년 4월 1일이다.

2. 평가기준

환지예정지 지정 후로서 환지예정지 상태를 기준으로 평가하되, 환지처분 이전으로서 권리면적을 기준으로 평가한다.

3. 비교표준지 선정

기준시점 이전의 2023년 공시지가를 기준하며, 제2종 일반주거지역의 주상용으로서 사업지 내에 소재하는 표준지 E를 선정한다.

4. 평가액 결정

1,450,000 × 1.01711* × 1.000 × 1.084** × 1.40 ≒ 2,240,000원/㎡(×483.02(권리면적) = 1,081,964,800원)

* 2023년 1월 1일~2023년 4월 1일, 주거

** 1.05 × 97/94 × 1.00

Answer 96

15점

Ⅰ 평가개요

본건은 개발제한구역 내 토지에 대한 「개발제한구역법」 제17조에 의한 매수청구대상 판단 및 매입가격의 감정평가로서 계약시점인 2023년 8월 1일을 기준시점으로 감정평가한다.

Ⅱ 매수대상 여부의 판단

1. 개발제한구역 매수청구의 요건

(1) 개발제한구역의 지정으로 인하여 종래의 목적으로 사용이 불가능하여 효용이 현저히 감소하거나 사용이 불가능한 토지로서

(2) 지정 당시부터 소유하고 있으며, 사용 및 수익이 불가능하게 되기 전부터 소유한 자를 요건으로 하고 포괄승계인(상속인)을 포함한다.

2. 매수대상 여부의 판단

甲씨의 소유 토지가 상기의 요건에 부합되는 바, 매수청구의 대상이 된다.

Ⅲ 매입가격의 감정평가

1. 처리방침

관련 법령에 따라 공시지가기준법에 따른다. 개발제한구역은 일반적 계획제한으로서 이를 반영한 가격으로 평가하며, 이용상황은 현저히 이용이 저해되기 이전의 이용상황을 기준한다.

2. 적용공시지가

매수청구 당시의 공시된 공시지가 중 매수청구일에 가장 가까운 2022년 1월 1일 공시지가를 선정한다(「개발제한구역법」 시행령 제30조).

3. 비교표준지 선정

자연녹지지역, 개발제한구역 내의 표준지로서 종전의 이용상황인 나대지를 기준으로 감정평가한다.

표준지 2 선정 이후 격차율을 고려하여 평가한다.

4. 시점수정치(2022년 1월 1일~2023년 8월 1일)

(1) 지가변동률

1.00280 × 1.00190 × 1.00130 × (1 + 0.00130 × 1/31) ≒ 1.00605

(2) 생산자물가상승률

2023년 7월 ÷ 2021년 12월 = 112 ÷ 105 ≒ 1.06667

(3) 결정

해당 토지의 가격을 잘 반영하는 지가변동률을 선택한다.

5. 매입가격

250,000 × 1.00605 × 100/110 × (100/98 × 0.8) ≒ 187,000원/㎡(× 800 = 149,600,000원)

Answer 97

20점

Ⅰ 평가개요

각 사안에 따른 권리가액 및 부담금을 판단하고, 의미를 서술한다(기준시점 : 현재).

Ⅱ 물음 #1의 경우

1. 종전자산의 가액이 평당 900만원일 때의 부담금

(1) A씨 권리가액

1) 비례율

① 산식

비례율 = (종후자산 평가액 – 추정 총 공사비)/종전자산 평가액

② 산정

$$\frac{1{,}000 \times 90{,}000 - 47{,}600{,}000}{900 \times 47{,}000} \fallingdotseq 1.0024(100.24\%)$$

2) A씨의 권리가액

① 산식

A씨의 종전자산 평가액 × 비례율

② 산정

(900 × 45) × 1.0024 ≒ 40,597만원

(2) 부담금

1) 산식

A씨가 입주할 APT 분양가격 – A씨의 권리가액

2) 산정

1,000 × 43 – 40,597 ≒ 2,403만원

2. 종전자산가액이 1,200만원일 경우 부담금

(1) A씨 권리가액

1) 비례율

$$\frac{1{,}000 \times 90{,}000 - 47{,}600{,}000}{1{,}200 \times 47{,}000} \fallingdotseq 0.7518(75.18\%)$$

2) A씨의 권리가액

1,200 × 45 × 0.7518 ≒ 40,597만원

(2) 부담금

1,000 × 43 − 40,597 ≒ 2,403만원

3. 상기 결과의 의미

(1) 부담금의 변화

종전자산가액이 900만원에서 1,200만원으로 변하더라도 A씨가 부담해야 할 금액의 변화는 없다.

(2) 의미

종전자산평가는 사업 자체의 이익을 조합원이 어떻게 나누어 가지는지에 대한 비율을 결정하는 상대적 평가로서 종전자산의 절대적 평가액 자체가 부담금의 변화를 야기하지는 않는다.

III 물음 #2의 경우

1. 분양가가 평당 900만원일 경우 K씨의 부담금

(1) 비례율

$$\frac{900 \times 26{,}000 - 16{,}000{,}000}{900 \times 10{,}000} \fallingdotseq 0.822(82.2\%)$$

(2) K씨의 부담금

900 × 43평 − 38,500 × 0.822 ≒ 7,053만원

2. 분양가가 평당 1,000만원일 때 K씨의 부담금

(1) 비례율

$$\frac{1{,}000 \times 26{,}000 - 16{,}000{,}000}{900 \times 10{,}000} \fallingdotseq 1.111(111.1\%)$$

(2) K씨의 부담금

1,000 × 43평 − 38,500 × 1.111 ≒ 227만원

3. 결과의 의미

(1) 부담금의 변화

분양가가 900만원에서 1,000만원으로 증가함에 따라서 K씨의 부담금이 6,826만원 감소한다.

(2) 의미

1) 분양가가 올라가면 조합 전체의 수익이 증가되고 일반부담금에 대한 초과수익이 조합원에게 배분되어 전체적으로 부담금이 낮아진다.

2) 분양가가 높아질 때 종전자산 평가액이 조합원 전체 평균보다 적은 조합원은 배분되는 이익의 상승보다 분양가 상승으로 인한 부담금 상승폭이 커서 손해를 보게 된다.

Answer 98

15점

Ⅰ 평가개요

본건은 서울특별시 M구 H동 소재 단독주택에 대한 매각방안에 대한 결정으로서 매각시, 보상을 받을 시, 분양을 받을 시의 현금흐름을 각각 비교하여 의사결정한다(기준시점 : 2023년 6월 30일).

Ⅱ 매각시의 현금흐름

1. **매각금액**(명목가액)

$4,000,000 \times 262㎡ ≒ 1,048,000,000$원

2. **매각금액의 현재가치**

$1,048,000,000 \times (0.5 + 0.1 \times \frac{1.06^5 - 1}{0.06 \times 1.06^5}) ≒ 965,456,000$원

Ⅲ 보상을 받을 시 현금흐름

1. **처리방침**

보상평가액(종전자산가액)과 기타지장물에 대한 가액을 포함한다.

2. **보상평가액**

$917,040,000 + 5,000,000 = 922,040,000$원

3. **보상가의 현재가치**

$922,040,000 \times \frac{1}{1.005^4} ≒ 903,827,000$원

Ⅳ 분양을 받을 시 현금흐름

1. **처리방침**

조합원 분양분의 시장가치(예상)와 현금정산분을 반영하여 결정한다.

2. **종후자산**(조합원분양분)**의 시장가치**(2년 후)

$6,400,000 \times 1.15 \times 1.03^2$(시점) $≒ 7,808,000$원/㎡($\times$ 85㎡ = 663,680,000원)

3. 현금정산액

(1) 총 종후자산가액

1) 조합원 분양분

$410,000,000 \times 168 + 510,000,000 \times 337 + 650,000,000 \times 96 = 303,150,000,000$원

2) 일반분양분

$7,808,000 \times (59 \times 74 + 85 \times 143 + 114 \times 50) = 173,502,000,000$원

3) 총 종후자산가액

$303,150,000,000 + 173,502,000,000 = 476,652,000,000$원

(2) 비례율

$$\frac{476,652,000,000 - 200,000,000,000}{917,040,000 \div 0.004} \fallingdotseq 1.21$$

(3) 현금정산액

$917,040,000 \times 1.21 - 510,000,000 = 599,618,000$원(교부)

4. 분양시 현금흐름

$(663,680,000 + 599,618,000) \times \frac{1}{1.06^2} \fallingdotseq 1,124,331,000$원

V 가장 타당한 방법

분양을 받는 경우의 현금흐름이 가장 우수한 바, 분양을 받는 방안을 선택한다.

Answer 99

10점

I 평가개요

본건은 주택재개발구역사업에 따른 종전자산평가 등으로 종전자산가치란 재개발이나 재건축사업의 사업시행고시가 있는 날을 기준으로 산정된 사업시행 이전의 자산에 대한 평가액을 말하며, 사업시행인가 시점을 기준으로 평가한다. 권리가격 산정시의 비례율은 전체 종후자산가격에서 총사업비를 공제한 후 이를 전체 종전자산금액으로 나누어서 산정한다.

II 종전자산가격의 산정(2023년 6월 1일)

1. 토지

(1) 비교표준지 선정

시업시행인가시점 이전에 최근 공시된 2023년 공시지가를 선정하며, 용도지역 · 이용상황과 유사한 표준지 1을 선정한다(공시지가는 나지상정평가로 건부감가 미고려).

(2) 토지가격

$980,000 \times \underset{\text{시}^*}{1.00610} \times 1.000 \times 1.050 \times 1.00 \fallingdotseq 1,035,000$원/m²($\times 180 = 186,300,000$원)

* 시점(2023년 1월 1일~6월 1일)

2. 건물

$300,000 \times 27/40 \times 100$m² $\fallingdotseq 20,250,000$원

3. 李씨의 종전자산가치

$186,300,000 + 20,250,000 \fallingdotseq 206,550,000$원

4. 전체 종전자산가치

$\frac{206,550,000}{0.004} \fallingdotseq 51,637,500,000$원

III 李씨의 권리의 가격 및 정산금의 산정

1. 비례율의 산정

$$\frac{100,000,000,000-60,000,000,000}{51,637,500,000} \fallingdotseq 0.7746(77.46\%)$$

2. 李씨의 권리가격

$206,550,000 \times 0.7746 \fallingdotseq 159,994,000$원

3. 정산금

종후자산가치에서 개발에 따른 비례율을 반영한 권리가액과 종후자산(조합원분양가)의 가치를 비교해서 과부족은 현금으로 정산한다.

$\therefore$ $180,000,000 - 159,994,000 \fallingdotseq 20,006,000$원

Answer
100

15점

Ⅰ 처리방침

본건은 재건축 감정평가사례의 단독주택 및 공동주택의 토지지분 환산단가의 격차 등에 대한 분석으로서 공동주택 지분환산단가가 단독주택의 단가보다 높은 이유에 대하여 그 이유를 다각도로 분석한다.

Ⅱ 공동주택 지분단가가 단독주택에 비해 높은 이유

1. 토지, 건물 가격구성비율의 차이

토지, 건물 감정평가금액을 재건축 부동산의 거래관행에 맞추어 조합원별 토지지분면적으로 나누어 비교하였으므로 상대적으로 건물의 가격 비중이 높은 공동주택의 토지지분 환산단가가 단독주택보다 높게 산출된다.

2. 거래규모의 차이

단독주택이나 공동주택 공히 하나의 분양권이 주어지는 바, 외부 투자자들은 거래규모와 금액이 큰 단독주택보다 상대적으로 거래규모가 작은 다세대주택 등 공동주택이 투자가 용이하므로 거래가 빈번하고 수요가 많아 가격수준이 단위면적당 가격의 측면에서는 높게 나타난다.

3. 감정평가방법의 차이

단독주택은 토지는 공시지가기준법, 건물은 원가법으로 평가되어 개별평가금액을 합산하나 공동주택은 토지, 건물을 일체로 한 거래사례비교법에 의하여 평가되므로 재건축에 따른 개발이익이 토지, 건물 전체에 반영되어 토지에만 반영되는 단독주택가격보다 상대적으로 높게 평가될 수 있다.

4. 개별적인 요인의 차이

공동주택부지의 개별요인(가로, 접근, 환경, 행정, 획지조건 등)이 단독주택부지보다 우세할 수 있다.

CHAPTER 08

표준지공시지가 및 표준주택

Answer 101

40점

I 평가개요

본건은 2023년 1월 1일을 공시기준일로 하는 표준지공시지가 평가이다.

II 표준지 선정기준 및 교체사유 〈물음 1〉

1. 선정기준

(1) 일반기준

지가의 대표성, 토지특성의 중용성, 토지용도의 안정성, 토지구별의 확정성이 있는 토지를 선정한다.

(2) 예외

1) 특수토지 등을 표준지로 선정시는 토지형상, 위치 등이 표준적인 토지를 선정한다.

2) 국・공유지는 표준지로 선정치 아니하나, 일반재산인 경우와 지가수준을 대표할 표준지가 필요한 경우에는 선정할 수 있다.

2. 교체사유

기존표준지는 특별한 사유가 없는 한 교체하지 아니하나 도시계획사항의 변경, 토지이용상황의 변경, 개별공시지가 산정시 활용성이 낮은 경우 등 기준성이 상실되면 교체・삭제할 수 있다.

III 표준지공시지가 평가 〈물음 2〉

1. 표준지 1

(1) 평가개요

도시계획도로 제한받는 상태로, 주거・녹지지역은 면적비율에 의한 평균가격으로 평가하되, 왼쪽 잔여토지는 면적이 미미하다 판단되어 저촉으로 본다.

(2) 거래사례기준

1) 주거지역(50%)

① 사례의 선택

최근 2년 이내 사례로 위치적・물적 유사성이 있는 사례 1을 기준하여 평가한다.

(38,000,000 ÷ 150 ≒ 253,000원/㎡)

② 시점수정치(2022년 2월 10일~2023년 1월 1일, 주거지역)

1.01068

③ 개별요인비교치

대상은 가장형, 소로한면(10m)기준 : $\frac{100}{100} \times \frac{95}{90} \times \frac{95}{80} \fallingdotseq 1.253$

④ 평가액

253,000 × 1.000 × 1.01068 × 1.000 × 1.253 ≒ 320,000원/㎡

2) 녹지지역

① 사례의 선택

위치적・물적 유사성 있는 최근 2년 이내의 사례 3을 기준으로 평가한다.

(12,000,000 ÷ 80 = 150,000원/㎡)

② 시점수정치(2022년 11월 1일~2023년 1월 1일, 녹지지역기준)

1.00201

③ 개별요인비교치

대상은 가장형, 소로한면 기준 : $\frac{100}{101} \times \frac{95}{95} \times \frac{95}{100} \fallingdotseq 0.941$

④ 평가액

150,000 × 1.000 × 1.00201 × 1.000 × 0.941 ≒ 141,000원/㎡

3) 평균가격

320,000 × 0.5 + 141,000 × 0.5 × (0.6 + 0.8 × 0.4) ≒ 225,000원/㎡

(3) 표준지공시지가

전년도 개별공시지가와의 유사성이 인정되고, 거래사례가 적정하다고 판단되어 225,000원/㎡으로 결정한다.

2. 표준지 2

(1) 평가개요

표준지는 나지상정평가이며, 환지예정지의 지정 전이므로 종전토지를 기준한다.

(2) 거래사례기준

1) 사례선택

위치적・물적 유사성이 있는 최근 2년 이내 사례인 사례 1을 선택한다.

2) 개별요인비교치

$\frac{98}{100} \times \frac{95}{90} \times \frac{95}{80} \doteqdot 1.228$

3) 평가액

253,000 × 1.000 × 1.01068 × 1.000 × 1.228 ≒ 314,000원/㎡

(3) 표준지공시지가

전년도 공시지가를 참고하고 거래사례를 기준하여 314,000원/㎡으로 결정한다.

3. 표준지 3

(1) 평가개요

일단의 토지가 테니스장으로 이용 중이나 주위환경으로 보아 일시적 이용으로 판단되는 바, 대상토지만을 기준으로 평가한다.

(2) 거래사례기준

1) 사례선택

최근 2년 이내 사례로 위치적・물적 유사성이 있는 사례 1을 기준한다.

2) 개별요인비교치

대상은 정방형($\frac{15}{14} < 1.1$), 중로한면(12m) 기준, $\frac{97}{100} \times \frac{100}{90} \times \frac{100}{80} \doteqdot 1.347$

3) 평가액

253,000 × 1.000 × 1.01068 × 1.000 × 1.347 ≒ 344,000원/㎡

(3) 표준지공시지가

전년도 공시지가를 참고하고 거래사례를 기준하여 344,000원/㎡으로 결정한다.

4. 표준지 4

(1) 평가개요

개발제한구역 내 건축물이 없는 지목 "대", 건축이 불가능한 토지이므로 현황 "전"을 기준하여 평가한다.

(2) 거래사례기준

1) 사례선택

개발제한구역 내 "전"인 사례 6을 선정한다(32,000,000 ÷ 600 ≒ 53,000원/㎡).

2) 시점수정치(2022년 5월 10일~2023년 1월 1일, 녹지지역기준)

1.00623

3) 지역요인비교치 : 90/102 ≒ 0.882

4) 개별요인비교치

$\frac{102}{98} \times \frac{90}{90} \times \frac{80}{80} \doteqdot 1.041$

5) 평가액

53,000 × 1.000 × 1.00623 × 0.882 × 1.041 ≒ 49,000원/㎡

(3) 표준지공시지가

전년도 공시지가를 참고하고 거래사례를 기준하여 49,000원/㎡으로 결정한다.

5. 표준지 5

(1) 평가개요

158과 159가 일단지로 이용 중이고 용도상 불가분 관계가 인정되므로 일단지를 기준하되, 도시계획도로가 실시계획인가 고시 후 건설공사 중이므로 현황도로로 보아 도로조건은 중로각지를 기준한다.

(2) 거래사례기준

1) 사례선택

위치적・물적 유사성이 있는 사례 5를 기준한다(재개발지정)(200,000,000÷400 = 500,000원/㎡).

2) 시점수정치(2022년 11월 30일~2023년 1월 1일, 상업지역기준)

1.00115

3) 개별요인비교치

대상은 가장형 ($\frac{25}{20}$ > 1.1 중로각지 기준), $\frac{101}{97} \times \frac{95}{100} \times \frac{100 \times 1.05}{100}$ ≒ 1.039

4) 평가액

500,000* × 1.000 × 1.00115 × 1.000 × 1.039 ≒ 520,000원/㎡

* 재개발구역 지정으로 인한 지가상승은 거래가격에 반영된 것으로 본다.

(3) 표준지공시지가

전년도 공시지가를 참조하고, 타당성이 인정되는 거래사례기준하여 520,000원/㎡으로 결정한다.

Ⅳ 표준지공시지가

일련번호	소재지	지번	면적(㎡)	지목	이용상황	용도지역	도로교통	형상/지세	공시지가(원.㎡)
1	K동	150	1,500	대	주거나지	제2종 일반주거/자연녹지	중로한면	가장형평지	225,000
2	K동	452	150	대	단독주택	제2종 일반주거	소로한면	가장형평지	314,000
3	K동	350	210	대	주거기타	제2종 일반주거	중로한면	정방형평지	344,000
4	B동	320	200	대	전	개발제한	세로(가)	부정형평지	49,000
5	G동	158	(일단지) 200	대	상업용	일반상업	중로각지	가장형평지	520,000

20점

I 평가개요

본건은 2024년 1월 1일을 공시기준일로 하는 골프장의 표준지공시지가 평가이다.

II 원가법

1. 준공시점 토지가치

(1) 부지구입비용

3,000,000,000 × 1.06152* ≒ 3,184,560,000원

* 2021.01.01~06.30, 투하자본수익률 : 1.01^{6} = 1.06152

(2) 조성비

$5,000,000,000 \times (1-0.1) \times \frac{1}{3} \times (1.01^{6} + 1.01^{3} + 1) ≒ 4,637,732,000$원

* 골프장부지에 화체되지 아니한 관리시설비용 제외

(3) 준공시점 토지가치 : 7,822,292,000원(17,000원/㎡)

2. 공시기준일 토지가치(2024.01.01)

17,000 × 1.32014 ≒ 22,000원/㎡

* 2021.06.30~2024.01.01
(1 +0.1×185/365) × 1.12 × 1.11 × (1 + 0.01 × 32/30)

III 거래사례비교법

1. 사례선택

위치적・물적으로 유사하고 사정보정, 시점수정 가능한 사례 B, C 선택(사례 A는 내부거래이므로 제외)

2. 사례 B

(1) 시점수정치(2023년 7월 1일~2024년 1월 1일)

(1 + 0.11 × 153/334) × (1 + 0.01 × 32/30) ≒ 1.06159

(2) 지역요인비교치

지역요인비교는 서울로부터의 거리를 기준하여 접근성이 떨어질수록 가치가 하락하는 바, 거리의 역수로 비교한다.

$\therefore \frac{120}{130} \fallingdotseq 0.923$

(3) 개별요인비교치

개별요인비교는 전체(등록)면적과 개발지비율 기준 $\frac{\text{대상}}{\text{사례B}} = \frac{50,000/450,000}{45,000/405,000} \fallingdotseq 1.000$

(4) 평가액

$22,000 \times 1.000 \times 1.06159 \times 0.923 \times 1.000 \fallingdotseq 22,000$원/㎡

3. 사례 C

(1) 시점수정치(2023년 4월 1일~2024년 1월 1일)

$(1 + 0.11 \times 244/334) \times (1 + 0.01 \times 32/30) \fallingdotseq 1.09188$

(2) 지역요인비교치

$\frac{150}{130} \fallingdotseq 1.154$

(3) 개별요인비교치

$\frac{50,000/450,000}{70,000/420,000} \fallingdotseq 0.667$

(4) 평가액

$26,000 \times 1.09188 \times 1.154 \times 0.667 \fallingdotseq 22,000$원/㎡

4. 결정

가격이 유사하게 형성되었는 바, 22,000원/㎡으로 결정한다.

Ⅳ 수익환원법

1. 대상순수익 산정

2022년, 2023년 순수익으로 장래수익을 추정한다.

$810,000,000 \times (1 + \frac{81-72}{72}) = 911,250,000$원

2. 부지에 화체되지 아니한 시설귀속소득

(1) 시설 재조달원가

$5,000,000,000 \times 0.1 \times \frac{181+6\times6/6}{150+10\times6/12} \fallingdotseq 603,226,000$원

(2) 적산가액

만년감가, 관찰감가도 경년감가에 상응한다 판단된다.

$603,226,000 \times \{0.7 \times (1 - 0.9 \times \frac{2}{50}) + 0.3 \times (1 - 0.9 \times \frac{2}{20})\} ≒ 571,738,000$원

(3) 귀속소득

$571,738,000 \times 0.12 ≒ 68,609,000$원

3. 수익가액

$(911,250,000 - 68,609,000) \times \frac{1}{450,000} \times \frac{1}{0.08} ≒ 23,000$원/㎡

V 공시지가 결정

가격이 유사하게 형성되었는 바, 원가법을 기준하고 각 방법에 의한 가격에 따라 합리성을 검토하여 22,000원/㎡으로 결정한다.

일련번호	소재지	면적(㎡)	지목	…	공시지가(원/㎡)
1	D면 M리 산 100	(일단지)500	전		22,000

Answer 103

10점

I 평가개요

본건은 S시 K구 B동에 소재하는 표준주택에 대한 평가로서 공시기준일은 2024년 1월 1일이다.

II 표준주택 가격의 평가

1. 처리방침
   표준주택가격은 표준주택 조사·평가기준에 따라 토지, 건물을 일체로 하여 거래사례비교법으로 평가한다.

2. 사례의 선택
   제2종 일반주거지역, 단독주택으로서 건물의 개별적 요인이 유사하며, 최근에 매매된 거래사례 2를 선택한다.

3. 평가액 결정
   130,000,000 × 1.000 × 1.01802* × 1.00 × 100/103 ≒ 128,488,000원
   * 2024년 1월 1일/2023년 5월 10일, 주택가격지수가 적정한 시점수정치로 판단된다.
   (110 + 3 × 12/12) ÷ (110 + 3 × 4/12)

III 가격평가표 작성 및 공시가격

1. 가격평가표 작성
   (1) 토지, 건물가격의 배분
   1) 표준주택 건물의 가격
   690,000 × (1 − 0.9 × 4/30) ≒ 607,000원/㎡(× 105 = 63,735,000원)
   2) 표준주택 토지가격
   128,488,000 − 63,735,000 ≒ 64,753,000원(308,000원/㎡)
   (2) 조사보고서 작성

<table>
<tr><th colspan="2">거래가능가격</th><td colspan="4">128,488,000원</td></tr>
<tr><th colspan="2">내용연수</th><td colspan="4">30년</td></tr>
<tr><th rowspan="2">건물가액</th><th>총액(원)</th><td>63,735,000원</td><th rowspan="2">토지가액</th><th>총액(원)</th><td>64,753,000원</td></tr>
<tr><th>단가(원/㎡)</th><td>607,000원/㎡</td><th>단가(원/㎡)</th><td>308,000원/㎡</td></tr>
</table>

2. 공시가격 산정
   128,488,000 × 0.8 = 102,700,000원(십만원 미만 절사)

CHAPTER 09

보상감정평가

20점

Ⅰ 〈물음 1〉 가격시점의 확정

원칙적으로 보상평가에 있어서의 가격시점은 「토지보상법」 제67조 제1항의 규정에 의거 협의의 경우 협의성립 당시의 가격을 기준으로 하여야 하나, 가격시점을 '평가일'로 하여 의뢰되었는 바, 본 평가에서의 가격시점은 가격조사 완료일(현장조사 완료일)인 2023년 7월 11일로 한다.

Ⅱ 〈물음 2〉 비교표준지의 선정

1. 적용공시지가의 선택
   본건 토지는 사업인정 후의 협의취득인 바, 사업인정고시일 전의 시점을 공시기준일로 하는 공시지가로서, 해당 토지에 관한 가격시점 당시 공시된 공시지가 중 해당 사업인정고시일에 가장 가까운 시점에 공시된 공시지가인 2021년 공시지가를 선정한다.*
   * 1년 전의 평가 이후 국지적인 가격상승이 있었지만 2021년 공시지가는 가격상승이 있기 이전의 공시지가이며 한편 국지적인 지가상승인 바, 지가변동률에는 개발이익이 개입되어 있지 않다고 판단함.

2. 비교표준지의 선정
   본건과 용도지역이 동일하고 이용상황(실제지목)에서 유사하여 비교가능성이 있다고 인정되는 표준지 3을 선정한다.

Ⅲ 〈물음 3〉 시점수정치의 결정

1. **지가변동률**(2021년 1월 1일~2023년 7월 11일, 주거지역)
   $1.00840 \times 1.07220 \times 1.00015 \times (1 + 0.00000 \times 11/30) \fallingdotseq 1.08137$

2. 생산자물가상승률
   $\frac{2023.6\text{지수}}{2020.12\text{지수}} = \frac{128.5}{121.6} \fallingdotseq 1.05674$

3. 결정

생산자물가상승률은 일반물가의 변동을 나타내는 생산자물가지수로부터 추계되었는 바, 국지적인 지가변동의 반영에 있어서 보다 더 설명력이 있는 지가변동률(8.137%)로 시점수정치를 결정한다.

Ⅳ 〈물음 4〉 보상선례의 적용요건

다음의 요건을 충족하고 평가대상토지와 유사한 이용상황의 토지에 대한 보상선례의 기준을 참작할 수 있다. 다만, 그 보상선례가 평가의뢰자 또는 토지소유자의 특수한 사정에 의하여 이루어지거나 참작할 수 없는 정당한 사유가 있는 경우에는 제외한다.

1. 용도지역·지구·구역 등 공법상 제한이 같거나 유사할 것
2. 실제이용상황이 같거나 유사할 것
3. 주위환경 등이 같거나 유사할 것
4. 적용공시지가의 선택기준과 같은 기준에 따를 것

Ⅴ 〈물음 5〉 그 밖의 요인보정치의 산출

1. 보상선례 선정

보상선례 2는 해당 사업의 구간에 포함되는 바, 이를 배제하며 사업인정 이전의 선례로서 보상선례 1을 기준으로 한다.

2. 격차율(비교표준지 기준)

$$\frac{530,000 \times 1.08137^{*} \times 1.000 \times 1.521^{**}}{330,000 \times 1.08137} \fallingdotseq 2.442$$

* 1.00840 × 1.07220 × 1.00015 × (1 + 0.00000 × 11/30) ≒ 1.08137

** 1.07 × 1.06 × 1.15 × 1.10 × 1.00 × 1.06 ≒ 1.521

3. 결정

인근의 지가수준 및 상기 격차율을 고려하여 2.44로 결정한다.

Ⅵ 〈물음 6〉 보상평가액

1. 보상단가

330,000 × 1.08137 × 1.000 × 1.507 × 2.44 ≒ 1,310,000원/㎡

(시: 1.08137, 지: 1.000, 개*: 1.507, 그: 2.44)

* 1.06 × 1.06 × 1.10 × 1.15 × 1.00 × 1.06

2. 보상평가액(총액)

1,310,000 × 235 ≒ 307,850,000원

20점

Ⅰ 평가개요

본건은 이의재결평가로 가격시점은 수용재결일자이므로 2023년 5월 30일을 기준한다.

Ⅱ 평가기준

1. 용도지역

해당 사업의 절차로서 변경된 용도지역은 개별적 제한이므로 변경전 용도지역을 기준한다.

2. 적용공시지가

사업시행인가고시일이 사업인정고시일로 의제되는 바, 사업인정고시일 이전을 공시기준일로 하고 가격시점에 가장 근접하여 공시된 2022년 1월 1일 공시지가를 적용하되, 본건 1토지는 2023년 2월 28일에 추가 변경고시되었으므로 변경고시일이 사업인정고시일로 의제되는 바, 2023년 1월 1일자 공시지가를 기준한다.

3. 비교표준지 선정

(1) 선정기준

인근지역으로 용도지역이 동일하고 이용상황이 동일하며 주위환경 등에 있어 비교가능성 높은 표준지를 선정한다.

(2) 기호 1

인근지역으로서 자연녹지, 단독주택으로 유사한 표준지 2를 선정한다.

(3) 기호 2

예정공도로서 공도부지의 평가를 준용하는 것이 타당하며, 인근의 표준적 이용상황(전)에 주안점을 두어 표준지 3을 선정한다.

(4) 기호 3

미지급용지 보상규정의 취지 및 관련 판례(대판 1992.11.10, 92누4833)에 비추어 미지급용지 평가규정에 따른 평가가 아닌 현황평가에 의하므로 용도지역(제2종 일반주거지역), 이용상황(대)이 동일한 표준지 1을 선정한다.[2)]

---

2) 공공사업의 시행자가 적법한 절차를 취하지 아니하여 아직 공공사업의 부지로 취득하지도 못한 단계에서 공공사업을 시행하여 토지의 현실적인 이용상황을 변경시킴으로써, 오히려 토지의 거래가격이 상승된 경우까지 위 "가"항의 시행규칙 제6조 제7항에 규정된 미보상용지의 개념에 포함되는 것이라고 볼 수 없다.

Ⅲ 시점수정치

1. 2023년 1월 1일~2023년 5월 30일, 녹지지역(기호 1 토지)
   (1 − 0.00339 × 150/181) ≒ 0.99719

2. 2022년 1월 1일~2023년 5월 30일, 녹지지역(기호 2 토지)
   (1 − 0.02750) × (1 − 0.00339 × 150/181) ≒ 0.96977

3. 2022년 1월 1일~2023년 5월 30일, 주거지역(기호 3 토지)
   (1 − 0.02) × (1 − 0.00070 × 150/181) ≒ 0.97943

Ⅳ 보상평가액

1. 기호 1 토지
   110,000 × 0.99719 × 1.000 × 1.021* × 1.00 ≒ 112,000원/㎡(× 450 = 50,400,000원)
   * $\frac{100}{96} \times \frac{98}{100} \times \frac{100}{100}$

2. 기호 2 토지
   40,000 × 0.96977 × 1.000 × 0.833* × 1.00 ≒ 32,000원/㎡(× 200 = 6,400,000원)
   * $\frac{80}{96} \times \frac{95}{95} \times \frac{100}{100}$

3. 기호 3 토지
   250,000 × 0.97943 × 1.000 × 0.991* × 1.00 ≒ 243,000원/㎡(× 300 = 72,900,000원)
   * $\frac{100}{105} \times \frac{102}{98} \times \frac{100}{100}$
   * 현황평가에 의하므로 도로, 형상, 지세 등의 개별요인은 가격시점을 기준으로 한다.

Answer 106

15점

Ⅰ 평가개요

본건은 토지보상액 산정 및 현금보상과 채권보상의 유불리 판단으로 가격시점은 2023년 8월 20일이다.

Ⅱ 현금보상액 산정

1. 기존 도시계획도로 저촉(120㎡) 토지단가 산정

(1) 적용공시지가 및 비교표준지 선정

해당 사업(도서관 설립사업)의 "실시계획의 고시"가 2022년 12월 1일에 있었는 바, 이는 사업인정으로 의제되므로 2022년 공시지가를 기준하고(이하 동일) 도로조건 등의 유사성이 인정되는 표준지 3을 기준으로 평가한다.

(2) 시점수정치(2022년 1월 1일~2023년 8월 20일)

$$1.06875 \times 1.02985 \times (1 + 0.00535 \times \frac{51}{30}) \fallingdotseq 1.11066$$

(3) 토지가격

$$700,000 \times 1.11066 \times \underset{\text{지(인근)}}{1.000} \times \underset{\text{개}}{\frac{100}{95}} \times \underset{\text{그}}{1.000} \fallingdotseq 818,000\text{원/㎡}$$

2. 기존 도시계획도로에 접한 부분(280㎡)의 토지단가 산정

(1) 비교표준지 선정

2022년도 공시기준일의 표준지 1을 선정한다.

(2) 토지가격

$$1,000,000 \times 1.11066 \times 1 \times \frac{100}{105} \times 1 \fallingdotseq 1,060,000\text{원/㎡}$$

* 10m 도로에 접한 상태로 평가한다.

3. 면적비율에 의한 토지단가

$$818,000 \times \frac{120}{400} + 1,060,000 \times \frac{280}{400} \fallingdotseq 987,000\text{원/㎡}$$

4. 현금보상액

$$987,000 \times 400 \fallingdotseq 394,800,000\text{원}$$

Ⅲ 채권보상액 산정

1. 거치기간 이자분 현가

$$1{,}000{,}000 \times 0.125 \times 2 \times \frac{1}{1.12} \fallingdotseq 223{,}000\text{원/주}$$

2. 거치기간 후 원리금 상환액 현가

$$1{,}000{,}000 \times \frac{0.125 \times 1.125^3}{1.125^3 - 1} \times \frac{1.12^3 - 1}{0.12 \times 1.12^3} \times \frac{1}{1.12} \fallingdotseq 901{,}000\text{원/주}$$

3. 채권보상액

$$(223{,}000 + 901{,}000) \times 370 \fallingdotseq 415{,}880{,}000\text{원}$$

Ⅳ 유 · 불리 판단

채권보상액 415,880,000원, 현금보상액 394,800,000원이므로, 토지소유자 입장에서는 채권보상이 유리한 것으로 판단된다.

20점

Ⅰ 평가개요

본건은 둘 이상 용도지역 또는 용도지역 사이에 있는 토지에 대한 보상평가로서 2023년 9월 21일을 가격시점으로 평가한다.

Ⅱ 〈물음 1〉 각 경우의 보상평가방법

1. 둘 이상 용도지역에 속한 토지

각 용도지역 부분의 위치 · 형상 · 이용상황 기타 다른 용도지역 부분에 미치는 영향 등을 고려하여 면적비율에 의한 평균가격을 기준한다.

2. 용도지역 사이에 있는 토지평가

공법상 용도지역 사이에 있는 용도지역이 지정되지 아니한 토지에 대한 평가는 그 위치 · 면적 · 이용상황 등을 고려하여 양측 용도지역의 평균적 제한상태를 기준한다.

Ⅲ 〈물음 2〉 비교표준지 선정 및 사유

1. 적용공시지가 선택

「토지보상법」 제70조 제3항에 의거 가격시점 이전(협의일) 최근 공시지가인 2023년 공시지가를 선택한다.

2. 비교표준지 선택

(1) 토지 #1

용도지역 사이에 있는 토지로서 평균적 제한상태를 고려하며, 제2종 일주 · 주거용은 표준지 3을, 자연녹지 · 주거용은 표준지 1을 기준한다.

(2) 토지 #2

용도지역을 달리하는 두 부분 모두 가격형성에 영향을 미치므로 면적비율에 따른 평균단가를 기준하여 준주거, 주거용은 표준지 2를, GB, 자연녹지, 주거용은 표준지 4를 선정한다.

Ⅳ 〈물음 3〉 보상액 산정

1. 토지 #1

(1) 제2종 일주 기준

1,380,000 × 1.02704* × 1.000 × 1.066** × 1.00 ≒ 1,510,000원/㎡

* 2023년 1월 1일~2023년 9월 21일, 주거지역(생산자물가상승률 미제시로 미고려)
1.02019 × (1 + 0.004 × 52/31)

** 100/110 × 95/90 × 100/90

(2) 자연녹지 기준

800,000 × 1.02689* × 1.000 × 0.950** × 1.00 ≒ 780,000원/㎡

* 2023년 1월 1일~2023년 9월 21일, 녹지지역 : 1.02005 × (1 + 0.004 × 52/31)

** 1 × 95/100 × 1

(3) 보상액

1,510,000 × 0.5 + 780,000 × 0.5 ≒ 1,150,000원/㎡(× 300 ≒ 345,000,000원)

2. 토지 #2

(1) 준주거지역 기준

1,500,000 × 1.02704 × 1.000 × 0.844* × 1.00 ≒ 1,300,000원/㎡

* (90 × 1.1)/95 × 90/100 × 90/100

(2) 녹지지역(GB) 기준

표준지 역시 "주거용"으로서 지상주택 소재하는 바, 별도의 격차율은 고려할 여지가 없다.

700,000 × 1.02689 × 1.000 × 0.990* × 1.00 ≒ 712,000원/㎡

* 1.1 × 1 × 90/100

(3) 보상액

1,300,000 × 150/400 + 712,000 × 250/400 ≒ 933,000원/㎡(× 400 ≒ 373,200,000원)

35점

Ⅰ 평가개요

본건은 지방도 개설사업에 편입되는 토지에 대한 협의취득목적의 보상평가로서 가격시점은 사업시행자가 제시한 2023년 8월 31일이다.

Ⅱ 〈물음 1〉 비교표준지 선정

1. 적용공시지가 선정

「도로법」상 도로구역의 결정 및 고시가 사업인정 의제되며, 이후의 세목고시일은 사업인정과 무관한 바, 개발이익 배제를 위하여 사업인정 이전 최근 공시지가인 2022년 공시지가를 적용한다(「토지보상법」 제70조 제4항).

2. 비교표준지 선정

(1) 선정원칙

① 용도지역 등 공법상 제한, ② 실제이용상황, ③ 주변환경이 같거나 유사하며, ④ 인근지역에 위치하여 지리적으로 가까운 표준지를 선정한다.

(2) 기호 1

관리지역으로서 주거용인 표준지 2를 선정하되, 도시계획시설도로는 개별적 계획제한으로서 고려하지 아니한다. 해당 토지에 설정된 근저당권은 개별보상이 원칙이나 그 구체적인 채권가액을 알 수 없는 바, 이를 비고란에 병기한다.

(3) 기호 2

1) 조건 1

적법하게 형질변경된 바, 현황을 기준으로 관리지역, 주거용으로서 인근지역에 위치한 표준지 8을 선정한다.

2) 조건 2

현황기준인 관리지역, 전을 기준으로 표준지 5를 선정하고 건축허가를 득한 바, 관련 비용을 보상한다(형질변경에 따른 기대이익은 고려하지 아니한다).

3) 조건 3

형질변경 후 조성 중인 바, 관리지역, 전 기준 표준지 5를 선정하며, 허가비용을 포함한 조성비용을 고려한다.

(4) 기호 3

1) 현황 전인 부분은 관리지역, 전을 기준하여 표준지 5를 선정한다.

2) 3-2부분은 1989년 1월 24일 이전 건축물부지로서 현황평가하여 관리지역, 주거용의 표준지 8을 선정하되, 지목감가는 고려하지 않는다.

3) 3-3부분은 사실상 사도로서 인근 토지의 평가액의 1/3 이내로 평가하되, 해당 토지가 도로로 이용되지 않은 경우의 이용으로서 인근의 표준적인 이용인 "전"을 기준하여 평가한다.

Ⅲ 〈물음 2〉 시점수정치

1. 처리방침

인근의 대규모 택지개발사업으로 인한 개발이익은 해당 공익사업과 무관한 바, 비교표준지가 속한 시・군・구의 용도지역별 지가변동률을 적용한다.

2. 시점수정치(2022년 1월 1일~2023년 8월 31일)

(1) 지가변동률(Y시 K구 관리지역)

$1.06762 \times 1.05192 \times 1.01718 \times (1 + 0.01718 \times 31/31) \fallingdotseq 1.16197$

(2) 생산자물가상승률

2023년 8월 ÷ 2021년 12월 = 116.2 ÷ 106.9 ≒ 1.08700

(3) 결정

해당 토지의 지가변동을 잘 반영하여 지가변동률을 시점수정치로 결정한다(1.16197).

Ⅳ 〈물음 3〉 보상액 결정

1. 개별요인비교치

(1) 기호 1

$1.00 \times 1.08 \times 1.00 \times 1/(0.7+0.3\times0.8) \fallingdotseq 1.149$

(2) 기호 2

1) 조건 1 : $1.00 \times 1.00 \times 1.00 = 1.000$

2) 조건 2 : $1.00 \times 1.00 \times 1.00 = 1.000$

3) 조건 3 : $1.00 \times 1.00 \times 1.00 = 1.000$

(3) 기호 3

$0.95 \times 1.08 \times 1.00 = 1.026$

2. 그 밖의 요인의 결정

(1) 표준지 5(관리지역, 전)의 그 밖의 요인

1) 보상선례 선정

관리지역의 전(편입시점)을 고려하여 선례 A를 선택한다(B는 보상 미완료로 제외).

2) 격차율

$$\frac{278,000\times 1.16197^{*}\times 1.000\times 1.000}{150,000\times 1.16197} \fallingdotseq 1.853$$

* 2022.01.01.~2023.08.31, 관리

3) 결정 : 상기 격차율 고려 1.85로 결정한다.

(2) 표준지 8(관리지역, 대)의 그 밖의 요인

1) 보상선례 선정

관리지역의 대로서 최근에 보상한 선례인 선례 C를 선택한다.

2) 격차율

$$\frac{495,000\times 1.16197^{*}\times 1.000\times 1.000}{390,000\times 1.16197} \fallingdotseq 1.269$$

* 2022.01.01.~2023.08.31, 관리

3) 결정 : 상기 격차율 고려 1.26으로 결정한다.

3. 보상평가액 결정

(1) 기호 1

표준지공시지가에 반영된 공법상 제한을 보정한다.

530,000 × 1.16197 × 1.000 × 1.149* × 1.26 ≒ 892,000원/㎡(× 400 = 356,800,000원)

* 1.00 × 1.08 × 1.00 × 1/(0.7 + 0.3 × 0.8)

(2) 기호 2

1) 조건 1

390,000 × 1.16197 × 1.000 × 1.000* × 1.26 ≒ 571,000원/㎡(× 500 = 285,500,000원)

* 1.00 × 1.00 × 1.00

2) 조건 2

150,000 × 1.16197 × 1.000 × 1.000* × 1.85 + (130,000 × 0.2)**

≒ 348,000원/㎡(× 500 = 174,000,000원)

* 1.00 × 1.00 × 1.00

** 「토지보상법 시행규칙」 제57조

3) 조건 3

150,000 × 1.16197 × 1.000 × 1.000* × 1.85 + (130,000 × 0.2) + 50,000

≒ 398,000원/㎡(× 500 = 199,000,000원)

* 1.00 × 1.00 × 1.00

(3) 기호 3

1) 전 부분

150,000 × 1.16197 × 1.000 × 1.026* × 1.85 ≒ 331,000원/㎡(× 600 = 198,600,000원)

* 0.95 × 1.08 × 1.00

2) 대 부분

390,000 × 1.16197 × 1.000 × 1.026* × 1.26 ≒ 586,000원/㎡(× 350 = 205,100,000원)

* 0.95 × 1.08 × 1.00

3) 도로부분

331,000 × 1/3(절사) ≒ 110,000원/㎡(× 50 ≒ 5,500,000원)

30점

Ⅰ 평가개요

본건은 S도시 공원조성사업에 편입되는 토지에 대한 협의목적의 보상평가로서 2023년 9월 6일을 가격시점으로 평가한다.

Ⅱ 기호 1 토지(편입부분)

1. 적용공시지가 선정 및 비교표준지 선정

「토지보상법」 제70조 제4항에 의거 사업인정의제일(2022년 5월 9일) 이전 최근 공시지가인 2022년 공시지가를 적용하며, 제2종 일반주거지역 내 상업용 토지(공부상 지목에도 불구)로서 표준지 2를 선정한다.

2. 시점수정치(2022년 1월 1일~2023년 9월 6일)

(1) 지가변동률

비교표준지가 속한 시・군・구인 D구 주거지역을 적용한다.

$1.08348 \times 1.01940 \times (1 + 0.00753 \times 37/31) = 1.11443$

(2) 생산자물가지수

2023년 7월 ÷ 2021년 12월 = 134.0 ÷ 119.0 = 1.12605

(3) 결정

해당 토지의 가격변동을 잘 반영하는 지가변동률을 선택한다(1.11443).

3. 개별요인비교치

$115/105 \times 95/97 \times 1.00 \times 100/101 \fallingdotseq 1.062$

* 본건은 중로각지이며, 세장형이며(편입 전 기준), 비교표준지는 소로각지, 가장형이다.

4. 그 밖의 요인비교치

(1) 적용근거

「감정평가에 관한 규칙」, 대법원 판례, 유권해석, 토지보상평가지침 등에 의거 보상평가액의 형평성을 유지하고 적정한 가치를 판단하고자 그 밖의 요인을 보정한다.

(2) 보상선례의 선정

제2종 일반주거지역, 점포로서 주변환경이 유사하고 적용공시지가 선정기준이 유사한(사업인정 의제일 이전) 선례 2를 선택한다(1,670,000원/㎡).

(3) **격차율**(비교표준지 기준)

$$\frac{1,670,000 \times 1.11443^{*} \times 1.000 \times 0.891^{**}}{1,180,000 \times 1.11443} \fallingdotseq 1.260$$

* 2022년 1월 1일~2023년 9월 6일, D구 주거지역(평가선례가 속한 시·군·구 용도지역별 지변율)

** 105/110 × 97/100 × 1.00 × 101/105(선례는 선례의 평가시점기준 개별요인을 적용한다.)

(4) **결정** : 상기 격차율을 고려하여 1.26로 결정한다.

5. 기호 1 토지의 보상평가액

1,180,000 × 1.11443 × 1.000 × 1.062 × 1.26 = 1,760,000원/㎡

(× 400 = 704,000,000원)

Ⅲ 기호 1 토지(잔여지 가치하락 보상액)

1. 편입 후 토지가치

중로한면, 세장형을 기준한다.

1,180,000 × 1.11443 × 1.000 × 0.914* × 1.26 = 1,510,000원/㎡

* 110/105 × 95/97 × 1.00 × 100/101 × 90/100

2. 잔여지 가치하락 보상

1,760,000 − 1,510,000 = 250,000원/㎡(× 188 = 47,000,000원)

Ⅳ 기호 2 토지

1. 적용공시지가 및 비교표준지 선정

확장으로 인한 추가세목고시가 있는 바, 세목고시 이전의 최근 공시지가인 2023년 공시지가를 선정하며, 인근의 표준적인 이용상황인 주택을 기준으로 평가한다. 따라서 제2종 일반주거지역의 주거용을 기준으로 표준지 1을 선정한다.

2. 시점수정치(2023년 1월 1일~2023년 9월 6일)

(1) **지가변동률**(D구 주거지역)

1.01940 × (1 + 0.00753 × 37/31) = 1.02856

(2) **생산자물가상승률**

2023년 7월 ÷ 2022년 12월 = 134.0 ÷ 128.0 = 1.04688

(3) **결정**

해당 토지의 가격변동을 잘 반영하는 지가변동률을 선택한다(1.02856).

3. 평가액 결정

900,000 × 1.02856 × 1.000 × 1.138* × 1.26 = 1,330,000원/㎡(× 300 = 399,000,000원)

* 115/100 × 97/100 × 1.00 × 100/98

Answer 110

25점

Ⅰ 평가개요

A사업시행자가 시행하는 B택지개발사업을 위한 협의목적의 보상감정평가이다.
사업인정일은 2021년 5월 30일이며, 가격시점은 2023년 2월 26일이다(법 제67조 제2항).

Ⅱ 적용공시지가

1. 처리방침

해당 택지개발사업의 주민 공람 및 공고로 인하여 취득해야 할 토지가치가 변동되었는지 여부를 검토한다(2018년 ~ 2021년).

2. 취득하여야 할 토지가치가 변동되었는지 여부(시행령 제38조의2)

(1) 사업지구 내 공시지가 변동률

$1.125 \times 1.185 \times 1.155 - 1 \fallingdotseq 53.9\%$

(2) 경기도 ○○시 공시지가 변동률

$1.095 \times 1.135 \times 1.105 - 1 \fallingdotseq 37.3\%$

(3) 검토

도로・철도 등 사업이 아니며 20만㎡ 이상으로서 변동률의 격차가 3%p 이상(53.9 − 37.3 = 16.6%p)이며, 30% 이상 차이(53.9/37.3 ≒ 1.45)로서 취득하여야 할 토지가치가 변동되었다.

3. 적용공시지가 선정

토지보상법 제70조 제5항에 의하여 2018년 공시지가를 선정한다.

Ⅲ 비교표준지 선정

1. 기호 #1 : 계획관리지역, 전으로서 해당 사업지 내 위치한 표준지 C를 선정한다.

2. 기호 #2 : 계획관리지역, 공업용으로서 해당 사업지 내 위치한 표준지 A를 선정한다.

3. 기호 #3 : 계획관리지역, 자연림으로서 해당 사업지 내 위치한 표준지 D를 선정한다.

Ⅳ 시점수정치(생산자물가지수 검토 생략)

1. 처리방침(시행령 제37조)
   - 도로 · 철도 등 사업이 아니며, 20만㎡ 이상이다.
   - 공고고시일(2018.02.01)부터 가격시점(2023.02.26)의 경기도 ○○시 지가변동률이 5% 이상이다(35.450%).
   - 사업인정일(2021.05.30)부터 가격시점(2023.02.26)의 경기도 ○○시 지가변동률과 경기도 지가변동률의 격차가 30% 이상이다($\frac{5,400}{3,500}-1$).
   - 인접 시 · 군 · 구의 지가변동률을 적용한다.

2. 시점수정치(2018.01.01 ~ 2023.02.26) : 1.15500

Ⅴ 그 밖의 요인 비교치

1. 표준지 A 기준(공고고시일 이전 선례인 #나를 선정한다.)

$$\frac{430,000 \times 1.15455 \times 1.000 \times 1.000}{285,000 \times 1.15500} \fallingdotseq 1.508(1.50\text{으로 결정한다.})$$

2. 표준지 C 기준(#가를 선정한다.)

$$\frac{198,000 \times 1.15455 \times 1.000 \times 1.000}{130,000 \times 1.15500} \fallingdotseq 1.522(1.52\text{로 결정한다.})$$

3. 표준지 D 기준(#다를 선정한다.)

$$\frac{180,000 \times 1.15455 \times 1.000 \times 1.000}{120,000 \times 1.15500} \fallingdotseq 1.499(1.49\text{로 결정한다.})$$

Ⅵ 보상평가액

1. 기호 #1

$130,000 \times 1.15500 \times 1.000 \times 1.000 \times 1.52 \fallingdotseq$ 228,200원/㎡($\times$ 955 = 217,931,000원)

2. 기호 #2

$285,000 \times 1.15500 \times 1.000 \times 1.000 \times 1.50 \fallingdotseq$ 493,800원/㎡($\times$ 2,500 = 1,234,500,000원)

3. 기호 #3

$120,000 \times 1.15500 \times 1.000 \times 1.000 \times 1.49 \fallingdotseq$ 206,500원/㎡($\times$ 700 = 144,550,000원)

35점

Ⅰ 평가개요

본건은 S개발공사가 시행하는 혁신도시 개발사업에 편입되는 토지 및 지장물에 대한 협의목적의 보상감정평가로서 제시된 2023년 8월 10일을 가격시점으로 평가한다.

Ⅱ 〈물음 1〉 토지의 보상평가

1. 적용공시지가의 선정

「혁신도시법」 제15조에 의하여 혁신도시개발예정지구의 지정고시가 사업인정의제일로 규정되어 있는 바, 이전의 최근 공시지가인 2022년 공시지가를 선정한다(「토지보상법」 제70조 제4항).

2. 비교표준지 선정

(1) 용도지역기준

본건 중 기호 3~6은 해당 사업으로 인하여 용도지역이 변경된 바, 변경 전 용도지역(계획관리지역, 농림지역)을 기준한다.

(2) 기호 1, 2

둘 이상의 용도지역에 걸쳐 있으나 지상의 건축물에 의하여 각 소유자의 공유지분의 위치가 확인되며(구분소유적 공유), 사업시행자의 요청에 따라 각 점유위치를 반영하여 각각 평가한다. 따라서 A씨 지분은 제2종 일반주거지역, 상업용으로서 표준지 3을, H씨의 지분은 자연녹지지역의 주거용으로서 표준지 8을 선정한다.

(3) 기호 3

무허가건축물부지로서 현황평가의 예외이며, 종전의 이용상황을 기준으로 계획관리지역의 전을 기준으로 표준지 7을 선정한다.

(4) 기호 4

가설건축물부지로서 일시적 이용상황으로 판단되며, 계획관리지역의 전을 기준으로 표준지 7을 선정한다.

(5) 기호 5

축사 신축을 위한 형질변경 및 공사를 완료하였으나 해당 사업으로 인하여 준공검사를 득하지 못한 바, 이에 대한 구애됨 없이 평가한다. 따라서 현황을 기준으로 하여 계획관리지역의 축사부지인 표준지 4를 선정한다.

(6) 기호 6

관련 법령에 의하여 적법하게 개간된 바, 현황을 기준으로 하여 농림지역의 전을 기준으로 표준지 5를 선정한다.

3. 시점수정치(2022년 1월 1일~2023년 8월 10일)

(1) 지가변동률

1) 주거지역

1.02213 × 1.01000 × (1 + 0.00050 × 41/30) ≒ 1.03306

2) 녹지지역

1.05550 × 1.03025 × (1 + 0.01002 × 41/30) ≒ 1.10232

3) 계획관리

1.04500 × 1.03003 × (1 + 0.01025 × 41/30) ≒ 1.09146

4) 농림지역

1.02055 × 1.02056 × (1 + 0.01345 × 41/30) ≒ 1.06068

(2) 생산자물가상승률

2023년 6월/2021년 12월 = 122.30/110.40 ≒ 1.10779

(3) 결정

해당 토지의 가격변동을 잘 반영하는 지가변동률을 선택한다.

4. 평가액 결정

(1) 기호 1(A씨 지분)(소로한면, 정방형)

1,300,000×1.03306×1.000×1.061*×1.00 ≒ 1,420,000원/㎡(×400 = 568,000,000원)

* 1.04×1.02×1.00

(2) 기호 2(H씨 지분)(세로한면, 정방형)

600,000×1.10232×1.000×0.960*×1.00 ≒ 635,000원/㎡(×400 = 254,000,000원)

* 0.96×1.00×1.00

(3) 기호 3

250,000×1.09146×1.000×1.040*×1.00 ≒ 284,000원/㎡(×880 = 249,920,000원)

* 1.04×1.00×1.00

(4) 기호 4(현황 기준 소로한면)

250,000×1.09146×1.000×1.201*×1.00 ≒ 328,000원/㎡(×475 = 155,800,000원)

* 1.04×1.05×1.1×1.00

(5) 기호 5

350,000×1.09146×1.000×1.000*×1.00 ≒ 382,000원/㎡(×250 = 95,500,000원)

* 1.00×1.00

(6) 기호 6

150,000×1.06068×1.000×0.912*×1.00 ≒ 145,000원/㎡(×1,000 = 145,000,000원)

* 0.96×0.95×1.00

(7) 기호 7

1) 개간비 소요액

객관적인 개간비 추정이 어려운 바, 농림지역 전으로서 개간 후 토지가치의 1/3을 적용한다.

145,000원/㎡ × 1/3 ≒ 48,000원/㎡

2) 개간비 한도액[3)]

① 개간 전 토지평가액

농림지역 임야로서 표준지 11을 기준한다.

50,000 × 1.06068 × 1.000 × 1.000 × 1.00 ≒ 53,000원/㎡

② 한도액

145,000 − 53,000 = 92,000원/㎡

3) 결정

개간비가 한도액 이내인 바, 48,000원/㎡으로 결정한다(×1,000 = 48,000,000원)(A시의 보상액 : 145,000 − 48,000 = 97,000원/㎡).

III 〈물음 2〉 영업손실보상액

1. 휴업기간 중 영업이익

(1) 매출액 기준

25,000,000 × (1 − 0.4) × 4월 = 60,000,000원

(2) 최저한도액(개인영업)

2,900,000(도시근로자 월평균 가계지출비) × 4월 = 11,600,000원

(3) 결정

최저한도액 이상으로서 60,000,000원으로 결정한다.

2. 휴업기간 중 고정적 비용

2,000,000 × 4월 = 8,000,000원

3. 이전비 등

500,000 + 200,000 = 700,000원

---

3) 「토지보상평가지침」 제52조(개간비의 감정평가 등)에 의하면 정형화된 방식으로 개간비를 산정하는 경우 한도액의 고려가 불필요한 것으로 해석될 수 있으나, 개간비는 개간자에게 토지의 가치증가분을 상한으로 유익비를 보상하는 보상의 성격을 고려하여 개간비의 상한을 검토하는 것이 타당하다고 판단한다.

4. 부대비용 등

300,000원

5. 영업장소 이전 후 발생하는 영업이익 감소액

60,000,000 × 0.2 = 12,000,000원(상한 10,000,000원으로서 10,000,000원으로 결정)

6. 영업손실보상액

60,0000,000 + 8,000,000 + 700,000 + 300,000 + 10,000,000 = 79,000,000원

Answer 112

10점

I 평가개요

본건은 일부편입되는 토지 및 잔여토지의 가치하락보상평가로 가격시점은 2023년 9월 1일이다.

II 편입토지보상액

1. 적용공시지가 및 비교표준지 선정

사업인정의제일이 2022년 10월 1일이므로 이전공시지가 중 가격시점에 가장 근접공시된 2022년 공시지가 중 용도지역 및 이용상황(상업용)이 동일하고 공법상 제한이 유사한 표준지 3을 선정한다.

2. 시점수정치(2022년 1월 1일~2023년 9월 1일)

생산자물가지수가 제시되지 아니하여 용도지역별 지가변동률을 기준한다.

$1.02968 \times 1.01675 \times (1 + 0.00332 \times 32/31) \fallingdotseq 1.05052$

3. 개별요인비교치

$$\frac{90}{95} \times \frac{80}{100} \times \frac{100}{100} \fallingdotseq 0.758$$

4. 보상평가액

2,500,000 × 1.05052 × 1.000 × 0.758 × 1.000 ≒ 1,991,000원/㎡(× 75 ≒ 149,325,000원)

시 지 개 그 면*

* 편입면적 10 × 15 ÷ 2

III 잔여지 가치하락보상

1. 잔여토지의 가격

(1) 개별요인비교치

사업시행이익상계금지규정에 따라 잔여지의 도로조건은 세로한면(6m), 형상은 부정형, 면적은 225㎡를 기준한다.

$$\frac{70}{95} \times \frac{80}{100} \times \frac{85}{100} \fallingdotseq 0.501$$

(2) 잔여토지의 가격

2,500,000 × 1.05052 × 1.000 × 0.501 ≒ 1,316,000/㎡

2. 가치하락보상액

(1,991,000 − 1,316,000) × 225 ≒ 151,875,000원

Ⅳ 적정보상액

149,325,000 + 151,875,000 ≒ 301,200,000원

15점

Ⅰ 평가개요

본건은 지하사용료에 대한 보상평가로 가격시점은 2023년 8월 1일이다.

Ⅱ 기초(나지)가격산정

1. 공시지가기준

(1) **표준지 선정**

2023년 공시지가를 적용하며 용도지역, 이용상황이 동일한 표준지 2를 선택한다.

(2) **시점수정치**(2023년 1월 1일~2023년 8월 1일, 상업)

지가변동률이 적정하다 판단되고 생산자물가상승률은 미제시인 바, 고려치 아니한다.

$1.03541 \times (1 + 0.00576 \times 32/30) \fallingdotseq 1.04177$

(3) **평가액**

$2,540,000 \times \underset{\text{시}}{1.04177} \times \underset{\text{지(인근)}}{1.000} \times \underset{\text{개}}{1.000} \times \underset{\text{그}}{1.000} \fallingdotseq 2,650,000$원/㎡

2. 거래사례기준(적정성 검토)

(1) **사례선택**

건부지이나 최유효사용상태이므로 배분법의 적용이 가능하여 선택한다.

(2) **사례건축물가격**(정액법, 만년감가, 잔가율 0)

$900,000 \times \underset{\text{시}}{0.96552^*} \times \underset{\text{개}}{1.000} \times \underset{\text{면}}{2,460} \times \underset{\text{잔}}{\frac{58}{60}} \fallingdotseq 2,066,406,000$원

* 시점 : $\frac{2023.4.1}{2023.8.1}$: $\frac{104+12\times8/12}{116}$

(3) **사례토지가격**

$3,530,000,000 - 2,066,406,000 \fallingdotseq 1,463,594,000$원(2,440,000원/㎡)

(4) **시점수정치**(2023년 4월 1일~2023년 8월 1일, 상업)

$(1 + 0.03541 \times 91/181) \times (1 + 0.00576 \times 32/30) \fallingdotseq 1.02406$

(5) **평가액**

$2,440,000 \times 1.000 \times 1.02406 \times 1.000 \times \frac{100}{95} \fallingdotseq 2,630,000$원/㎡

3. 결정

「토지보상법」 기준 공시지가기준법에 의한다(2,650,000원/㎡).

Ⅲ 입체이용저해율 산정

1. 저해층수 산정

최유효층수(지하 2층, 지상 15층), 건축가능층수(지하 2층, 지상 8층)

∴ 저해층수는 "최유효층수 − 건축가능층수"이므로 지상 9~15층이 저해된다.

2. 입체이용저해율(11~15층 → 중층시가지, 한계심도 35m)

(1) 건물 등 이용저해율(대상지역은 층에 따른 임대료 차이가 있는 바, A형을 기준한다)

$$0.75 \times \frac{35 \times 7}{44+35+100+58+46+40+35 \times 11} \fallingdotseq 0.260$$

(2) 지하이용저해율

$0.571 \times 0.1 \fallingdotseq 0.057$

(3) 기타이용저해율

토피 20m 이하이므로 상하배분비율 최고치를 적용한다.

∴ $0.15 \times 1/2 = 0.075$

(4) 입체이용저해율

나지인 바, 노후율은 적용하지 아니한다.

$0.260 + 0.057 + 0.075 \fallingdotseq 0.392$

Ⅳ 보상평가액

1. 기초가액 결정

관련 법령에 의하여 공시지가를 기준하여 기초가액을 2,650,000원/㎡으로 결정한다.

2. 보상평가액

$2,650,000 \times 0.392 \fallingdotseq 1,040,000$원/㎡($\times$ 500=520,000,000원)

* 도시철도공사인 바, 구분지상권 영구설정으로 판단된다.

Answer 114

35점

Ⅰ 평가개요

1. 본건은 택지개발지구에 편입되는 토지에 대한 이의재결 목적의 감정평가로서 개발제한구역 해제 토지평가에 유의하여 평가한다.
2. 가격시점은 「토지보상법」 제67조 제1항에 의하여 수용재결일인 2023년 9월 1일을 기준한다.
3. 적용공시지가는 사업인정일(2022년 6월 20일) 이전 최근 공시지가인 2022년 공시지가를 적용한다.

Ⅱ 비교표준지 선정

1. 선정기준
   ① 용도지역 등 공법상 제한, ② 실제이용상황, ③ 주변환경이 같거나 유사하며, ④ 인근지역에 위치하여 지리적으로 가까운 표준지를 선정한다.

2. 용도지역의 판단
   현재 실시계획고시에 따라 용도지역이 변경되어 있는 바, 이전 용도지역인 자연녹지지역을 기준한다(개발이익 배제).

3. 개발제한구역 해제지역 등 비교표준지 선정기준
   (1) 집단취락 등 우선해제지역
   개발제한구역 내 우선해제지역의 표준지 선정이 원칙이다.

   (2) 우선해제지역의 조정가능구역
   개발제한구역 내 조정가능구역의 표준지 선정이 원칙이다.

4. 각 조서별 비교표준지 선정
   (1) 기호 1, 2
   ① 개발제한구역의 조정가능구역으로서 개발제한구역 자연녹지의 표준지를 선정하되, 해제 가능성에 따른 정상적인 지가상승분을 고려한다.
   ② 기호 1의 지상에는 1989년 1월 24일 이전 무허가건축물이 소재하는 바, 사업시행자가 의뢰한 대로 현황 "대" 부분은 표준지이다, 현황 "대" 부분은 표준지 '다'를 선정한다.
   ③ 기호 2는 현실적 이용상황을 고려하여 표준지 '가'를 선정한다.

(2) 기호 3, 4

① 국가 정책사업 및 지역 현안사업을 위한 개발제한구역의 조정가능구역으로서 해당 사업을 직접 목적으로 해제된 것으로 판단하여 해제가능성을 고려하지 아니한다.

② 기호 3은 현실적인 이용상황을 고려하여 표준지 '가'를 선정한다.

③ 기호 4는 불법형질변경토지로서 현황평가의 예외로서 종전 이용상황인 "전"을 기준하여 표준지 '가'를 선정하되, 쓰레기 매입으로 인한 필요조치사항을 비고란에 병기한다.

(3) 기호 5, 6, 7

① 개발제한구역 내 우선해제지역으로서 주거용, 개발제한구역이며 우선해제지역 내 표준지인 표준지 '자'를 선정한다.

② 기호 6은 동시조치사항에 따른 영향을 고려하되, 표준지 '자'를 선정하되, 동시조치사항에 따른 가격격차 산출시 표준지 '차'를 이용하도록 한다.

III 시점수정치

1. **지가변동률**(2022년 1월 1일~2023년 9월 1일, 녹지지역)

$1.03694 \times 1.03595 \times (1 + 0.00511 \times 1/31) \fallingdotseq 1.07440$

2. **생산자물가상승률**(2023년 8월 ÷ 2021년 12월)

$112.0 \div 105.0 \fallingdotseq 1.06667$

3. **결정**

해당 토지의 가격변동을 잘 반영하는 지가변동률을 선정한다.

IV 각 조서별 보상평가액 결정

1. 기호 1

(1) 개발제한구역 해제에 따른 정상지가 상승분

1) 표준지공시지가 기준

$\frac{260,000 - 130,000}{130,000} \div 1.61 \fallingdotseq 62.1\%$ 상승

표준지 '다', '바'의 격차율을 활용한다.

2) 거래사례기준

① 개발제한구역, 자연녹지 내 토지가격(사례 1)

$80,000,000 - [350,000 \times \underset{\text{시}^*}{0.90857} \times 150 \times (0.7 \times 36/40 + 0.3 \times 16/20)]$

$\fallingdotseq 38,501,065 (\div 200 \fallingdotseq 192,505\text{원}/m^2)$

* 건축비지수(2022년 1월 1일/2023년 9월 1일)
$106 \div (115 + 5 \times 2/6)$

② 자연녹지지역 내 토지가격(사례 2)

$200,000,000 - [400,000 \times \underset{시^*}{0.94285} \times 300 \times (0.7 \times 42/45 + 0.3 \times 22/25)]$

≒ 96,211,072(÷ 250 ≒ 384,844원/㎡)

* 건축비지수, 2023년 1월 1일 ÷ 2023년 9월 1일
110 ÷ (115 + 5 × 2/6)

③ 격차율 결정

$\frac{384,844 - (192,505 \times 1.03694^*)}{192,505 \times 1.03694} \div 1.61 ≒ 57.6\%$ 상승

* 2022년 1월 1일~2023년 1월 1일 지가변동률

3) 개발제한구역 예상에 따른 지가상승분

양자간 격차율의 유사성이 인정되는 바, 60%로 결정한다.

(2) 대지부분(80㎡)의 평가액

130,000 × 1.07440 × 1.000 × (100/90 × 1.00) × 1.60 ≒ 248,000원/㎡(× 80 = 19,840,000원)

(3) 전부분(920㎡)의 평가액

65,000 × 1.07440 × 1.000 × (100/90 × 1.00) × 1.60 ≒ 124,000원/㎡(× 920 = 114,080,000원)

(4) 평가액

19,840,000 + 114,080,000 = 133,920,000원

2. 기호 2

65,000 × 1.07440 × 1.000 × 100/90 × 1.60 ≒ 124,000원/㎡(× 200 = 24,800,000원)

3. 기호 3

65,000 × 1.07440 × 1.000 × (1.00 × 80/90) × 1.00 ≒ 62,000원/㎡(× 200 = 12,400,000원)

4. 기호 4

65,000 × 1.07440 × 1.000 × (100/90 × 1.00) × 1.00 ≒ 78,000원/㎡(× 200 = 15,600,000원)

* 비고란에 필요조치 소요비용 병기

5. 기호 5

$230,000 \times 1.07440 \times 1.000 \times (\frac{100 \times 1.05}{90} \times 1.00) \times 1.00 ≒ 289,000$원/㎡(× 200 = 57,800,000원)

6. 기호 6

(1) 동시조치사항에 따른 지가상승분

360,000 ÷ 230,000 ≒ 1.565

(2) 평가액

230,000 × 1.07440 × 1.000 × (1.00 × 1.00) × 1.565

≒ 387,000원/㎡(× 200 = 77,400,000원)

7. 기호 7

230,000 × 1.07440 × 1.000 × (1.00 × 1.00) × 1.00

≒ 248,000원/㎡(× 200 = 49,600,000원)

Answer 115

10점

I 평가개요

본건은 환매토지에 대한 환매금액 산정의 감정평가로서 2023년 8월 1일을 가격시점으로 평가한다.

II 환매 당시 토지가격

1. 비교표준지 선정
   자연녹지지역, 잡종지로서 현실화, 구체화된 개발이익을 반영하여 평가하며 표준지 1을 선정한다(2023년 공시지가).

2. 환매 당시 토지가격
   $63,000 \times 1.01105 \times 1.000 \times 100/100 \times 1.10 \fallingdotseq 70,000$원/㎡($\times 1,000 = 70,000,000$)

III 인근 유사토지의 지가변동률

1. 표본지 선정
   취득 당시의 용도지역 및 이용상황으로서 표본지 6을 선정함.

2. 취득 당시 표본지 가격
   $5,000 + (5,500 - 5,000) \times 181/365 \fallingdotseq 5,250$원/㎡

3. 환매 당시 표본지 가격
   $6,300 \times 1.01105 \fallingdotseq 6,370$원/㎡

4. 인근 유사토지 지가변동률
   $6,370 \div 5,250 \fallingdotseq 1.21333$

IV 환매금액의 결정

1. 보상금 × 인근 유사토지 지가변동률
   $9,000,000 \times 1.21333 \fallingdotseq 10,920,000$

2. 결정
   환매 당시 토지가격 > 보상금 × 인근 유사토지 지가상승률인 바, 아래와 같이 환매금액을 결정한다.
   $9,000,000 + (70,000,000 - 9,000,000 \times 1.21333) \fallingdotseq 68,080,000$원

Answer 116

20점

I 평가개요

본건은 협의취득을 위한 보상평가액 및 환매금액에 대한 평가로서 2023년 5월 31일을 가격시점으로 한다.

II 〈물음 1〉 협의취득 평가액

1. 적용공시지가 선정
   「토지보상법」 제70조 제3항에 의거 가격시점 이전 최근 공시지가인 2021년 공시지가를 선정한다.
2. 비교표준지 선정
   ① 해당 공익사업으로 인한 용도지역 변경은 고려하지 아니하여 관리지역을 적용한다.
   ② 일반적 계획제한인 자연공원은 반영하되, 개별적 계획제한인 공고, 공시된 시설지구는 고려하지 아니한다.
   ③ 상기 기준에 따라 표준지 6을 선정한다.
3. 시점수정치(지가변동률, 관리지역)
   생산자물가지수 미제시로 고려치 아니한다(이하 동).
   2021년 1월 1일~5월 31일 : 1.0410
4. 보상평가액
   5,000 × 1.04100 × 1.000 × 100/95 × 1.00 ≒ 5,500원/㎡(× 10,000 = 55,000,000원)

III 〈물음 2〉 환매금액

1. 물음 2-1
   (1) 환매 당시 토지가격
      1) 비교표준지 선택
         2023년 공시지가로서 일반공업, 잡종지인 표준지 1을 선정한다.
      2) 시점수정치(공업지역, 2023년 1월 1일~5월 31일)
         1.02500
      3) 환매 당시 토지가격
         51,000 × 1.02500 × 1.000 × 1.00 × 1.00 ≒ 52,000원/㎡
   (2) 인근 유사토지 지가변동률
      1) 표본지 선정
         해당 사업과 무관하며 임야, 공법상 제한이 유사한 표본지 6을 선정한다.

2) 취득 당시(2021년 5월 31일) 표본지 가격

4,100 + (4,500 − 4,100) × 151/365 ≒ 4,265원/㎡

3) 환매 당시 표본지 가격

5,000 × 1.02900 ≒ 5,145원/㎡

시*

* 2023년 1월 1일~5월 31일, 관리지역

4) 인근 유사토지 지가변동률

5,145 ÷ 4,265 ≒ 1.20633

(3) 환매가격 결정

환매 당시 적정가격(52,000원)이 보상금 × 지가변동률보다 큰 바, 아래와 같이 평가한다.

[5,500 + (52,000 − 5,500 × 1.20633)] ≒ 51,000원/㎡(× 10,000 = 510,000,000원)

2. 물음 2–2

(1) 환매 당시 적정가격

1) 비교표준지 선택

2023년 공시지가, 자연녹지, 임야로서 표준지 3을 선정한다.

2) 시점수정치(2023년 1월 1일~5월 31일, 자연녹지)

1.02800

3) 환매 당시 적정가격

9,200 × 1.02800 × 1.000 × 100/105 × 1.00 ≒ 9,000원/㎡

(2) 인근 유사토지 지가변동률

1) 표본지 선정

대상토지와 해당 공익사업과 관계없이 용도지역 등 변경과정이 유사한 표본지 7을 선정한다.

2) 취득 당시 표본지 가격

7,600 + (8,200 − 7,600) × 151/365 ≒ 7,848원/㎡

3) 환매 당시 표본지 가격

8,800 × 1.02800 ≒ 9,046원/㎡

4) 인근 유사토지 지가변동률

9,046 ÷ 7,848 ≒ 1.15265

(3) 환매가격 결정

환매 당시 적정가격이 보상금 × 지가변동률보다 큰 바, 아래와 같이 평가한다.

[5,500 + (9,000 − 5,500 × 1.15265)] ≒ 8,200원/㎡(× 10,000 = 82,000,000원)

Answer 117

25점

Ⅰ 평가개요

본건은 인천광역시에서 의뢰하는 Y도시개발사업구역 내 토지에 대한 환매금액의 산정을 위한 감정평가로서 2023년 9월 7일을 가격시점으로 평가한다.

Ⅱ 〈물음 1〉 환매권 성립 여부

1. **기간요건**(「토지보상법」 제91조)

   보상일로부터 10년 이내에 원 공익사업인 '인천시 폐기물처리장사업'의 축소에 따른 변경 고시가 있는 바, 환매권 행사가 가능하다.

2. **공익사업 변환 특칙 여부**(「토지보상법」 제91조 제6항)

   도시개발사업은 「토지보상법」 제4조 제1호 내지 제5호 사업이 아니므로 환매권 행사가 가능하다.

Ⅲ 〈물음 2〉 환매 당시 토지가격

1. **처리방침**

   본건은 환매토지가 다른 공익사업에 편입되는 경우로서 비교표준지 선택, 적용공시지가 선정 등 평가기준은 다른 공익사업에 편입되는 경우와 같이 적용한다.

2. **적용공시지가 선정**

   도시개발법상 토지 등의 세목고시일이 사업인정의제되며 본건의 경우 2023년 5월 13일에 세목을 고시하였으므로 이 시점을 사업인정일로 보아 이전 최근 공시지가인 2023년 공시지가를 선정한다(「토지보상법」 제70조 제4항).

3. **비교표준지 선정**

   해당 도시개발사업으로 인한 용도지역이 변경되었으므로 종전의 용도지역을 기준하며(일반공업지역), 사업지구 내 위치하여 지리적으로 근접한 표준지 2를 선정한다(표준지 3, 4 : 사업지구 밖 표준지).

4. **시점수정치**(2023년 1월 1일~2023년 9월 7일)

   (1) **지가변동률**

   인천시 N구 공업지역(비교표준지 기준)

   $1.01222 \times (1 + 0.00316 \times 38/31) \fallingdotseq 1.01614$

(2) 생산자물가지수

2023년 7월/2022년 12월 = 109.1 ÷ 106.1 ≒ 1.02828

(3) 결정

대상토지의 가격변동을 잘 반영하는 지가변동률을 기준한다(1.01614).

5. 개별요인비교치 : 1.050

(도시개발사업지 내 도시계획시설 감가는 표준지에 미반영되어 있다.)

6. 그 밖의 요인보정치 결정

(1) 보상선례의 선정

일반공업지역, 공업용으로서 사업인정일(2023년 5월 13일) 이전 보상선례인 B를 선정한다.

(2) 격차율

$$\frac{1,050,000 \times 1.01614^{*} \times 1.000 \times 1.053^{**}}{800,000 \times 1.01614} \fallingdotseq 1.382$$

* 2023년 1월 1일~2023년 9월 7일, 공업

** 1/0.95

(3) 그 밖의 요인보정치 결정

상기와 같이 격차율 산출된 바, 그 밖의 요인비교치로서 1.38을 적용한다.

7. 환매 당시 토지가격

800,000 × 1.01614 × 1.000 × 1.050 × 1.38 ≒ 1,180,000원/㎡(× 623 = 735,140,000원)

Ⅳ 〈물음 3〉 환매금액의 결정

1. 인근 유사토지 지가변동률

(1) 표본지 선정

종전의 폐기물처리시설로 인한 영향과 무관하며, 일반공업, 공업용으로서 취득시부터 가격시점까지 인근의 지가변동을 잘 나타낼 수 있는 표준지 B를 선정한다.

(2) 취득 당시 표본지 적정가격(2015년 7월 1일)

930,000 + (970,000 − 930,000) × 182/365 ≒ 949,945원/㎡

(3) 환매 당시 표본지 적정가격(2023년 9월 7일)

1,2900,000 × 1.01614 ≒ 1,310,821원/㎡

(4) 인근 유사토지의 지가변동률

1,310,821 ÷ 949,945 ≒ 1.37989

2. **환매금액의 결정**(지장물은 환매의 대상이 아니다)

(1) **보상가 × 인근 유사토지 지가변동률**

750,000 × 1.37989 ≒ 1,030,000원/㎡

(2) **환매금액의 결정**

환매 당시 토지금액 > 보상가 × 인근 유사토지 지가변동률인 바, 아래와 같이 결정한다.

750,000 + (1,180,000 − 750,000 × 1.37989) ≒ 895,000원/㎡(× 623 = 557,585,000원)

Answer 118

30점

I 평가개요

본건은 서울시 D구청에서 시행하는 도시계획시설공원에 대한 협의목적의 보상평가로서 2023년 6월 12일을 가격시점으로 평가한다.

II 비교표준지

1. 적용공시지가 선정

사업인정의제일이 2023년 5월 9일로서 이전 공시지가인 2023년 공시지가를 활용한다.

2. 비교표준지 선정

(1) 선정기준

용도지역 등 공법상 제한, 실제이용상황, 주변환경이 같거나 유사하고, 인근지역에 위치하여 지리적으로 가까운 표준지를 선정한다.

(2) 기호 1

제1종 일반주거지역, 잡종지로서 인근지역의 제1종 일반주거지역이면서 이용상황이 유사한 단독주택 표준지로서 표준지 2를 선정한다(도시계획시설공원은 해당 공익사업으로서 배제한다).

(3) 기호 2

제1종 일반주거지역, 임야로서 인근지역 내 공법상 제한이 유사한 임야의 표준지가 없으므로 유사지역 내 공원저촉이 없는 표준지인 표준지 3을 선정한다.

III 시점수정치(2023년 1월 1일~2023년 6월 12일)

1. 지가변동률

비교표준지가 소재하는 시・군・구의 용도지역별 지변율을 각각 적용한다.

(1) 기호 1(D구 주거지역)

$1.00103 \times (1 + 0.00108 \times 43/30) \fallingdotseq 1.00258$

(2) 기호 2(K구 주거지역)

$1.00033 \times (1 + 0.00008 \times 43/30) \fallingdotseq 1.00044$

2. 생산자물가상승률

2023년 4월 ÷ 2022년 12월 = 122.1 ÷ 121.6 ≒ 1.00411

3. 결정

해당 토지의 가격변동을 잘 반영하는 지가변동률을 기준한다.

Ⅳ 지역, 개별요인비교치

1. 기호 1

(1) 지역요인

인근지역에 위치하므로 대등하다(1.000).

(2) 개별요인

100/105 × 100/105 × 100/105 ≒ 0.864

2. 기호 2

(1) 지역요인비교치

1) 처리방침

비교표준지가 속한 지역의 가격시점 당시 표준적인 획지가격과 대상토지가 속한 지역의 기준시점 당시의 표준적 획지가격의 격차율로서 산출한다.

2) 비교표준지가 속한 지역의 획지가격(가격시점)

① 분양가 소계

1,800,000 × 62 + 2,000,000 × 92 + 2,300,000 × (120 + 120) ≒ 847,600,000원

② 건축비

900,000 × 684 = 615,600,000원

③ 표준적 획지가격(개발법)

847,600,000 − 615,600,000 = 232,000,000(678,000원/㎡)

3) 대상토지가 속한 지역의 획지가격(가격시점)

① 분양가 소계

1,350,000 × 852 = 1,150,200,000원

② 건축비

1,000,000 × 852 = 852,000,000원

③ 표준적 획지가격(개발법)

1,150,200,000 − 852,000,000 = 298,200,000원(700,000원/㎡)

4) 지역요인비교치

본건/비교표준지 = 700,000 ÷ 678,000 ≒ 1.032

(2) 개별요인비교치

서로 대등하다(1.000).

V 그 밖의 요인비교치

1. 기호 1(보상선례 A기준)

$$\frac{2,760,000 \times 1.01490^{*} \times 1.000 \times 0.952^{**}}{1,580,000 \times 1.00258} \fallingdotseq 1.683$$

* 2022년 1월 1일~2023년 6월 12일, D구 주거
1.01229 × 1.00103 × (1+0.00108×43/30)
** 100/105

상기와 같이 격차율이 산출된 바, 그 밖의 요인비교치로서 1.68을 적용한다.

2. 기호 2(보상선례 B기준)

$$\frac{465,000 \times 1.01490 \times 0.969^{*} \times 1.111^{**}}{495,000 \times 1.00044} \fallingdotseq 1.025$$

* 지역요인비교(표준획지단가 기준) : 678,000 ÷ 700,000
** 1/0.9

상기와 같이 산출된 바, 그 밖의 요인비교치로서 1.02로 결정한다.

VI 보상평가액 결정

1. 기호 1

1,580,000 × 1.00258 × 1.000 × 0.864 × 1.68 ≒ 2,300,000원/㎡(× 300 = 690,000,000원)

2. 기호 2

495,000 × 1.00044 × 1.032 × 1.00 × 1.02 ≒ 521,000원/㎡(× 500 = 260,500,000원)

Answer 119

25점

I 평가개요

본건은 택지개발사업에 편입되는 지장물에 대한 협의취득목적의 보상평가로서 제시된 2023년 8월 31일을 가격시점으로 평가한다.

II 기호 1, 2

1. 처리방침

「택지개발촉진법」상 행위제한일인 예정지구공고 및 공람 이전에 신축된 기호 1은 보상대상이며, 기호 2는 보상대상이 아니다.

2. 평가방법

「토지보상법」상 이전비를 기준하되, 물건의 가격을 이전비가 초과하면 물건의 가격으로 보상한다. 주거용 건축물로서 비준가액을 통하여 물건의 가격을 평가할 수 있다.

3. 이전비(기호 1)

시설개선비는 제외한다.

$500,000 \times (0.213 + 0.157 + 0.138 + 0.213 - 0.086 + 0.015) \times 70 ≒ 22,750,000$원

4. 물건의 가격

(1) 적산가액

$250,000 \times 95/100 \times 38/40 ≒ 226,000$원/㎡($\times 70 = 15,820,000$원)

(2) 비준가액

1) 사례선택

건물만의 거래로서 건물의 가격수준으로 판단되며, 개발이익이 반영되지 않은 거래사례 1을 선정한다($30,000,000 \div 100 = 300,000$원/㎡).

2) 시점수정치(2022.03.01~2023.08.31, 건축비지수)

$(113 + 3 \times 2/6) \div (105 + 4 \times 3/12) ≒ 1.07547$

3) 비준가액

$300,000 \times 1.000 \times 1.07547 \times (95/100 \times \frac{38/40}{35/40}) ≒ 333,000$원/㎡($\times 70 = 23,310,000$원)

(3) 물건의 가격

비준가액이 적산가액보다 큰 바, 비준가액을 기준으로 결정한다(23,310,000원).

5. 보상평가액

해당 물건의 가액보다 이전비가 적은 바, 이전비를 기준하여 22,750,000원으로 결정한다.

Ⅲ 기호 3

1. 처리방침

일부가 편입된 건물로서 이전이 불가한 바, 일부 편입부분의 가격과 보수비를 평가한다.

2. 편입된 부분의 가격

(1) 적산가액

$500,000 \times 98/100 \times 33/40 \fallingdotseq 404,000$원/㎡

(2) 비준가액

$300,000 \times 1.000 \times 1.07547 \times (98/100 \times \frac{33/40}{35/40} \times 1.4) \fallingdotseq 417,000$원/㎡

(3) 편입부분의 가격

비준가액이 적산가액을 상회하는 바, 비준가액을 기준으로 결정한다.

(417,000원/㎡)(× 100 = 41,700,000원)

3. 보수비 등

(1) 보수면적

$5 \times 16 = 80$㎡

(2) 보수비

$(10,000 - 2,000) \times 80 + 5,000,000 = 5,640,000$원

(3) 가치하락액

$10,000 \times (16 \times 12.5/2) \fallingdotseq 1,000,000$원

(4) 보수비 등

$5,640,000 + 1,000,000 = 6,640,000$원

(잔여건축물의 가격 : 417,000 × 100 = 41,700,000원)

Ⅳ 기호 4

1. 처리방침

성장 중의 농작물로서 장래수익의 현가에서 비용의 현가를 차감하여 평가한다.

2. 보상평가액

(1) 장래수익의 현가

수익은 4년 후 실현된다.

$50,000 \times (1-0.3)^4 \times 50,000 \times 0.6 \times \frac{1}{1.1^4} \fallingdotseq 245,987,000$원

(2) 장래비용의 현가

$5,000,000 \times \frac{1.1^4-1}{0.1 \times 1.1^4} \fallingdotseq 15,849,000$원

(3) 보상평가액

$245,987,000 - 15,849,000 = 230,138,000$원

10점

I 평가개요

본건은 도시계획도로에 편입되는 지장물의 협의취득목적의 보상감정평가로서 협의예정일인 2023년 8월 31일을 가격시점으로 한다.

II 편입부분의 평가액

1. 처리방침

구조상 이전이 불가하여 해당 물건의 가격을 기준한다.

2. 편입부분의 평가액

(1) 재조달원가

650,000 × (130 × 2 + 90 + 130 × 0.75 × 1) + 750,000 × 130 + 500,000 × (30 × 2)
≒ 418,375,000원

(2) 평가액

418,375,000 × 47/50 = 393,272,500원

III 보수비 등

1. 보수비

(1) 처리방침

시설개선항목을 제외하고 합산한다(잔여부분 리모델링, 바닥난방개선비).

(2) 보수비

50,000,000 + (497,000,000 − 200,000,000 − 80,000,000) = 267,000,000원

2. 잔여부분 가치손실분

(1) 잔여부분의 가치

1) 재조달원가

650,000 × (570 × 2 + 260 + 570 × 0.75 × 1) + 750,000 × 570 = 1,615,375,000원

2) 평가액

1,615,375,000 × 47/50 = 1,518,452,500원

(2) 가치손실분

1,518,452,500 × 0.15 = 227,768,000원

3. 보수비 등

267,000,000 + 227,768,000 = 494,768,000원

Answer 121

10점

Ⅰ 평가개요

본건은 복숭아나무에 대한 보상평가로 가격시점은 2023년 9월 1일이며, 이식부적기이다.

Ⅱ 보상액 산정

1. 수고산정(H)

   60cm : 6m = 30cm : Hm

   ∴ H = 3m

2. 이식비

   (1) 굴취비

   $0.19 \times 35,500 + 0.02 \times 22,300 \fallingdotseq 7,191$

   (2) 운반비

   $0.015 \times 34,070 \fallingdotseq 511$

   (3) 상하차비

   1,017

   (4) 식재비

   $0.23 \times 35,500 + 0.14 \times 22,300 \fallingdotseq 11,287$

   (5) 재료비

   $(7,191 + 11,287) \times 0.1 \fallingdotseq 1,848$

   (6) 부대비용

   $(7,191 + 511 + 1,017 + 11,287 + 1,848) \times 0.2 \fallingdotseq 4,371$

   (7) 합계

   26,225원/주

3. 고손액 및 감수액

$52,000 \times \underbrace{(0.15 \times 2)}_{고^{*}} + 11,000 \times \underbrace{0.7 \times 2.2}_{감^{**}} \fallingdotseq 32,540$원/주

* 고손율은 부적기인 바, 이식적기의 2배 적용

** 감수율 220%

4. 이전비 보상액

$26,225 + 32,540 \fallingdotseq 58,765$원/주 ∴ $58,765 \times 50$주 $\fallingdotseq 2,938,250$원

5. 보상액 산정

이전비가 물건의 가격을 초과하므로 물건의 가격으로 보상한다.

∴ $52,000 \times 50$주 $\fallingdotseq 2,600,000$원

Answer 122

20점

Ⅰ 평가개요

본건은 농작물 수확전 협의 보상평가로서 2023년 8월 31일을 가격시점으로 평가한다.
농업손실보상 여부와는 무관한 감정평가이다.

Ⅱ 시설취나물 보상평가액

1. 처리방침

- 토지보상법 시행규칙 제41조에 의하여 예상 총수익 현가에서 투하비용의 현가를 차감하여 평가한다.
- 3년치 수입은 보상 당시 상품화가 가능한 바, 2년치 수입의 현가를 기준으로 한다.

2. 예상 총수입 현가

(1) 연간 생산량 추정

$(110 + 120 + 130) \div 3 = 120kg(\times$ 2개동 $= 240kg)$

(2) 연간 총수입

13,000원/kg × 240kg = 3,120,000원

(3) 예상 총수입 현가

$3,120,000 / 1.06 + 3,120,000 / 1.06^2 \fallingdotseq 5,720,000$원

3. 예상 투하비용 현가

$(200,000 + 100,000) \times (\frac{1}{1.06} + \frac{1}{1.06^2}) \fallingdotseq 550,000$원

4. 평가액 : 5,720,000 − 550,000 = 5,170,000원

Ⅲ 방울토마토 보상평가액

1. 처리방침

토지보상법 시행규칙 제41조에 의하여 가격시점까지 소요된 비용의 현재가치 합으로 평가한다.

2. 투하된 비용의 현가

지장물 보상대상은 제외한다.

$(2,000,000 + 3,000,000) \times (1 + \frac{0.06}{12})^6 \fallingdotseq 5,152,000$원

5점

Ⅰ 평가개요

본건은 과수목에 대한 보상평가건으로서 2023년 9월 1일을 가격시점으로 한다.

Ⅱ 감정평가액의 결정

1. 물건의 가격

60,000원/주(4년생)

2. 이전비(이식가능수령, 수확가능, 이식부적기)

(1) 이식비(H2m, R5cm)

$11,000 + 1,000 + 1,000 + 17,000 \fallingdotseq 30,000$원/주

(2) 이전비

$30,000 + (60,000 \times 0.15 \times 2) + [5,500 \times (1 - 0.15 \times 2) \times 2.2] \fallingdotseq 56,470$원/주

3. 결정

물건의 가격 > 이전비로서 이전비인 주당 56,470원으로 평가한다.

($\times$ 500 = 28,235,000원)

Answer 124

35점

I 평가개요

본건은 도시계획도로에 편입되는 영업손실에 대한 협의목적의 보상평가로서 2023년 9월 1일을 가격시점으로 관련 법령에 의하여 평가한다.

II 〈물음 1〉 영업손실의 대상이 되는 영업(「토지보상법 시행규칙」 제45조)

① 사업인정고시일 등 전부터 적법한 장소(무허가건축물 등, 불법형질변경토지, 그 밖에 다른 법령에서 물건을 쌓아놓는 행위가 금지되는 장소가 아닌 곳을 말한다)에서 인적·물적시설을 갖추고 계속적으로 행하고 있는 영업. 다만, 무허가건축물 등에서 임차인이 영업하는 경우에는 그 임차인이 사업인정고시일 등 1년 이전부터 부가가치세법 제8조에 따른 사업자등록을 하고 행하고 있는 영업을 말한다.

② 영업을 행함에 있어서 관계 법령에 의한 허가 등을 필요로 하는 경우에는 사업인정고시일 등 전에 허가 등을 받아 그 내용대로 행하고 있는 영업

III 〈물음 2〉 각 조서별 영업보상액

1. 기호 1

(1) 처리방침

휴업에 따른 영업손실보상으로서 사업시행자가 휴업기간을 제시하지 않은 바, 4개월을 기준하며, 1989년 1월 24일 이전 건축된 무허가건축물로서 적법한 장소 내 자유업으로서 보상대상이 된다.

(2) 연간 영업이익 산정

1) 신고 영업이익 기준

최근 3년간의 영업이익을 기준한다(2020년~2022년).

$$\frac{56,000,000 + 61,000,000 + 66,000,000}{3} = 61,000,000\text{원}$$

2) 인근 유사동종업종 기준

310,000,000(중위치) × 0.2 ≒ 62,000,000원

3) 연간 영업이익 산정

유사 업종의 합리성이 인정되어 신고 영업이익 기준 61,000,000원으로 결정한다.

(3) 영업이익 결정(휴업기간)

1) 휴업기간 중 영업이익

61,000,000 × 4/12 ≒ 20,300,000원

2) 최저한도액(개인영업)

2,900,000(3인 가구 도시근로자가구 가계지출비) × 4월 = 11,600,000원

3) 결정

최저한도액 이상인 바, 20,300,000원으로 결정한다.

(4) 고정적 비용

휴업기간 중의 감가상각비, 공조공과, 보험료를 고정적 비용으로 판단한다.

50,000,000 × 1/22 × 4/12 + 2,000,000 × 4/12 + 3,000,000 × 4/12 ≒ 2,424,000원

(5) 영업장소 이전 후 발생하는 영업이익 감소액

20,300,000 × 0.2 = 4,060,000원(상한 : 10,000,000원)

(6) 이전비 등

진열대 증설비는 시설개선비로서 제외한다. 간판은 이전 불가능한 바, 해당 물건의 가격으로 보상한다.

1,200,000 + 850,000 + (5,000,000 × 0.1) + 200,000 ≒ 2,750,000원

(7) 보상액 결정

휴업기간 영업이익	고정적 비용 등	이전비 등
20,300,000	6,484,000	2,750,000
합계 : 29,534,000원		

2. 기호 2

(1) 처리방침

허가대상 영업을 무허가로 영위하는 바, 무허가 영업에 대한 특례를 적용한다(「토지보상법 시행규칙」 제52조)(3개월분 3인 가구 가계지출비 + 이전비 등).

(2) 이전비 등

5,000,000 + 3,000,000 + (50,000,000 × 0.05) + 250,000 ≒ 10,750,000

(3) 보상액 결정

휴업기간 영업이익	고정적 비용 등	이전비 등
0	0	10,750,000
합계 : 10,750,000원		

※ 보상액 : 2,900,000 × 3월 + 10,750,000 ≒ 19,450,000원

3. 기호 3

(1) 처리방침

자유업을 불법용도변경한 장소(무허가장소)에서 영위하는 임차인 영업으로서 사업인정고시일 등(2022년 5월 1일) 이전 1년 이전에 사업자 등록을 하고 영업하는 바, 영업손실보상의 대상이다.

(2) 영업이익 산정

1) 손익계산서상 영업이익 기준

$$\frac{20,000,000 + 22,000,000}{2} = 21,000,000$$

2) 인근 유사동종업종 기준

100,000,000(중위치) × 0.2 ≒ 20,000,000

3) 결정

유사 업종의 합리성이 인정되어 신고 영업이익 기준 21,000,000원으로 결정한다.

(3) 영업이익 결정(휴업기간)

1) 최저한도액

2,900,000 × 4월 = 11,600,000

2) 휴업기간 중 영업이익

21,000,000 × 4/12 = 7,000,000

3) 결정

최저한도액 미만으로서 최저한도액인 11,600,000원으로 결정한다.

(4) 고정적 비용

본건은 임차인의 영업으로서 건축물에 대한 감가상각비는 고려하지 아니한다.

2,500,000 × 4/12 + 4,500,000 × 4/12 ≒ 2,333,000원

(5) 영업장소 이전 후 발생하는 영업이익 감소액

11,600,000 × 0.2 = 2,320,000원(상한 : 10,000,000원)

(6) 이전비 등

3,500,000 + 2,000,000 + 25,000,000 × 0.1 + 200,000 ≒ 8,200,000원

(7) 보상액 결정

휴업기간 영업이익	고정적 비용	이전비 등
11,600,000	4,653,000	8,200,000
합계 : 24,453,000원		

※ 보상액 : 이전비 등을 제외한 평가액이 10,000,000원을 초과하는 바, 10,000,000원으로 결정
10,000,000 + 8,200,000 ≒ 18,200,000원

Answer 125

35점

Ⅰ 평가개요

본건은 영업손실보상평가로 가격시점은 2023년 9월 1일이다.

1. 甲의 영업보상

혐오감을 주는 영업시설로 이전이 곤란하다고 C시장 등이 인정하였으므로 "영업이익 × 2년 + 고정자산매각손실액 + 재고자산매각손실액"으로 보상한다.

2. 乙의 영업보상

임시영업소 설치보상은 영업의 휴업보상액을 초과하지 못하므로 영업의 이전(휴업)보상액과 임시영업소설치비용을 비교하여 보상액을 결정한다.

Ⅱ 甲의 영업폐업보상액 산정

1. 영업소득 산정

(1) 손익계산서상 영업이익 기준

$$\frac{34,000,000 + 38,000,000 + 36,000,000}{3} = 36,000,000$$

(2) 구두확인에 의한 영업소득

(18,000,000 − 10,000,000 − 4,000,000) × 12 = 48,000,000원

(3) 인근 동종유사업종 기준

1) 18,000,000원 기준

18,000,000 × 12 × 0.15 = 32,400,000원

2) 20,000,000원 기준

20,000,000 × 12 × 0.15 = 36,000,000원

(4) 영업이익최저한도(개인영업)

35,000 × 25 × 12 = 10,500,000원

(5) 결정

구두탐문결과는 객관성이 결여될 수 있으며, 손익계산서상 영업이익이 인근 유사 업종의 영업이익 수준의 유사성이 인정되는바, 손익계산서상 영업이익을 기준으로 결정한다(36,000,000원).

2. 매각손실액 산정

(1) 영업용 고정자산 매각손실액

매각가액을 알 수 없으므로 현재가액의 60% 이내로 산정한다.

(10,490,000 − 1,400,000) × 0.6 = 5,454,000원

* 고기정제시설은 별도평가가 이루어졌으므로 제외한다.

(2) 재고자산 매각손실액[4)]

(11,000 − 9,000) × 50 + (5,000 × 55 + 3,500 × 20) × 0.6 + (6,000 − 4,500) × 250

제품, 가공품 / 반제품, 저장품 / 원재료

= 682,000원

3. 甲의 영업폐지보상액

36,000,000 × 2년 + 5,454,000 + 682,000 = 78,136,000원

Ⅲ 乙의 임시영업소 설치보상액

1. 영업이익 산정

(1) 매출총이익

474,800,000 − (4,700,000 + 309,400,000 − 5,400,000) = 166,100,000원

매출 / 전기이월 / 매입 / 기말재고

(2) 판매관리비

1) 대손상각비 : (51,588,000 + 27,000,000) × 0.05 − 2,100,000 ≒ 1,829,000원

2) 감가상각비

① 차량 : 19,000,000 ÷ 5 = 3,800,000원

② 비품 : 20,000,000 ÷ 5 = 4,000,000원

③ 건물 : 120,000,000 × 1/50 ≒ 2,400,000

④ 감가상각비 : 10,200,000

3) 급료 : 44,000,000 + 4,000,000 = 48,000,000

---

4) 영업손실보상평가지침 제12조 제3호
재고자산은 현재가액에서 처분가액을 뺀 금액으로 한다. 다만, 이의 산정이 사실상 곤란한 경우에는 현재가액을 기준으로 다음과 같이 결정할 수 있다.
- 제품・상품으로서 일반적인 수요성이 있는 것 : 20퍼센트 이내
- 제품・상품으로서 일반적인 수요성이 없는 것 : 50퍼센트 이내
- 반제품・재공품, 저장품 : 60퍼센트 이내
- 원재료로서 신품인 것 : 20퍼센트 이내
- 원재료로서 사용중인 것 : 50퍼센트 이내

4) 보험료 : 3,520,000 − 740,000 = 2,780,000

5) 기타비용 : 7,564,000

6) 판매관리비 : 70,373,000원

(3) 영업이익

166,100,000 − 70,373,000 = 95,727,000원

2. 이전보상액

(1) 영업이익(휴업기간 4월로 의뢰)

95,727,000 × 4/12 ≒ 31,909,000원

* 법인이므로 최저영업이익 검토대상이 아님

(2) 고정적 비용

1) 인건비

휴직보상을 하지 않고 휴업기간 중 근무를 요하는 근로자만 산정한다.

(1,100,000 + 1,000,000 × 2) × 12월 × 4/12 ≒ 12,400,000원

2) 제세공과금

1,106,000 × 4/12 ≒ 369,000원

3) 보험료

(3,520,000 − 740,000) × 4/12 ≒ 927,000원

4) 감가상각비(차 + 비 + 건) : 10,200,000 × 4/12 = 3,400,000원

5) 합계 : 17,096,000원

(3) 이전통상비용

1,400,000 + 2,100,000 + 700,000 = 4,200,000원

(4) 감손상당액

5,400,000 × 0.05 = 270,000원

(5) 영업장소 이전 후 발생하는 영업이익 감소액

31,909,000 × 0.2 = 6,381,800원

(6) 기타부대비용

300,000원

(7) 휴업보상액

31,909,000 + 17,096,000 + 4,200,000 + 270,000 + 6,381,800 + 300,000

≒ 60,156,800원

3. 임시영업소 설치비용

(1) 설치비

(100,000 + 30,000 − 10,000) × 300㎡ = 36,000,000원

(2) 토지임차료

5,000 × 500 × 4개월 ≒ 10,000,000원

(3) 이전비 등 및 부대비용

4,200,000 + 270,000 + 300,000 = 4,770,000원

(4) 설치보상액

36,000,000 + 10,000,000 + 4,770,000 ≒ 50,770,000원

4. 보상액 결정

임시영업소 설치비용이 휴업보상액을 초과하지 않으므로 乙의 영업손실보상액을 50,770,000원으로 결정한다.

Ⅳ 보상액

1. 甲 영업손실보상액

78,136,000원

2. 乙 영업손실보상액

50,770,000원

20점

Ⅰ 평가개요

본건은 임시영업소 가설에 대한 영업손실보상으로 가격시점은 2023년 1월 1일임(임시영업소 가설비용보상은 휴업보상을 상한으로 한다).

Ⅱ 임시영업소 가설비용

1. 지대상당액

1,700,000 × 3 + 20,000,000 × 0.07 × 3/12 = 5,450,000원

2. 임시영업소 설치·해체비용

3,000,000 + 1,000,000 = 4,000,000원

3. 이전비 등

2,800,000 + 5,000,000 × 0.1 = 3,300,000

4. 임시영업소 가설비용

12,750,000원

Ⅲ 이전보상액(의뢰인의 요구에 따라 3월 휴업을 가정한다)

1. 영업이익 산정

(1) 매출총이익

30,000,000 − (3,000,000 + 10,000,000 − 5,000,000) = 22,000,000

(2) 판매관리비

1) 대손상각비

10,000,000 × 0.02 − 100,000 = 100,000

2) 감가상각비 : (400,000 − 70,000) × 0.1 = 33,000

3) 보험료 : 200,000 × 6/12 = 100,000

4) 급료 : 5,500,000 + 500,000 = 6,000,000

5) 판매관리비 : 100,000 + 33,000 + 100,000 + 6,000,000 + 100,000 + 295,000 + 500,000 + 1,200,000 = 8,328,000

(3) 영업이익 : 22,000,000 − 8,328,000 = 13,672,000원

① 기말정리분개(원)

급료	500,000	미지급금	500,000
대손상각비	100,000	손실충당금	100,000
보험료*1	100,000	선급비용	100,000
감가상각비*2	33,000	감가상각누계액	33,000

* 1) 200,000 × 6/12

* 2) (400,000 − 70,000) × 0.1

② 영업이익 산정

매출액	30,000,000
매출원가	(8,000,000)
기초상품	3,000,000
매입	10,000,000
기말상품	(5,000,000)
매출총이익	22,000,000
판매관리비*	(8,328,000)
영업이익	13,672,000

* (5,500,000 + 500,000) + 100,000 + 295,000 + 500,000 + 1,200,000 + 100,000 + 100,000 + 33,000
급여 여비 통신 수도 지급 보험 대손 감가

* (주) 청주상사는 주식회사(법인영업)이므로 영업이익 최소한도를 고려하지 아니한다.

2. 고정적 비용

(1) 인건비

6,000,000 × 3/12 × 0.7 = 1,050,000원

(2) 임차료

1,200,000 × 3/12 = 300,000원

(3) 보험료

200,000 × 3/12 = 50,000원

(4) 감가상각비

33,000 × 3/12 = 8,250원

(5) 합계

1,408,000원

3. 이전통상비용

2,800,000원

4. 이전에 따른 감손상당액

   $5,000,000 \times 0.1 = 500,000$원

5. 영업장소 이전 후 발생하는 영업이익 감소액

   $13,672,000 \times 3/12 \times 0.2 = 683,600$원(상한 : 10,000,000원)

6. 이전보상액

   $13,672,000 \times 3/12 + (1,408,000 + 2,800,000 + 500,000 + 683,600) = 8,809,600$원

Ⅳ 영업손실보상액 결정

1. 임시영업소 가설비용

   12,750,000원

2. 이전보상액

   8,809,600원

3. 보상액 결정

   임시영업소 가설비용이 이전보상액을 초과하므로 이전보상액으로 결정한다(∴ 8,809,600원).

Answer 127

20점

I 〈물음 1〉

1. 어업별 각종 공부자료의 수집, 분류
2. 설문, 면담 등을 통한 해당 지역 어업실태조사
3. 출입항신고실적, 면세유구입실적자료 등을 통한 어업활동 추정
4. 수산자원량 조사, 판매실적자료 수집을 통한 어업생산량 산정
5. 계통출하판매단가, 도매시장경락가격 등의 조사와 평균연간판매단가 산정
6. 어업경영실태조사를 통한 평년어업경비 산정
7. 어선·어구 등 시설물 조사와 잔존가액 산정
8. 전문용역기관의 어업피해조사자료를 검토·분석
9. 기타 어업손실액 평가를 위해 필요한 조사

II 〈물음 2〉

1. 기호 1

(1) 개요

면허어업으로 "평년수익액 ÷ 0.12 + 시설물의 잔존가액"으로 산정한다.

(2) 평년수익액

1) 평균 연간어획량

(560 + 580 + 600) ÷ 3 = 580kg
2019 2021 2022

* 전년도 기준 소급기산한 3년간 평균어획량에 의하되, 2020년 어획량이 전년 대비 1.5배 이상(890/560=1.59)인 바, 2019년치를 적용한다.

2) 평균판매단가

적조피해로 전년 대비 1.5배 이상(30,000/19.000 > 1.5)인 바, "재소급 1년간 평균판매단가 × 변동률"에 의한다.

- 재소급 1년간 평균판매단가 : @18,660
- 최초소급 1년간 전국평균 변동률(22.8.27－23.8.26)
  (1 + 0.017 × 127/365) × 1.009 ≒ 1.01497
- 평균판매단가
  18,660 × 1.01497 ≒ 18,940원

3) 평년수익액

580 × 18,940 − 2,800,000 ≒ 8,185,000원

* (주) 경비 : 자가노력비 포함

(3) 어선, 어구시설물의 잔존가액

1) 어선

110ton × 1,000,000 × 9/15 ≒ 66,000,000원

2) 기타시설

① 투자당시 가액(17.2.1)

250,000,000 × 14/20 + 80,000,000 × 4/10 + 50,000,000 × (1−0.9×6/20)

≒ 243,500,000원

② 가격시점 가액(2023.08.26)

243,500,000 × 1.37360* ≒ 334,472,000원

* 2017.02.01~2023.08.26 : $1.05^6 \times (1 + 0.05 \times 6/12)$

3) 합계

400,472,000원

(4) 보상액

$\frac{8,185,000}{0.12}$ + 400,472,000 ≒ 468,680,000원

2. 기호 2

(1) 개요

원양어업은 허가어업인 바, "평년수익액 × 3년 + 시설물의 잔존가액"으로 산정한다.

(2) 평년수익액

1) 평균 연간어획량

$\frac{400,000 + 450,000 + 500,000}{3}$ = 450,000kg

2) 평균판매단가 : @809

3) 평년어업경비(어선・어구의 유지관리를 위하여 들어가는 통상 고정비용은 유지관리비에 포함되는 것으로 본다)

19,000,000 (보수) + 90,000,000 (인건) + 20,000,000 (자재) + 15,000,000 (난방) + 5,000,000 (제세) + 50,000,000 (기타)

+ 5,583,000 (감가*) ≒ 204,583,000원

* 감가상각비 : 7,000,000 × 1/30 + 11,000,000 × 1/5 + 6,500,000 × 1/10 + 50,000,000 × 1/20

4) 평년수익액

450,000 × 809 − 204,583,000 = 159,467,000원

(3) 시설물의 잔존가액

1) 어선

7,000,000 × 27/30 + 11,000,000 × 2/5 + 6,500,000 × 7/10 ≒ 15,250,000원

2) 어구 및 부대시설

50,000,000 × 17/20 = 42,500,000원

3) 합

57,750,000원

(4) 보상액

159,467,000 × 3년 + 57,750,000 ≒ 536,151,000원

Answer 128

15점

Ⅰ 평가개요

본건은 가격시점을 2023년 8월 1일 기준한 어업권의 취소보상평가이다.

Ⅱ 평년수익액

1. **평균연간어획량**(단위 : ton)

보상대상의 어획량이 3년에 미달하는 바, 인근 동종어장을 기준하여 산정한다(가격시점이 속하는 연도의 직전 연도를 기준 3년간 평균).

$$(20 + 11) \times \frac{\frac{(20+22+23)/3+(20+22+23)/3}{2}}{\frac{23+12+23+11}{2}} \fallingdotseq 19.5\text{ton}$$

2. **평균연간판매단가**(2022년 8월~2023년 7월 가중평균)

가격시점 현재를 기준으로 하여 소급기산한 1년간 가중평균하여 산출한 평균판매단가기준

$$\frac{780\times400+780\times380+...+720\times500+800\times350}{400+380+...+500+350} \fallingdotseq 776\text{천원}$$

3. **어업경비**

$19.5 \times 776{,}000 \times 0.51 + 300{,}000^{*} \fallingdotseq 8{,}017{,}000$원

* 자가노력비 및 감가상각비는 어업경비이다.

4. **평년수익액**

$19.5 \times 776{,}000 - 8{,}017{,}000 \fallingdotseq 7{,}115{,}000$원

Ⅲ 어선, 어구 등 시설물 잔존가액

1. **양식장시설**

$20{,}000{,}000 \times 1.03^{5} \times (1 + 0.03/12)^{7} \times \frac{45}{50} \fallingdotseq 21{,}235{,}000$원

2. **부대시설**

$10{,}000{,}000 \times 1.03^{5} \times (1 + 0.03/12)^{7} \times \frac{15}{20} \fallingdotseq 8{,}848{,}000$원

3. 선박

(1) 선체

$1,600,000 \times 3.5 \times 0.2^{5/10} ≒ 2,504,000$원

(2) 기관

$261,000 \times 20 \times 0.1^{5/10} ≒ 1,651,000$원

(3) 선박 평가액

$2,504,000 + 1,651,000 + 1,000,000 = 5,155,000$원

4. 계

양식장시설 + 부대시설 + 선박 + 어구 ≒ 35,238,000원

Ⅳ 보상액

$$\frac{7,115,000}{0.12} + 35,238,000 ≒ 94,530,000\text{원}$$

Answer 129

15점

I 평가개요

본건은 허가어업의 정지처분손실평가로 허가어업의 취소보상의 범위 내에서 보상평가한다(가격시점 : 2023년 4월 1일).

II 평년수익액

1. **평균연간어획량**(처분일이 속한 연도 전년도 기준한 3년 평균)

$$\frac{350+320+350}{3} \fallingdotseq 340\text{톤}$$

2. **평균연간판매단가**(평가시점 현재기준 소급 1년간 가중평균)

$$\frac{330\times3/12\times240,000+350\times9/12\times250,000}{330\times3/12+350\times9/12} \fallingdotseq 247,600\text{원/톤}$$

3. **평년어업경비**

$$28,000,000 \times \frac{9}{12} + 36,000,000 \times \frac{3}{12} \fallingdotseq 30,000,000\text{원}$$

* 가격시점 : 현재 기준 1년간 소급기산(2022년 4월~2023년 3월)

4. **평년수익액**

$$340 \times 247,600 - 30,000,000 \fallingdotseq 54,184,000\text{원}$$

III 정지처분손실평가(정지기간 2년)

$$54,184,000 \times 2 + \underset{\text{감*}}{36,000,000} + \underset{\text{기타}}{8,000,000 \times 2} \fallingdotseq 160,368,000\text{원}$$

* 감가상각비 : $400,000,000 \times (1-0.1) \times \frac{1}{20} \times 2$

IV 취소처분손실평가

$$54,184,000 \times 3 + 395,647,000^{*} \fallingdotseq 558,199,000\text{원}$$

* 시설잔존가액 : $400,000,000 \times 1.05^5 \times (1-0.9\times\frac{5}{20})$

V 보상액 결정

정지처분손실평가가 취소처분손실평가를 넘지 아니하므로 정지처분손실평가는 160,368,000원으로 결정한다.

Answer 130

15점

Ⅰ 평가개요

본건은 광업권의 소멸에 따른 보상액 산정으로 가격시점은 2023년 8월 1일이다.

Ⅱ 광산의 평가액

1. 연수익

(1) 사업수익 : 67,800 × 30,905.6 ≒ 2,095,400,000원

(2) 소요경비

(117,866,000 + 157,155,000 + 78,578,000 + 39,289,000) × (1 + 0.08 × 3/12)

운영자금이자

≒ 400,746,000원

(3) 연수익

2,095,400,000 − 400,746,000 ≒ 1,694,654,000원

2. 세전 배당이율 및 가행연수

(1) 세전 배당이율

$$\frac{0.15}{(1-0.3)} \fallingdotseq 0.2143$$

(2) 가행연수

$$\frac{900{,}000 \times 0.7 + 1{,}000{,}000 \times 0.7 \times 0.6}{67{,}800} \fallingdotseq 15\text{년}$$

3. 장래소요 기업비 현가

170,000,000 × 0.711 + 180,000,000 × 0.452 + 190,000,000 × 0.321 ≒ 263,220,000원

4. 광산의 평가액

$$\frac{1{,}694{,}654{,}000}{0.2143 + \frac{0.08}{(1+0.08)^{15}-1}} - 263{,}220{,}000 \fallingdotseq 6{,}484{,}907{,}000\text{원}$$

Ⅲ 이전 · 전용가능시설 잔존가치

1. 건축물(전용불가능하여 가행연수 범위로 장래보존연수 조정)

$$30{,}000{,}000 \times \frac{15}{{}^{*}15+15} = 15{,}000{,}000\text{원}$$

* 정액법, 만년감가, 잔가율 0

2. 구축물

$$2{,}500{,}000 \times \frac{15}{15+15} = 1{,}250{,}000\text{원}$$

Ⅳ 광업권 소멸에 따른 보상액

1. 이전 · 전용시설 판단

건축물, 구축물, 공기구비품 등은 잔존가치(평가액)가 이전비보다 크므로 이전비를 반영하나 기계기구는 작으므로 반영치 아니한다.

2. 보상액

$$6{,}484{,}907{,}000 - \underset{\text{잔}}{31{,}750{,}000^{*1}} + 10{,}100{,}000^{*2} \fallingdotseq 6{,}463{,}257{,}000\text{원}$$

* 1) 이전 · 전용시설 잔존가치 : 15,000,000(건) + 1,250,000(구) + 15,000,000(차) + 500,000(비)

* 2) 이전비 : 9,000,000(건) + 1,000,000(구) + 100,000(비)

Answer 131

20점

I 평가개요

본건은 경기도 파주시 문발동 소재 주민자치센터 건립사업에 편입되는 농지에 대한 농업손실보상과 관련된 물음으로서 각 물음에 대하여 2023년 8월 31일을 가격시점으로 평가한다.

II 〈물음 1〉 농업손실보상대상 등

1. 농업손실보상의 대상
   공익사업지구에 편입되는 「농지법」 제2조 제1호 가목 및 같은 법 시행령 제2조 제3항 제2호 가목에 해당하는 농지

2. 보상제외대상
   (1) 사업인정고시일 등 이후부터 농지로 이용
   (2) 일시적 농지의 경우
   (3) 타인 소유 토지를 불법으로 점유한 경우
   (4) 농민이 아닌 자가 경작하는 경우
   (5) 사업시행자가 2년 이상 계속 경작하도록 하는 경우

III 〈물음 2〉 농업손실보상 여부

1. 보상기준
   공부상 지목이 임야이나 농지로 이용 중인 토지는 농업손실보상의 대상이다. 위법행위에 대한 비난가능성, 위법의 정도, 합법화 가능성, 사회통념상 거래객체의 여부를 확인하여 사회적으로 용인되기 어렵다고 인정되면 농업손실보상의 대상이 되지 않는다.

2. 본건의 적용
   본건은 관할 시청에서 용인하고 있으며, 원상복구대상에도 해당하지 않는 등 비난가능성이 적으므로 농업손실보상대상에 해당한다고 볼 수 있다.

Ⅳ 〈물음 3〉 타인농지 적법 점유인정을 위한 자료(토지보상법 시행규칙 제48조 제7항)

실제 경작자는 다음 각 호의 자료에 따라 사업인정고시일등 당시 타인소유의 농지를 임대차 등 적법한 원인으로 점유하고 자기소유의 농작물을 경작하는 것으로 인정된 자를 말한다. 이 경우 실제 경작자로 인정받으려는 자가 제5호의 자료만 제출한 경우 사업시행자는 해당 농지의 소유자에게 그 사실을 서면으로 통지할 수 있으며, 농지소유자가 통지받은 날부터 30일 이내에 이의를 제기하지 않는 경우에는 제2호의 자료가 제출된 것으로 본다.

1. 농지의 임대차계약서
2. 농지소유자가 확인하는 경작사실확인서
3. 「농업·농촌 공익기능 증진 직접지불제도 운영에 관한 법률」에 따른 직접지불금의 수령 확인자료
4. 「농어업경영체 육성 및 지원에 관한 법률」 제4조에 따른 농어업경영체 등록 확인서
5. 해당 공익사업시행지구의 이장·통장이 확인하는 경작사실확인서
6. 그 밖에 실제 경작자임을 증명하는 객관적인 자료

Ⅴ 〈물음 4〉 농업손실보상액

1. 보상기준

면적에 대하여 도별 연간농가평균 단위경작면적당 농작물 총수입(3년치 평균)의 2년분을 보상한다(실제소득을 인정하는 경우 예외 적용).

2. 보상액(경기도의 자료를 적용)

(1) 단위면적당 농작물 총수입

14,951,000 ÷ 13,517.5㎡ ≒ 1,106원/㎡, 년

(2) 농업손실보상액

1,106 × 3,500㎡ × 2년 ≒ 7,742,000원

Answer 132

20점

I 평가개요

본건은 생활보상 등에 대한 검토로 각각의 사안을 검토하여 정당보상액을 산정한다(가격시점 2023년 8월 1일).

II 기호 1

1. 보상내용 검토

주거용 건물의 보상특례인 최저 600만원까지 보상하는 대상에 적용된다.

2. 정당보상액

8,000,000 + 6,000,000 ≒ 14,000,000원

III 기호 2

1. 보상내용 검토

B씨는 공공사업에 재편입되었으므로 재편입가산보상과 주거이전비보상대상이다.

2. 정당보상액

(1) 재편입가산보상

(56,000,000 + 40,000,000) × 0.3 ≒ 28,800,000원

∴ 재편입가산보상은 상한액인 10,000,000원으로 결정한다.

(2) 주거이전비(7명, 2월)

{2,700,000 + (2,700,000 − 1,600,000) ÷ 3 × 2} × 2 ≒ 6,867,000원

(3) 정당보상액

96,000,000 + 10,000,000 + 6,867,000 ≒ 112,867,000원

IV 기호 3

무허가 영업에 대하여는 3월분의 도시근로자 가계지출비(3인 가구)의 보상이 가능하나, C씨의 경우에는 아들이 동일 사업시행지역 내에서 영업보상을 받았으므로 보상대상에서 제외한다. 다만, 영업시설물에 대하여는 「토지보상법 시행규칙」 제55조에 근거하는 동산이전비보상은 가능할 것이다.

V 기호 4

1. 보상내용 검토

D씨 가족 일가는 해당 지역 내의 세입자로서 3개월 이상 실질적으로 거주하였으므로*, 주거이전비 보상대상이 되며, 농경지 소유자와의 협의에 의한 농업손실보상대상이 된다. 다만 실제소득으로 보상받기 위해서는 실제소득인정기준에서 정하는 바에 따라 실제소득을 입증하여야 한다.

* 토지보상법 시행규칙 제54조 제3항

2. 정당보상액

(1) 주거이전비(5인, 4월)

2,700,000 × 4 ≒ 10,800,000원

(2) 농업손실보상

1,077 × 10,000 × 2 ≒ 21,540,000원

(3) 정당보상액

10,800,000 + 21,540,000 ≒ 32,340,000원

Answer 133

5점

I 처리방침

본건은 택지개발사업에 편입되는 주거용 건축물에 대한 주거이전비의 보상건이다(2023년 8월 31일).

II 소유자의 경우

주거용 건축물 내 거주하는 바, 보상대상에 해당되며, 가구원수(8인)의 2개월분 가계지출비를 보상한다.

[3,500,000 + (8 − 5) × 467,000*] × 2월 = 9,802,000원

* 1인당 평균비용 : (3,500,000 − 2,100,000) ÷ 3

III 임차인의 경우

무허가 주거용 건축물로서 사업인정일 등 또는 관계 법령에 의한 공고・고시일 이전 1년 이상 거주한 바, 보상대상이다. 가구원수(3인)의 4개월분 가계지출비를 보상한다.

2,900,000 × 4월 = 11,600,000원

Answer 134

40점

Ⅰ 처리방침

본건은 토지 및 물건에 대한 수용재결보상평가로 가격시점은 수용재결(예정)일인 2023년 9월 21일을 기준한다.

Ⅱ 물음(1) (적용공시지가 선택)

1. 개요

「공익사업을 위한 토지 등의 취득 및 보상에 관한 법률」(이하 「토지보상법」) 제70조 제5항에 따라 해당 공익사업의 계획 또는 시행이 공고 또는 고시됨으로 인하여 취득하여야 할 토지의 가격이 변동되었다고 인정되는 경우에는 해당 공고일 또는 고시일 전의 시점을 공시기준일로 하는 공시지가로서 해당 토지의 가격시점 당시 공시된 공시지가 중 해당 공익사업의 공고일 또는 고시일에 가장 가까운 시점에 공시된 공시지가를 적용하는 바, 산업단지지정・고시일 해당 연도 초(2021.1.1)부터 사업인정고시의제일인 토지세목고시일 이전 공시지가(2022.1.1)까지의 해당 시와 사업지구 내 표준지공시지가의 평균변동률을 비교하여 토지가격이 변동되었는지를 검토하여 적용공시지가를 선택한다.

2. 토지가격이 변동되었는지 여부검토 및 적용공시지가 선택

(1) 해당 시 전체의 평균변동률을 기준 1.3배 이상인지 여부

$$\frac{\text{사업지구 내}}{\text{해당 시}} = \frac{7.12\%}{1.54\%} \fallingdotseq 4.62\text{이므로 1.3배 이상이다.}$$

(2) 변동률의 차이가 3% 이상인지 여부

7.12% − 1.54% ≒ 5.58%이므로 3% 이상이다.

(3) 변동 여부 검토 및 적용공시지가 선택

1.3배 이상 및 3% 이상의 두 조건을 모두 충족하므로 해당 공익사업의 계획 또는 시행이 공고 또는 고시됨으로 인하여 취득하여야 할 토지의 가격이 변동되었다고 인정된다. 따라서 적용공시지가는 「토지보상법」 제70조 제5항에 따라 2021.1.1을 기준한다.

Ⅲ 물음(2) (비교표준지 선정)

1. 선정기준

토지 (1), (2), (4) ~ (6)은 해당 공익사업으로 용도지역이 변경되었는 바, 변경 전 용도지역인 계획관리지역을 기준으로 용도지역 및 실제 이용상황이 동일하고 주위환경 등에 있어 비교가능성이 높은 표준지를 선정하되, 원칙적으로 사업지구 내 표준지를 우선 선정한다.

2. 비교표준지 선정 등

(1) **토지** (1) : 미지급용지인바, 종전 이용상황이라 판단되는 "전"을 기준하여 사업지구 내 이용상황이 동일한 표준지 (1)을 선정한다.

(2) **토지** (2) : 분할전 토지특성을 기준하여 사업지구 내 표준지 (2)를 선정한다.

(3) **토지** (3) : 개발제한구역 및 군사시설보호구역은 일반적 제한이므로 제한받는 표준지를 선정하여야 하는바, 용도지역, 이용상황(답)이 동일한 표준지 ⒂를 선정하되, 군사시설보호구역은 개별요인을 비교한다.

(4) **토지** (4) : 「토지보상법 시행규칙」 제24조 및 부칙 제6조에서는 1995년 1월 7일 이후 공익사업에 편입된 불법형질변경토지에 대하여는 불법형질변경될 당시의 이용상황을 상정하여 평가하도록 규정하고 있는바, 종전 이용상황이라 판단되는 "임야"를 기준하여 사업지구 내 표준지 (4)를 선정한다.

(5) **토지** (5) : 무단으로 관사를 신축한 미지급용지이나, 토지의 거래가격이 상승된 경우이므로 대법원 판례에 근거하여 현황 "대"를 기준으로 사업지구 내 표준지 (2)를 선정한다.

(6) **토지** (6) : 1989년 1월 24일 이전에 신축된 무허가건축물부지인 바, 사업시행자의 요청에 따라 건축물의 건축면적만을 "대"로 평가하고 기타 토지는 "과수원"을 기준으로 평가한다. 따라서 "대"부분은 표준지 (2)를, "과수원"부분은 표준지 (3)을 선정한다.

(7) **토지 (7)** : 「국토계획법」상 용도지역이 없는 바, 자연환경보전지역을 기준하여 이용상황과 동일한 표준지 ⑿를 선정한다.

Ⅳ 물음(3) (토지보상평가액 산정)

1. 시점수정

(1) 지가변동률

해당 국가산업단지로 인해 A시의 지가가 전반적으로 영향을 받아 주민공고·공람일로부터 가격시점까지 5% 이상, A시가 속한 도와 비교 30% 이상(산업단지 지정고시일로부터 가격시점까지) 변동되었는 바, 해당 공익사업의 계획 또는 시행이 공고 또는 고시됨으로 인해 지가가 변동된 경우에 해당된다 판단되어 지가영향이 없는 인접 시·군·구의 평균지가변동률을 적용한다.

(2) 생산자물가상승률

$$\frac{2023.8}{2020.12} = \frac{117.0}{100} = 1.17000$$

(3) 시점수정치 결정

지가변동을 보다 잘 반영하고 있다고 사료되는 지가변동률을 기준한다(2021.1.1~2021.11.21까지는 A시 지가변동률을 분리하여 적용할 수 있으나 본 문제에서는 이를 고려하지 아니하였음).

2. 지역요인비교

인근지역 표준지이므로 지역요인은 동일하다(∴ 1.000).

3. 그 밖의 요인비교

(1) 비교대상토지 및 보상선례 선정

제시된 보상선례의 이용상황이 단독주택인 바, 용도지역, 이용상황이 동일하여 비교가능성이 높은 토지 (2)와 비교하되, 본건 공익사업으로 인한 개발이익이 반영되지 않았다고 사료되는 해당 산업단지의 지정고시일(2021.11.21) 이전 보상선례인 선례 (2)를 선정한다.

(2) 그 밖의 요인비교치 산정(비교표준지 기준)

$$\frac{310{,}000 \times 1.11234 \times 1.000 \times 0.940}{270{,}000 \times 1.09000} = 1.101$$

따라서 정당보상을 위해 보상선례를 참작하여 그 밖의 요인보정치를 1.100으로 결정한다.

4. 토지보상평가액 산정

(1) 토지 (1) : $70{,}000 \times 1.09000 \times 1.000 \times 1.000 \times 1.100 \fallingdotseq$ 84,000원/㎡(16,800,000원)

시 지 개 그

(2) 토지 (2) : $270{,}000 \times 1.09000 \times 1.000 \times 1.000 \times 1.100 \fallingdotseq$ 324,000원/㎡(16,200,000원)

(3) 토지 (3) : $16{,}000 \times 1.08000 \times 1.000 \times \frac{100}{100} \times 0.800 \times 1.100 \fallingdotseq$ 15,000원/㎡(3,000,000원)

(4) 토지 (4) : $30{,}000 \times 1.09000 \times 1.000 \times 1.000 \times 1.100 \fallingdotseq$ 36,000원/㎡(72,000,000원)

(5) 토지 (5) : $270{,}000 \times 1.09000 \times 1.000 \times \frac{85}{105} \times 1.100 \fallingdotseq$ 262,000원/㎡(52,400,000원)

(6) 토지 (6)

1) "대"부분

"대" : $270{,}000 \times 1.09000 \times 1.000 \times \frac{90}{105} \times 1.100 \fallingdotseq$ 277,000원/㎡

2) "과수원"부분

"과수원" : $65{,}000 \times 1.09000 \times 1.000 \times 1.000 \times 1.100 \fallingdotseq$ 78,000원/㎡

3) 평균단가

277,000 × 60/600 + 78,000 × 540/600 = @98,000 × 600 = 58,800,000원

(7) **토지** (7) : 10,000×1.05000×1.000×0.85×0.60×0.8×1.100 ≒ 4,700원/㎡(14,100,000원)

V 물음(4) (농업손실대상 여부 검토)

1. 토지 (4)

농업손실보상 대상은 「농지법」 제2조 제1호 가목(전 · 답 · 과수원 및 사실상농지)에 해당하는 농지를 대상으로 하는 바, 본건 토지 (4)는 농지원부에 과수원으로 등재된 사실상 농지로 판단되므로 농업손실보상대상에 해당된다고 판단된다.

2. 토지 (6)

농업손실보상은 농지에 해당되면 미성과수목과 관련 없이 보상대상인 바, 본건 토지 중 과수원에 해당하는 540㎡만 농업손실보상대상이다.

VI 물음(5) (물건보상평가액 산정)

1. 물건 (1)

(1) 일부편입보상

① 편입부분 취득가격 : $750,000 \times \frac{15}{45} \times 30 = 7,500,000$원

② 보수비용 및 가치하락 : $1,050,000 \times 15 + 750,000 \times \frac{15}{45} \times 45 \times 0.1 = 16,875,000$원

* 시설개선비용은 제외한다.

③ 소계 : 24,375,000

(2) **전체 취득가격** : $750,000 \times \frac{15}{45} \times 75 = 18,750,000$원

(3) **보상가액 결정** : 일부편입보상액이 전체취득가격을 초과하는 바, 18,750,000원으로 결정한다.

2. 물건 (2)

(1) 보상대상 검토

임차농이 해당 지역에서 경작하고 있는 농지의 3분의 2 이상에 해당하는 면적이 공익사업시행지구에 편입되는 바, 농기구에 대한 매각손실액을 평가하여 보상한다.

(2) 매각손실액 산정

$10,000,000 \times 0.1^{5/15} \times 0.6 = 2,785,000$원

3. 물건 (3)

사과나무의 수령이 10년생으로 이식이 불가능하므로 나무의 가격으로 보상한다.
120,000×200 ≒ 24,000,000원

4. 물건 (4) – 기협의된 주택은 제외

(1) **이전비** : 20,000+35,000×0.4 = 34,000원/주
* 가격시점은 이식부적기임.

(2) **취득가격** : 35,000원/주

(3) **보상액 결정** : 이전비가 취득가격 이내이므로 이전비로 보상한다.
(∴ 34,000×150주 = 5,100,000원)

Answer 135

50점

Ⅰ 평가개요

본건은 도시계획 도로에 편입되는 토지 및 지장물에 대한 보상평가로서 2023년 9월 21일을 가격시점으로 보상액을 산정한다.

Ⅱ 〈물음 1〉 토지의 보상감정평가액

1. 적용공시지가 선택

개별법령상 실시계획의 고시가 사업인정 의제되는 바, 개발이익 배제를 위하여 이전 최근 공시지가인 2022년 공시지가를 선택한다(「토지보상법」 제70조 제4항).

2. 비교표준지 선정

(1) 선정기준

① 용도지역 등 공법상 제한과 유사하며, ② 실제 이용상황이 유사하고, ③ 주변환경이 유사한 표준지로서, ④ 인근지역에 위치하여 지리적으로 가까운 표준지를 선정한다.

(2) 기호 #1

① 1989년 1월 24일 이전 무허가건축물부지로서 현황평가하며, ② 별도 면적 사정하지 아니하는 바, ③ 자연녹지, 상업용 기준하여 표준지 D를 선정한다.

(3) 기호 #2

적법한 상업용 부지로서 자연녹지, 상업용인 표준지 D를 선정한다.

3. 시점수정치

(1) **지가변동률**(자연녹지, 2022년 1월 1일~2023년 9월 21일)

해당 공익사업과 무관한 택지개발사업으로 인한 가격상승분을 반영하여 산정한다.

$\therefore\ 1.15071 \times 1.09079 \times (1 + 0.01671 \times \frac{21}{31}) \fallingdotseq 1.26939$

(2) **생산자물가상승률**(2023년 8월/2021년 12월)

$119 \div 105 = 1.13333$

(3) 결정

해당 토지가격변동을 잘 반영하는 지가변동률을 기준한다(소비자물가지수는 시점수정자료로 활용불가 – 「토지보상법」 제70조).

4. 보상감정평가액 결정

(1) 그 밖의 요인보정치(기호 #1 기준)

1) 보상선례 기준가격

① 사례의 선택

자연녹지, 상업용으로 사례 2를 선택한다(#1 : 해당 공익사업, #3 : 공법상 제한 상이).

2) 격차율(비교표준지 기준)

$$\frac{740{,}000 \times 1.26939 \times 1.000 \times 1.000}{571{,}000 \times 1.26939} \fallingdotseq 1.295$$

3) 그 밖의 요인보정치 결정

상기와 같이 산출된 바, 그 밖의 요인보정치를 1.29로 결정함.

(2) 기호 #1

571,000 × 1.26939 × 1.000 × 1.313* × 1.29 ≒ 1,230,000원/㎡(× 350 ≒ 430,500,000원)

* 1.25 × 1.05

(3) 기호 #2

571,000 × 1.26939 × 1.000 × 1.050* × 1.29 ≒ 982,000원/㎡(× 500 ≒ 491,000,000원)

* 1 × 1.05

Ⅲ 〈물음 2〉 건축물의 보상감정평가액

1. 처리방침

기호 #1, 2 모두 사업인정일 이전 적법 건축물로서 보상대상이며, 해당 물건의 가격을 상한으로 이전비 보상한다.

2. 기호 #1의 보상액

(1) 이전비

(45,000,000 × 1.64247) × 0.25 ≒ 18,478,000원
시*

* 건축비상승률 : $1.05^{10} \times (1 + 0.05 \times \frac{2}{12})$

(2) 해당 물건의 가격

1) 재조달원가

대상가격 사정 개입으로 "간접법"을 적용하며, 구조가 유사한 A를 기준한다.

$39{,}000{,}000 \times 1.24083 \times \frac{100}{98} \times \frac{80}{100} \fallingdotseq 39{,}504{,}000$원
시*

* 2019년 4월 20일~2023년 9월 21일, 건축비 : $1.05^{4} \times (1 + 0.05 \times \frac{5}{12})$

2) 해당 물건의 가격

$$39,504,000 \times \frac{17}{45} \fallingdotseq 14,924,000\text{원}$$

(3) 결정

이전비가 물건의 가격을 초과하는 바, 물건가격 14,924,000원으로 보상한다.

3. 기호 #2의 보상액

(1) 이전비

1) 건설사례 A의 현재가격

$$39,000,000 \times 1.24083 \times \frac{41}{45} \fallingdotseq 44,091,000\text{원}$$

2) 이전비

$$44,091,000 \times 0.4 \fallingdotseq 17,636,000\text{원}$$

(2) 해당 물건의 가격

1) 재조달원가

$$39,000,000 \times 1.24083 \times \frac{95}{98} \times \frac{120}{100} \fallingdotseq 56,293,000\text{원}$$

2) 해당 물건의 가격

$$56,293,000 \times \frac{30}{45} \fallingdotseq 37,529,000\text{원}$$

(3) 결정

이전비가 물건의 가격 이내인 바, 이전비인 17,636,000원으로 결정한다.

Ⅳ 〈물음 3〉 영업권 보상감정평가액

1. 기호 #3

(1) 처리방침

휴업에 따른 영업보상에 따른 사업시행자 기간 미제시로 4月 기준하며, 적법한 건물 내 영업으로서 보상대상이다.

(2) 영업이익

1) 연간 영업이익의 산정

① 손익계산서 기준

최근 3년으로 2020년 ~ 2022년 자료기준

$(10,000,000 + 10,500,000 + 11,000,000) \div 3 \fallingdotseq 10,500,000$원

② 인근 동종유사업종 기준

$(120,000,000 \sim 140,000,000) \times 0.08 \fallingdotseq 9,600,000$원$\sim 11,200,000$원

③ 결정

양자 합리성이 인정되는 바, 손익계산서 기준 10,500,000원으로 결정한다.

2) 휴업기간 동안의 영업이익 결정

① 휴업기간 동안의 영업이익

$10{,}500{,}000 \times 4/12 = 3{,}500{,}000$원

② 한도액 고려

2,000,000 × 4月 = 8,000,000원

③ 결정

최저한도액 미만으로서 최저한도액인 8,000,000원으로 결정한다.

(3) 고정적 비용

보험료를 고정적 비용으로 판단 (4月분)(감가상각비는 건물이 취득보상되어 반영하지 아니한다)

$200{,}000 \times \frac{4}{12} \fallingdotseq 67{,}000$원

(4) 이전비 등

진열대 증설비는 시설개선비로서 제외, 간판은 가격이 이전비보다 작은바, 해당 물건의 가격으로 보상

$\therefore\ 1{,}200{,}000 + 850{,}000 + (5{,}000{,}000 \times 0.1) + 200{,}000 \fallingdotseq 2{,}750{,}000$원

(5) 영업장소 이전 후 발생하는 영업이익 감소액

$8{,}000{,}000 \times 0.2 = 1{,}600{,}000$원

(6) 보상액 결정

$8{,}000{,}000 + 67{,}000 + 2{,}750{,}000 + 1{,}600{,}000 \fallingdotseq 12{,}417{,}000$원

2. 기호 #4

(1) 처리방침

허가대상영업을 무허가로 영위하고 있는 바, 무허가영업에 대한 특례(제52조)를 적용한다(3月분 가계지출비 + 이전비 등).

(2) 이전비 등

기호 #3과 동일한 기준으로 판단한다.

$5{,}000{,}000 + 3{,}000{,}000 + (50{,}000{,}000 \times 0.05) + 250{,}000 \fallingdotseq 10{,}750{,}000$원

(3) 보상액 결정

2,000,000 × 3月 + 10,750,000 ≒ 16,750,000원

Answer 136

40점

Ⅰ 평가개요

1. 본건은 농공단지 사업에 편입되는 토지 및 물건에 대한 보상평가로서 관련 규정에 의거해 평가한다.

2. 가격시점
   본건은 이의 재결로서 「토지보상법」 제67조에 의거, 수용재결일인 2023년 3월 31일을 가격시점으로 한다.

Ⅱ 〈물음 1〉 토지의 보상평가액

1. 적용공시지가 선정
   (1) 사업인정의제일
   관련 개별법령에 의거 실시계획승인 고시일이 사업인정의제일이 된다(2022년 2월 1일).

   (2) 현실적인 지가변동
   협의평가시 농공단지 지정공고에 따른 현저한 가격상승이 있음을 포착하였는 바, 이를 고려한다.

   (3) 적용공시지가 선정
   「토지보상법」 제70조 제5항에 따라 지정공고일 이전 최근 공시지가인 2021년 공시지가를 선정한다(개발이익 배제).

2. 비교표준지 선정
   (1) 선정기준
   ① 용도지역 등 공법상 제한과 유사하며, ② 실제 이용상황이 유사하고, ③ 주변환경이 유사한 표준지로서, ④ 인근지역에 위치하여 지리적으로 가까운 표준지를 선정한다.

   (2) 용도지역
   해당 공익사업으로 인하여 용도지역이 변경된 바, 개발이익 배제를 위하여 종전 용도지역인 자연녹지지역을 기준한다.

   (3) 지리적 위치판단
   2021년도 공시지가에는 해당 공익사업으로 인한 개발이익이 미반영된 바, 농공단지 사업지구 내 비교표준지를 선정한다.

(4) 각 조서별 비교표준지

1) 기호 #1

예정공도로서 도로의 공공성을 반영하여 공도부지의 평가를 준용하며, 주변이용상황 유사한 표준지 '가'를 선정한다(자연녹지, 전).

2) 기호 #2,3,4,8

자연녹지, 전으로서, 표준지 '가'를 선정하며, ① 기호 #3의 군사보호구역은 일반적 제한으로서 반영하며, ② 기호 #4는 편입부분만을 판단한다(잔여지 보상은 사업시행자의 의뢰에 따라 별도로 진행한다).

3) 기호 #5

공부상 지목과 현황이 상이하여 불법형질변경 여부의 판단이 문제되며, 농지원부에 '전'으로 기재된 것만으로는 적법성을 인정할 수 없는 바, 종전 이용상황이라 판단되는 "임야"를 기준하여 표준지 '라'를 선정한다.

4) 기호 #6

지목 변경되지 않은 건부지로서 현황평가하여, 자연녹지, 전(기타)을 기준으로 표준지 '다'를 선정한다.

5) 기호 #7

적법한 주거용 건축물부지로서 자연녹지, 주거용을 기준으로 현황평가하여 표준지 '나'를 선정한다.

3. 시점수정치

(1) **지가변동률**(2021년 1월 1일~2023년 3월 31일, 자연녹지)

1.07 × 1.06 × (1.007 × 1.006 × 1.007) ≒ 1.15704

(2) **생산자물가상승률**(2023년 3월 ÷ 2020년 12월)

125.1 ÷ 109.7 ≒ 1.14038

(3) 결정

대상토지의 가격변동을 잘 반영하는 지가변동률을 선택한다(1.15704).

4. 보상액 결정

(1) 기호 #1

60,000 × 1.15704 × 1.000 × (1.00 × 1.00) ≒ 69,000원/㎡(× 200 ≒ 13,800,000원)

(2) 기호 #2

60,000 × 1.15704 × 1.000 × (1.00 × 1.00) ≒ 69,000원/㎡(× 200 ≒ 13,800,000원)

(3) 기호 #3

60,000 × 1.15704 × 1.000 × (0.80 × 1.00 × 1.00) ≒ 56,000원/㎡(× 200 ≒ 11,200,000원)

(4) 기호 #4(편입부분)

해당 공익사업으로 인한 영향 미고려 ∴세로, 장방

∴ 60,000 × 1.15704 × 1.000 × (1.00 × 1.00) ≒ 69,000원/㎡(× 100 ≒ 6,900,000원)

(5) 기호 #5

20,000 × 1.15704 × 1.000 × (1.00 × 1.00) ≒ 23,000원/㎡(× 2,000 ≒ 46,000,000원)

(6) 기호 #6

120,000 × 1.15704 × 1.000 × (1.00 × 1.00) ≒ 139,000원/㎡(× 200 ≒ 27,800,000원)

(7) 기호 #7

200,000 × 1.15704 × 1.000 × (1.00 × 1.00) ≒ 231,000원/㎡(× 200 ≒ 46,200,000원)

(8) 기호 #8

1) 가치하락 및 공사비 보상액

① 가치하락 후 토지가격(세로가, 삼각형)

60,000 × 1.15704 × 1.000 × (1.00 × 0.85) ≒ 59,000원/㎡

② 가치하락분

(69,000 − 59,000) × 100 ≒ 1,000,000원

③ 가치하락분 및 공사비 보상액

1,000,000 + 6,000,000 ≒ 7,000,000원

2) 사업시행자의 매수 가부

① 잔여지의 토지가치(편입 전)

69,000 × 100 = 6,900,000원

② 결정

잔여지 가치하락 및 공사비가 잔여지 가격보다 크므로 매수 가능하다.

III 〈물음 2〉 지장물의 보상평가액

1. 기호 #1

(1) 취득가격 보상

이식가능 수령 이상인 바, 이식이 불가능하며, 해당 물건의 가격으로 평가한다.

(2) 보상액

120,000 × 200주 ≒ 24,000,000원

2. 기호 #2

(1) 방침

주거용 건축물로서, 이전비 및 거래사례 제시가 없는 바, 해당 물건의 가격(적산가액)으로 보상한다.

(2) 보상액

600,000 × 33/50 = 396,000원/㎡(× 100 = 39,600,000원)(최저보상액 이상)

3. 기호 #3

(1) 방침

이전불가하여 취득 보상하며, 주거용 건축물이 아닌 바, 거래사례비교법은 고려하지 않는다.

(2) 보상액

200,000 × 34/40 = 170,000원/㎡(×400 = 68,000,000원)

4. 기호 #4

위험부담의 이전은 '수용재결일' 기준인 바, 수용재결 이전 멸실은 소유자 부담으로서 현황 멸실로서 평가제외한다.

Ⅳ 〈물음 3〉 피수용자 의견청취

1. 기호 #5 토지

지목이 임야인 타인 소유의 토지를 적법하게 점유하여 공익사업인정고시일 이전부터 농작물 또는 다년생 식물을 경작하여 왔으나, 해당 토지가 「산지관리법」(2010.5.31, 법률 제10331호로 개정된 것을 말함) 부칙 제2조에 따른 불법전용산지에 관한 임시특례규정의 적용을 받지 못하여 농지로 전용되지 못하는 경우 이러한 토지에서 행한 경작은 원칙적으로 「공익사업을 위한 토지 등의 취득 및 보상에 관한 법률 시행규칙」 제48조에 따른 손실보상 대상에 해당한다고 할 것이나, 예외적으로 산지로서의 관리 필요성 등 전반적인 사정을 고려할 때 손실보상을 하는 것이 사회적으로 용인될 수 없다고 인정되는 경우에는 손실보상대상이 되지 않는다고 할 것이다(법제처 법령해석 11-0737, 2012.1.5).

2. 기호 #6 토지

버섯재배사는 「농지법 시행령」 제2조 제3항 제2호 가목(고정식 온실, 버섯재배사 및 비닐하우스와 그 부속시설)에 해당하므로 「토지보상법 시행규칙」 제48조에 의거 농업손실보상의 대상이 된다.

Answer 137

15점

Ⅰ 평가개요

본건은 토지 및 지장물에 대한 수용재결보상평가로 가격시점은 재결(예정)일인 2023년 8월 1일을 기준한다.

Ⅱ 〈물음 1〉

1. 공시지가 선정 등

(1) 적용공시지가 선정

사업인정고시 의제일이 산업단지지정・고시일이나, 토지세목이 별도로 고시되었는 바, 토지세목고시일(2021년 10월 21일)을 사업인정고시 의제일로 보아 고시일 이전 공시지가 중 가격시점에 가장 가까운 시점에 공시된 2021년 1월 1일자 공시지가를 기준하되, 토지 (2) 또한 지번분할로 인한 추가세목고시가 된 것이므로 기존 토지세목고시일을 사업인정고시 의제일로 본다.

(2) 비교표준지 선정 등

1) 선정기준

해당 공익사업으로 용도지역이 변경되었는 바, 변경 전 용도지역인 관리지역을 기준으로 인근지역에 소재하고 해당 공익사업으로 인한 개발이익이 반영되지 않은 표준지로 실제이용상황, 공법상 제한, 주위환경 등에 있어 비교가능성이 높으며 지리적으로 가까운 사업지역 내의 표준지를 선정한다.

2) 비교표준지 선정 등

① 토지 (1)

도시계획시설결정 후 도로로 이용 중이므로 이는 예정 공도인 바, 도로개설 경위의 공공성 등을 고려하여 공도부지의 평가규정에 따라 인근의 표준적 이용상황으로 판단되는 "전"을 기준하여 이용상황이 동일한 표준지 (가)를 선정한다.

② 토지 (2)

계획관리, "전"을 기준하여 표준지 (가)를 선정한다.

③ 토지 (3)

군사시설보호구역은 일반적 제한이므로 제한받는 표준지를 선정하여야 하나, 제시되지 아니하여 표준지 (가)를 선정하고 군사시설보호구역으로 인한 제한을 반영하여 평가한다.

④ 토지 (4)

해당 공익사업으로 지적 분할되어 삼각형으로 되었으므로 종전 세장형을 기준하여 평가하되, 표준지는 계획관리, "전" 기준하여 표준지 (가)를 선정한다.

⑤ 토지 (5)

「공익사업을 위한 토지 등의 취득 및 보상에 관한 법률 시행규칙」 제24조 및 부칙 제6조에서는 1995년 1월 7일 이후 공익사업에 편입된 불법형질변경토지에 대하여는 불법형질변경될 당시의 이용상황을 상정하여 평가하도록 규정하고 있는 바, 종전 이용상황이라 판단되는 "임야"를 기준하여 표준지 (라)를 선정한다.

2. 시점수정

생산자물가지수가 제시되지 아니하여 2021년 1월 1일~2023년 8월 1일까지의 관리지역 지가변동률을 기준한다(∴1.18000).

3. 지역요인비교

인근지역 표준지이므로 지역요인은 동일하다(∴1.000).

4. 그 밖의 요인비교

그 밖의 요인비교치는 대등한 것으로 본다.

5. 보상평가액 산정

(1) **토지** (1)

60,000 × 1.18000 × 1.000 × 1.000 × 1.000 ≒ 71,000원/㎡(14,200,000원)
시 지 개 그

(2) **토지** (2)

60,000 × 1.18000 × 1.000 × 1.000 × 1.000 ≒ 71,000원/㎡(14,200,000원)

(3) **토지** (3)

60,000 × 1.18000 × 1.000 × 0.800 × 1.000 ≒ 57,000원/㎡(11,400,000원)

(4) **토지** (4)

60,000 × 1.18000 × 1.000 × 1.000 × 1.000 ≒ 71,000원/㎡(14,200,000원)

(5) **토지** (5)

20,000 × 1.18000 × 1.000 × 1.000 × 1.000 ≒ 24,000원/㎡(48,000,000원)

6. 토지 (5)의 농업손실보상 대상 여부

지목이 임야인 타인 소유의 토지를 적법하게 점유하여 공익사업인정고시일 이전부터 농작물 또는 다년생 식물을 경작하여 왔으나, 해당 토지가 「산지관리법」(2010.5.31. 법률 제10331호로 개정된 것을 말함) 부칙 제2조에 따른 불법전용산지에 관한 임시특례규정의 적용을 받지 못하여 농지로 전용되지 못하는 경우 이러한 토지에서 행한 경작은 원칙적으로 「공익사업을 위한 토지 등의 취득 및 보상에 관한 법률 시행규칙」 제48조에 따른 손실보상대상에 해당한다고 할 것이나, 예외적으로 산지로서의 관리 필요성 등 전반적인 사정을 고려할 때 손실보상을 하는 것이 사회적으로 용인될 수 없다고 인정되는 경우에는 손실보상대상이 되지 않는다고 할 것이다(법제처 법령해석 11-0737, 2012.1.5).

본건의 경우 공부상 지목은 임야이지만 「농지법」 제2조 제1호 가목에 해당하는 작물을 재배하고 있으므로 농업손실보상의 대상이 된다.

III 〈물음 2〉

1. 평가개요

사과나무의 수령이 10년생으로 이식이 불가능하므로 나무의 가격으로 보상한다.

2. 보상평가액

120,000 × 200 ≒ 24,000,000원

Answer 138

25점

Ⅰ 평가개요

본건은 전라북도 J시에 소재하는 부동산에 대한 도시계획시설의 협의목적 감정평가로서 2023년 2월 20일을 가격시점으로 평가한다.

Ⅱ 〈물음 1〉 공법상 제한의 구분 및 예시

1. 공법상 제한의 구분

(1) 일반적 계획제한

제한 자체로서 그 목적이 완성되고 구체적인 사업의 시행이 필요하지 않은 제한이다. 그 제한을 받는 상태를 기준으로 평가한다.

(2) 개별적 계획제한

그 제한이 구체적인 사업의 시행을 필요로 하는 사업으로서 그 제한을 받지 않은 상태를 기준으로 평가한다.

2. 각 공법상 제한의 종류

(1) 일반적 계획제한

1) 「국토계획 및 이용에 관한 법률」에 따른 용도지역, 지구, 구역의 지정 등
2) 「군사기지 및 군사시설 보호법」에 의한 군사시설 보호구역의 지정 등
3) 「자연공원법」에 의한 자연공원의 지정 등

(2) 개별적 계획제한

1) 「국토계획법」에 의한 도시계획시설의 지정 등
2) 「토지보상법」에 의한 사업인정의 고시
3) 관계법령에 의한 공익사업계획의 공고 또는 고시 등

Ⅲ 〈물음 2〉 보상평가액

1. 토지의 보상평가액

(1) 적용공시지가 선정

「국토계획법」상 실시계획인가 고시가 사업인정의 의제가 되는 바, 이전 최근 공시지가인 2022년 공시지가를 선택한다(「토지보상법」 제70조 제4항).

(2) 비교표준지 선정

제1종 일반주거지역으로서 본건과 이용상황이 유사하며, 주변환경 등 가격형성요인이 유사한 표준지 1을 선정한다.

(3) 시점수정치

1) 지가변동률(2022년 1월 1일~2023년 2월 20일)

J시 W구 주거지역

$1.01611 \times (1 - 0.00082) \times (1 - 0.00082 \times 20/31) \fallingdotseq 1.01474$

2) 생산자물가상승률

2023년 1월/2021년 12월 = $107.2 \div 104.6 \fallingdotseq 1.02486$

3) 결정

본건 토지가격 변화추이를 잘 반영하는 지가변동률을 선택한다(1.01474).

(4) 개별요인비교치

「문화재보호법」 제83조에 의하여 사업인정의제 규정이 없는 바, 일반적 계획제한으로서 공법상 제한을 반영하여 평가한다.

$1.05 \times 0.8/(0.8 + 0.2 \times 0.85) \fallingdotseq 0.866$

(5) 그 밖의 요인보정치(비교표준지 기준)

1) 평가선례의 선정

제1종 일반주거지역, 주상용으로서 사업인정의제일 이전의 보상선례인 B를 선택한다.

2) 격차율 산정

$$\frac{768,100 \times 1.01474 \times 1.000 \times 0.909^*}{550,000 \times 1.01474} \fallingdotseq 1.269$$

* $1.00 \times 100/110$

3) 그 밖의 요인비교치 결정

상기 격차율을 고려하여 그 밖의 요인보정치를 1.26로 결정한다.

(6) 토지의 보상평가액 결정

$550,000 \times 1.01474 \times 1.000 \times 0.866 \times 1.26 \fallingdotseq$ 609,000원/㎡($\times$ 100 = 60,900,000원)

2. 지장물의 보상평가액

(1) 편입부분의 보상액(조서기호 1)

(2,000,000 + 1,600,000)/2 × 29/50 ≒ 1,044,000원/㎡(× 50 = 52,200,000원)

(2) 보수비

1) 벽체공사비

30 × 200,000 = 6,000,000원

2) 기타비용

3,000,000(배관) + 1,500,000(보일러 이전설치비) + 500,000 + 300,000 × 20m(담장)
= 11,000,000원

3) 부대비용

(6,000,000 + 11,000,000) × 0.1 = 1,700,000원

4) 보수비

6,000,000 + 11,000,000 + 1,700,000 = 18,700,000원(잔여건축물가격 : 1,044,000 × 250 = 261,000,000원)

박문각
감정평가

S+감정평가실무연습
종합문제

감정평가사 2차 종합문제

S+ 감정평가실무연습 종합문제 예시답안편 vol > 2

제10판인쇄 : 2022. 06. 15.
제10판발행 : 2022. 06. 20.
공 편 저 : 유도은 · 이홍규
발 행 인 : 박 용
발 행 처 : (주)박문각출판
등 록 : 2015. 04. 29. 제2015-000104호
주 소 : 06654 서울시 서초구 효령로 283 서경B/D 4층
전 화 : (02) 723-6869
팩 스 : (02) 723-6870

정가 50,000원(1권 · 2권 포함)

ISBN 979-11-6704-711-3
ISBN 979-11-6704-709-0(세트)

MEMO

MEMO

MEMO